JN047278

破壊と創造、そして融合の海

有史以来、さまざまな文明が地中海を舞台に興亡を繰り返してきた。写真はチュニジア、地中海を望むカルタゴの遺跡。前146年にカルタゴを滅ぼしたローマが再建した町の跡。

最初の文明、シュメールの人々

最古の文字を生み出した文明人が、メソポタミアに現れたシュメール人である。シュメールの遺跡から出土した「ウルのスタンダード」と呼ばれる工芸品は、ラピスラズリや貝殻などで見事に細工され、4000年以上前の人々の姿を現代に伝えている。大英博物館蔵。

〔本文74頁〕

石に刻まれた神々の姿

前2千年紀頃のバビロニアに覇を唱えたカッシート王朝が残したクドゥルは、王の土地の贈与を証明する石灰石の公文書。当時の人々が信仰した神々や、そのシンボルである月や太陽、星、動物などが刻み込まれている。ルーヴル美術館蔵。〔本文227頁〕

宗教改革が生んだ芸術

前14世紀のエジプトの王、アクエンアテンが進めた一神教への宗教改革のなかで生まれた写実性の高い新たな創作活動は、「アマルナ芸術」と呼ばれる。王妃ネフェルティティの胸像は、その代表作。ベルリン、エジプト博物館蔵。〔本文196頁〕

講談社選書メチエ

801

地中海世界の歴史 1

神々のささやく世界

オリエントの文明

本村凌二

MÉTIER

神々のささやく世界◉目次

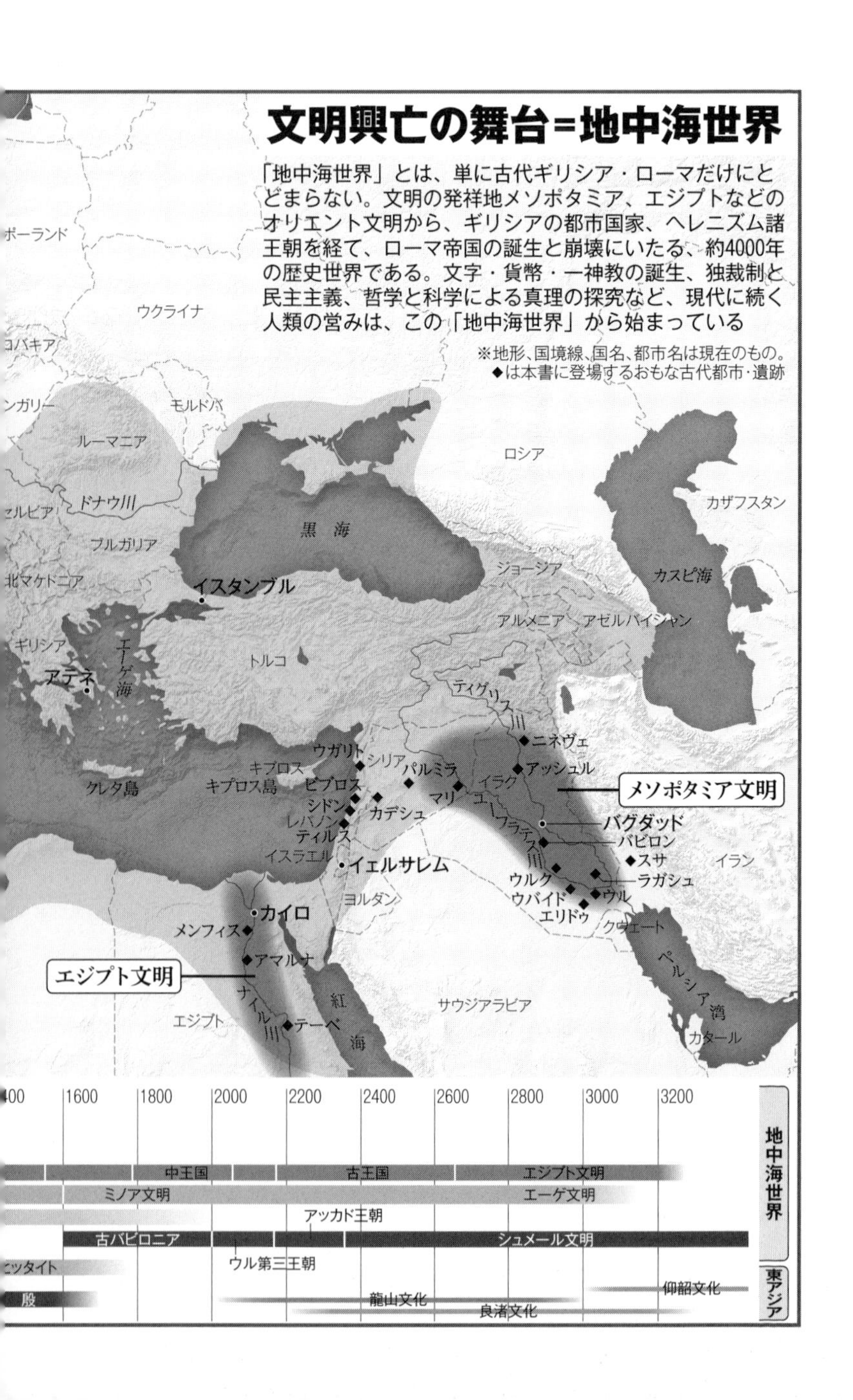

文明興亡の舞台=地中海世界
「地中海世界」とは、単に古代ギリシア・ローマだけにとどまらない。文明の発祥地メソポタミア、エジプトなどのオリエント文明から、ギリシアの都市国家、ヘレニズム諸王朝を経て、ローマ帝国の誕生と崩壊にいたる、約4000年の歴史世界である。文字・貨幣・一神教の誕生、独裁制と民主主義、哲学と科学による真理の探究など、現代に続く人類の営みは、この「地中海世界」から始まっている
※地形、国境線、国名、都市名は現在のもの。
◆は本書に登場するおもな古代都市・遺跡
ポーランド
ウクライナ
モルドバ
ルーマニア
ドナウ川
ブルガリア
北マケドニア
ギリシア
アテネ
エーゲ海
イスタンブル
黒海
ロシア
カザフスタン
ジョージア
カスピ海
アルメニア
アゼルバイジャン
トルコ
ティグリス川
ニネヴェ
アッシュル
メソポタミア文明
ウガリト
シリア
パルミラ
キプロス
キプロス島
クレタ島
ビブロス
シドン
レバノン
ティルス
カデシュ
マリ
イラク
ユーフラテス川
バグダッド
バビロン
スサ
イラン
イスラエル
イェルサレム
ウルク
ラガシュ
ウバイド
ウル
エリドゥ
ヨルダン
クウェート
カイロ
メンフィス
アマルナ
エジプト文明
ナイル川
テーベ
紅海
サウジアラビア
ペルシア湾
カタール
エジプト
1600
1800
2000
2200
2400
2600
2800
3000
3200
地中海世界
中王国
古王国
エジプト文明
ミノア文明
エーゲ文明
アッカド王朝
古バビロニア
シュメール文明
ヒッタイト
ウル第三王朝
東アジア
殷
龍山文化
良渚文化
仰韶文化

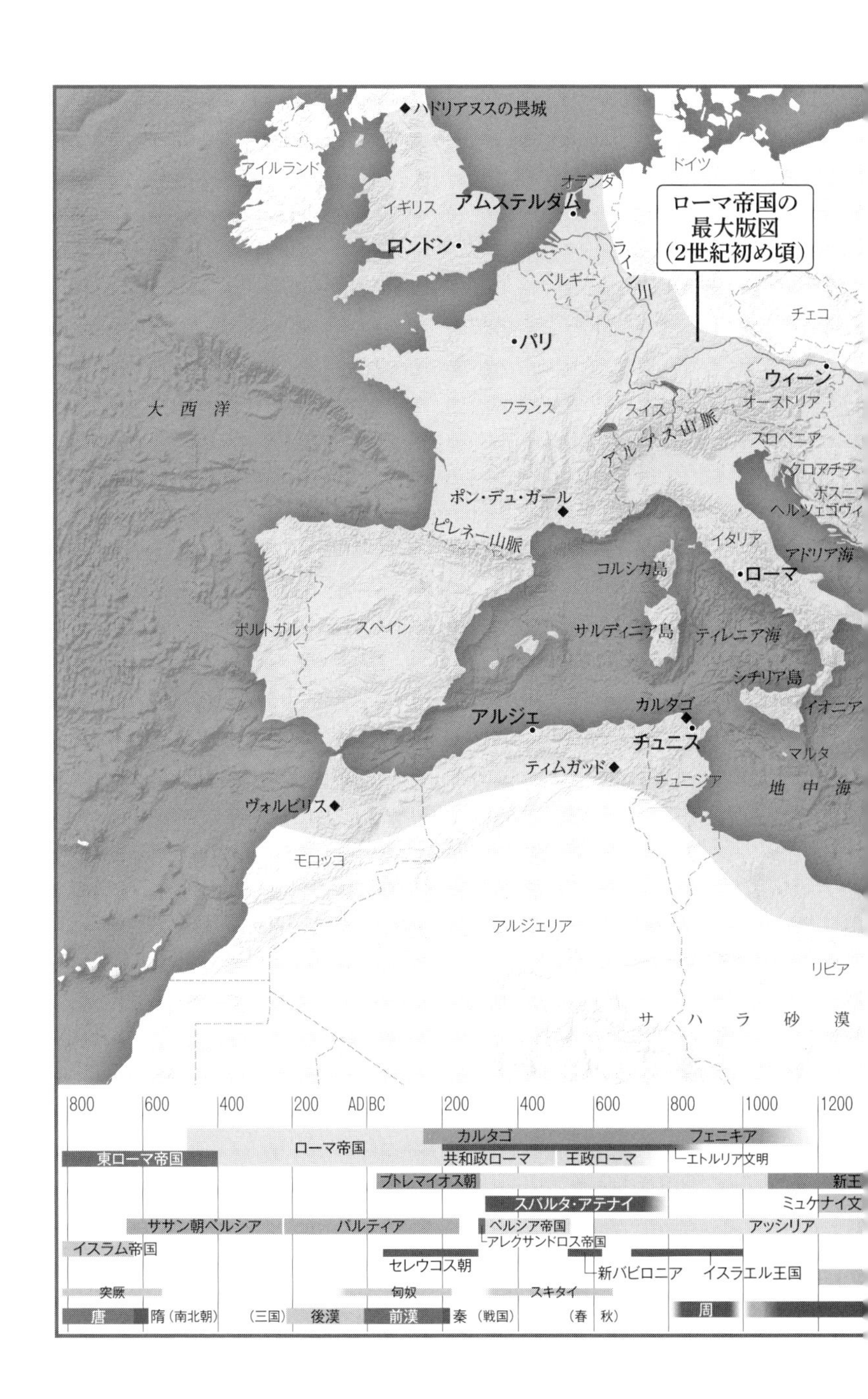

ハドリアヌスの長城
アイルランド
イギリス
アムステルダム
オランダ
ドイツ
ロンドン
ローマ帝国の
最大版図
(2世紀初め頃)
ライン川
ベルギー
チェコ
パリ
ウィーン
オーストリア
大西洋
フランス
スイス
アルプス山脈
スロベニア
クロアチア
ボスニア
ヘルツェゴヴィ
ポン・デュ・ガール
ピレネー山脈
イタリア
アドリア海
コルシカ島
ローマ
ポルトガル
スペイン
サルディニア島
ティレニア海
シチリア島
カルタゴ
アルジェ
イオニア
チュニス
マルタ
ティムガッド
チュニジア
地中海
ヴォルビリス
モロッコ
アルジェリア
リビア
サハラ砂漠
800
600
400
200
AD
BC
200
400
600
800
1000
1200
ローマ帝国
カルタゴ
フェニキア
東ローマ帝国
共和政ローマ
王政ローマ
エトルリア文明
プトレマイオス朝
新王
スパルタ・アテナイ
ミュケナイ文
ササン朝ペルシア
パルティア
ペルシア帝国
アッシリア
アレクサンドロス帝国
イスラム帝国
セレウコス朝
新バビロニア
イスラエル王国
突厥
匈奴
スキタイ
唐
隋（南北朝）
（三国）
後漢
前漢
秦（戦国）
（春 秋）
周

地中海世界の歴史❶
関係略年表

エジプト	ギリシア	
		BC 5000
先王朝時代		
		BC 4000
初期王朝時代　ナルメル王		BC 3000
ヒエログリフの開発	エーゲ海青銅器時代	
古王国時代（第3～6王朝）		
ギザの大ピラミッド		
第一中間期（第7～11王朝）		
中王国時代（第11～12王朝）		BC 2000
第二中間期（第13～17王朝）		
新王国時代（第18～20王朝）	ミノア文明（クノッソス）	
アクエンアテンの宗教改革	ミュケナイ文明	
ラメセス2世	線文字B文書	
第三中間期（第21～24王朝）		BC 1000

	メソポタミア	シリア・小アジア
BC 5000		
	ウバイド文化期（～3500）	
BC 4000		
	シュメール都市文明が始まる	
	ウルク文化期（～3100）	
	ジェムデト・ナスル期（～2900）	
BC 3000	楔形文字の開発	
	初期王朝期（～2335）	
	アッカド王朝期（～2154）	
	ウル第三王朝期（～2004）	
BC 2000	古バビロニア期（～1595）	
	古アッシリア期（～1600）	
	バビロン第一王朝期（～1595）	ヒッタイト王国（～1200）
	ハンムラビ法典	ミタンニ王国（～14世紀前半）
	カッシート王朝（1500～1155）	
BC 1000	新アッシリア帝国（～609）	

＊前2千年紀までの年代は頃

序章

地中海世界とは何か

ポンペイ遺跡、秘儀荘の壁画

地中海の誕生

地中海は愛される海である。ぶどう色にたとえられる紺碧の海は陽光にきらめき、しばしば穏やかにたゆたっている。目に映るかぎりの果てまで、爽やかな微風がただよっているかのようである。そこにいると気だるい眠りにおちいりそうになる。ともあれ、陸に囲まれた広大な内海であり、その自然のたたずまいがなんとも言い難い風情をなしている。

だが、そよ風やさざ波ばかりではなく、ときには、強風も吹き荒れ、うねりも激しくなる。季節の移り変わりにともなう風と海流は、この広大な海をことさら自然の力にさらけだしている。そのために、地質年代にまで視野を広げると、この広大な内海の性格がくっきりと浮かび上がってくる。

今から二〇〇〇万年前までさかのぼれば、ヨーロッパを西部とするユーラシア大陸とアフリカ大陸は離れていた。やがて両大陸は現在の中東あたりで衝突し、その間にあった海の東端が閉ざされてしまう。それから数百万年後には、ヨーロッパとアフリカの間の海に棲む魚や生物はインド洋の生物とは相互に影響をおよぼすことがなかったので、まったく異なるものになっている。しかし、陸上に生息する動植物はこの時期に出会い、混ざり合うことになる。カモシカやウマはアフリカ大陸にも広がり、サルやゾウはユーラシア大陸にも移り棲むようになる。

両大陸の移動はさらにつづき、アフリカ北西部の海岸はイベリア半島南端と接触する。こうして両

ギリシア、アテネのエレクティオン神殿。丘の上のアクロポリス神殿群で、パルテノン神殿に向かい合って建っている。PIXTA

大陸にはさまれた海は東西で閉ざされ、巨大な湖のような海となったのである。しかし、この地域の乾燥した気候のせいで、この海の水はやがて蒸発してしまった。おそらく一〇〇〇年足らずで干上がってしまったと想像されている。だが、火山活動や地震が重なり、現在のモロッコとジブラルタルが接合する地点が切断され、その間の地峡を越えて大西洋の海水がどっと流れこんできた。こうして干上がった広大な盆地はふたたび海水に満たされ、現在の地中海ができあがったと地質学者は考えている。今から五〇〇万年ほど前の劇的な地変であった。

氷河期がくりかえされ、やがて一万年ほど前にふたたび今日と似かよった温暖な気候が訪れる。そのころ、この地中海沿岸地域の西部に住み、動物の狩猟や根菜類・果実の採集によって生活していた人々の有り様は、スペイン北部のアルタミラやフランス南西部のラスコーの洞窟に描かれた壁画に残されている。

自然と文明

この地中海の周辺地域に興り、滅んださまざまな文明の世界、すなわち地中海世界の歴史を、これから描きつくそうと思う。そこでまず考える。——文明とは何か。世界史とは何か。なぜ「地中海」が重要な舞台なのか。

かつて文明の発生をめぐって、しばしば「四大文明」が強調されたことがある。前四千年紀後半からのメソポタミア文明とエジプト文明があり、前三千年紀半ばにはインダス文明が形成され、前二千年紀半ばには黄河文明が現れたという。しかし、この「四大文明」という用語は、戦後日本の歴史教育に特有の見方で、現在はあまり重視されていない。昨今では、これらの文明地域にかぎらず、たとえば新大陸でも、紀元前後にメキシコ渓谷やペルーでも独自な文明が生まれているし、オーストラリアのタスマニアなどにも古代の文化遺跡が少なからず見出されている。

これらの文明と対比して、無秩序な自然状態が想定されることがあるが、いわゆる未開社会にあっても、どこにも自然状態などありえないことは明白だった。人間が生活を営むかぎり、そこにはなんらかの形で痕跡が刻まれるのであり、それを文化と名づけようが、文明とよぼうが、人間活動の名残が見られるのだ。

おりしも「文化」と「文明」という名称をとりあげたので、これら両者の差異について、かんたんに触れておきたい。しばしば語られるように、「文化」は人間が自然環境と深く関わることによって生み出される生活様式である。たとえば、その自然環境に応じて、その地特有の草花・植物が生息し、それらを栽培・育成する人間の営みができるのであり、これが「文化」にほかならない。

これに対して、「文明」は、それぞれの地域の自然環境の違いを超えて伝わり、より快適な生活空間を享受できるようになる。たとえば、灌漑（かんがい）農業が開発され、金属器や車輪がつくられ、神殿のような巨大建造物も築かれて、まぎれもなく「文明」が生まれる。

この差異は、なにも目新しい意見ではなく、ありふれた説明である。つまり「文化」と「文明」の違いは、人々が集まって、都市という人間の手で築かれた居住空間ができあがり、それがどれほど生活と社会に関わっているかにあるのではないだろうか。

英語であれば、文化は culture であり、土地を「耕す」ことに由来するが、文明の civilization は civil（都市）や civitas（市民団）から派生していることは、両者のたたずまいをよく示唆しているのではないだろうか。ありふれた説明であるが、とりあえず「文化」と「文明」の差異をわかりやすく物語ってくれる。

イスタンブルのアヤソフィアは、ローマ時代の４世紀に建てられたキリスト教の大聖堂を起源としている

世界史の公平な見方

ところで、一七世紀のガリレオやニュートン以来の科学革命の影響は、自然科学の域を超えてさまざまな分野におよんでいる。歴史学も例外ではなく、一九世紀において、ニーブールによる史料批判の方法が確立され、その方法を個々別々の出来事についての歴史感覚と結びつけたのがランケであった。それはまさしく近代歴史学の成立にほかならなかった。

しかしながら、自然科学と異なり、人間の集団生活や社会をめぐって時系列としての流れに注目する歴史学は、そこに生きる人々の趣味趣向に左右されがちである。ルネサンスや宗教改革がヨーロッパで生まれ、それにつづいて科学革命がおこったにしても、ヨーロッパ人の視野は自分たちの生きる居住空間を超えて広がることは、なかなかできなかったのではないだろうか。

人類史あるいは世界史を語るにしても、欧米人の視野はいわゆる西洋史を中心に語られることが多く、それ以外の地域に目を向けることは少なかった。ユーラシア大陸にかぎっても、ヨーロッパ人の視野はせいぜいペルシアあるいはイランまでしか届いていないような印象だった。

筆者はかつて、古代以来の馬と人間の深い関わりについての一冊、『馬の世界史』（講談社現代新書二〇〇一年／現在、中公文庫 二〇一三年）という本を書いた。もともと、前近代社会では、現代人が考える以上に馬は人間と文明に関わっていることが気になっていた。それを広く見渡した本を読みたいと思い、和書でも邦訳書でも洋書でも探してみた。だが、見つけることができなかった。

たしかに、洋書あるいは邦訳書のなかには「馬と人間」「馬と文明」をあつかう書物がないわけではない。だが、そこには共通する限界があった。欧米の作者は西洋中心の見方に偏（かたよ）っており、彼らの視界にはイランまでは入るが、それから先の東方は茫漠としている。そこはアジア系あるいはオリエント系として十把一絡げにしてしまうのだ。まるでイランから先はいらんのか、と駄洒落の一つでも飛ばしたくなるのだ。

歴史をふりかえれば明らかなことだが、じつは騎馬遊牧民が活躍するのは、イランから先の世界なのである。なによりも中央アジアあるいは内陸アジアとよばれる地域が騎馬遊牧民の舞台である。その力に脅威を受ける東アジアの動きも、世界史の流れに大きな意味をもつ。それが十把一絡げにあつかわれるのでは、あまりにも公平さを欠くのではないだろうか。

現在の西欧世界を見て英仏独伊西などの区別をせずにヨーロッパ人とひとくくりにあつかうとすれば、彼らは怒り狂うのではないだろうか。たしかに、近代世界が西欧諸国の主導力で築かれたことは否定できない。だが、世界史のすべてが五〇〇〇年の文明史を通じてそうであったわけではないのだ。

幸いにも、日本における中央アジア史および東アジア史の研究は、その範囲においても広く、質においても高いものがある。しかも、部外者にはありがたいことに、それらの多くは日本語で読めるという利点がある。

さらにまた、手前味噌になるが、著者は曲がりなりにも西洋史を学ぶ者であるから、西洋の事情には少しは目配りができる。そういう思いが駆けめぐるうちに、いつしか古今東西にできるだけ公平な立場でいられる『馬の世界史』は日本人である自分が書くよりほかにないのではないか、と思うようになった。だから、筆者はなによりも自分が読みたい本を書いたにすぎなかったというわけである。

こうしてみると、世界史を公平に見渡せるのは、西洋史を専門とする日本人あるいは東アジアの人々ではないかという気がしないでもない。あるいは、その裏返しとして、日本史をふくむ東洋史に精通した欧米の人々ということになる。

いずれにしろ、偏見なく幅広く目配りできることは、物事を適正に判断できる出発点になるのではないだろうか。それは、どんな時代であっても基本的な姿勢であるが、とくに二〇世紀が終わりに近づくころから、「グローバル世界」という聞きなれない言葉をやたらと耳にするようになり、なにやら足もとがぐらつきかねないせいか、幅広い目配りが切実になっている。

ポリスを舞台とする「地中海世界」

ふりかえれば、二〇世紀末には、資本主義と社会主義のイデオロギーの対立にひとまず終止符が打たれ、文明の衝突を予告する声があった。それが今のところ現実には大事にはいたっていないにしても、現代世界に緊張を強いる要因の背景に、ユダヤ教、キリスト教、イスラム教の相克があることは周知のところであろう。これらはいずれも一神教である点で共通する。また、それらを生み出した母胎として「地中海を囲む周辺地域」があったことは、ことさら注目されるべきだろう。

ところで、一口に「地中海を囲む周辺地域」とそつなく述べたが、これを「地中海世界」という用語でくくるのは、便利そうにみえて、実はたいそうな問題をはらんでいる。単純にみれば、それがギリシア・ローマの世界を示唆することは、容易に理解される。そこには、民主政を実現し文芸の華を開花させたギリシア人がおり、世界帝国を現出し長期にわたる平和と繁栄を享受したローマ人がいた。これらは、世界史を画する傑出した出来事であり、今なお色あせることはない。

アルジェリアの世界遺産、ティムガッド。１世紀頃にトラヤヌス帝が建設に着手したローマの植民都市で、劇場や公衆浴場、図書館などを備えていた。PIXTA

この地中海世界を「ギリシア・ローマの世界」ととらえる見方は、日本の戦後の歴史学にあって、きわめてなじみ深い考え方であったのではないだろうか。しかしながら、地中海の近隣に住むせいか、ヨーロッパ人には特別に意識される世界ではなかったように思われる。といっても、古代にさかのぼれば、ローマ人は「マーレ ノストルム」（われらの海）とよんでおり、それなりに意識されていたにちがいない。もっとも、ローマ帝国は、史上唯一この地中海を内海として統一する巨大な覇権を打ち立てたのだから、意識したのは自然の成り行きだったにちがいない。

この地中海世界を政治的に統合したローマ帝国も、数百年後には、一つのまとまりとしては崩壊してしまう。その後、さまざまな民族が興亡をくりかえしたが、現代にいたってもおおかたはほぼ国民国家として乱立・並存している。

ところで、ヨーロッパ人にとって、ギリシア・

ローマを「地中海世界」とよぶことにはなじみ深くなくても、「古典古代」あるいは「古典文明」という表現なら、誰もが心をなごませる故郷のような世界であるらしい。たしかに、西洋文明にしてみれば、その根源にまでさかのぼれば、どうしてもギリシア・ローマが強烈な意味をもっているのだ。

そのギリシア・ローマの歴史を「地中海世界」という概念でとらえることは、それより遠く隔たった土地に住む日本人には理解しやすい面がある。地理的に離れている世界だからといって、ここでは気候や風土という自然環境にのみ「世界」の成立を求めるわけではない。たしかに、夏季は高温で乾燥し、冬季は雨季があっても温暖であるという地中海性気候の枠組みは否めない。だが、そのような自然環境がある種の公分母ではあっても、いわゆる「地中海世界」とは歴史世界として、ある時に成立し、ある時に崩壊したものであるとしておこう。

このような「地中海世界」を形成した歴史の根幹にあるのは、ポリスなる「市民共同体」であるという理解がある。ギリシア・ローマの市民共同体はこれらポリスに属する市民の間の格差が、ほかの地域、とりわけオリエント世界に比べて、かなり小さいというのは特筆される。

大局的な見通しであるが、ギリシア・ローマの都市国家ポリスを出発点として「地中海世界」を一つのまとまりとしてとらえる見方は、たとえば、弓削達（ゆげとおる）『新書西洋史②地中海世界——ギリシアとローマ』（講談社現代新書　一九七三年／現在『地中海世界　ギリシア・ローマの歴史』講談社学術文庫　二〇二〇年として刊行中）があり、日本人にはなじみ深い「地中海世界」のとらえ方である。また、筆者も編集委員に名を連ねた『岩波講座　世界歴史4』（岩波書店　一九九八年）も「地中海世界と古典文明」と題されており、主としてギリシア人とローマ人の足跡を一つの世界として理解する考え方である。

モロッコの古代遺跡、ヴォルビリス。ローマ帝国の勢力範囲の西のはずれにあたり、のちにイスラム勢力の拠点にもなった。PIXTA

このような「地中海世界」の理解は、たしかに現代人の知性のみならず感性にも訴える力がひそんでいる。濃い青色であり淡い紺色でもある藍色の地中海が愛（藍）される海でもあるのは、たとえ語呂合わせでも、誰もが微笑みたくなるだろう。

オリエント文明とヘレニズム文明

しかしながら、その後の歴史学研究の進展からすれば、このような「地中海世界」の理解が、唯一正当なものであるかと問うこともできるし、補うべき点も少なくない。その点について、筆者の気づくかぎりで、いくつかの問題を示しておきたい。

一つは、オリエントと地中海世界の関係について、とりわけオリエント文明のギリシア・ローマ文明におよぼした影響をめぐって、二〇世紀末以降、しばしば論じられるようになった。広義では、「地中海世界」にオリエントをふくむ議論もありえるのであり、文明史という観点からすれば、むしろ納得できる論点も少なくないのだ。

とりわけ、一九八七年に出版されたM・バナールの『ブラック・アテナ』（邦訳は片岡幸彦監訳、新評論 二〇〇七年）の反響は大きかった。

バナールの主張は、ギリシア文化の成立について、エジプトやシリア・パレスティナの影響も少なからずあったということ、さらに、ギリシア文化の独自性と考えられていることも一九世紀のギリシア独立戦争以後の古代ギリシアの理想化のなかで捏造（ねつぞう）されたことなどを議論の中心にしていた。わかりやすい事例をあげれば、現代人はギリシアの彫像は純白だと思いこんでいるが、じつはほとんどのものは制作時には彩色されていたのである。エジプトの彫像では彩色が当たり前であったから、とりたてて驚くことではない。このようなオリエントの影響をめぐって、今日でも賛否両論があるが、先進文明であったオリエントから学ぶことが多々あったことは、多くの研究者も認めざるをえないところである。

もう一つは、今日におけるグローバル化する世界との関わりがある。一九八〇年代以降における通信機器の発展、それにともなう金融経済の統合化などを体験した現代人は、アナログとデジタルを対比させ、とてつもないグローバル化が進展していることを実感している。この空前のグローバル化は歴史に投影したとき、どのような意味をもつのだろうか。

古代の地中海世界にあっては、アレクサンドロス大王の東征以降に生まれたオリエントをふくむヘレニズム世界と重ね合わせることによって、グローバル化は示唆するところが大きいのではないだろうか。さらにまた、ヘレニズム文明の誕生と浸透は、それに覆いかぶさるように形成されたローマ帝国と「ローマの平和」を考えるうえで、これまで以上に注目されてもいいだろう。グローバル化は拡大のみならず深化という点でも、並々ならぬ意味をもっている。この数十年の現代人の実感は歴史に新たな意味を問いかけているのだ。

広義の「地中海世界」あるいは「地中海文明」

ここまで見たように、「地中海世界」とか「地中海文明」という言葉を「ギリシア・ローマ世界」あるいは「ギリシア・ローマ文明」と同義とするとらえ方は、現在の研究動向や「歴史のグローバル化」という観点から見ると、すでに古くなっている。先行する「オリエント文明」の競合や影響を考慮すれば、このとらえ方は「狭義の」地中海世界あるいは「狭義の」地中海文明として受けとめる作法としておくのがいいのではないだろうか。

それとともに、人類史のなかの「世界」や「文明」に目を向けるとき、「広義の」地中海世界や「広義の」地中海文明というとらえ方が出てくるのは自然の成り行きであろう。それこそ、「オリエント世界」や「オリエント文明」をふくむ「地中海世界」であり、「地中海文明」である。

このような「地中海世界」や「地中海文明」を思い描くとき、やはり「自然と人間が共存しつづけることができるような文明社会」が生まれる、そのための土台に思いめぐらすことの大切さに気づかされる。それを文明の生態系ととらえれば、ここでは「地中海世界」あるいは「地中海文明」の生態系について探究することが必要になるだろう。

生態系から文明をみる

そもそも人類は自然環境に適応しながら生存してきた。そこにおける生活文化は衣食住に分かれるが、なかでも食の文化の根源をたどれば農業がある。この農業は、自然環境のなかでも、気候に順応しており、それを農耕文化とよぶことができる。ありふれた分類であるが、世界史のなかの農耕文化は、その起源を考えると、大きく五つに分けられるという。

（一）西アジア起源の麦などの「地中海農耕文化」
（二）中央アフリカ起源の夏作雑穀の「サバンナ農耕文化」
（三）東アジア、長江流域起源の「稲作農耕文化」
（四）南太平洋起源のサトウキビ・イモなどの「根栽農耕文化」
（五）新大陸起源のトウモロコシ・ジャガイモなどの「新大陸農耕文化」

それぞれの農耕文化は類似する環境の周囲に伝わるとともに、互いに影響しながら、それぞれの文化を豊かにしてきた。

ここでは地中海世界あるいは地中海文明について、その根源にさかのぼって考える場であるので、何はともあれ「地中海農耕文化」というものの姿をできるかぎり正確に理解しておかなければならない。そのためには、主として比較すべき農耕文化として、「稲作農耕文化」について整理しておくべきだろう。

かつては雲南省の高原地帯が稲作の起源地と考えられていたらしい。だが、今日では、稲作は長江中・下流域で誕生したと見なされている。この稲作は一万年以上も前に出現したのであり、それを根幹にして照葉樹林文化が形成されたという（安田喜憲『環境文明論 新たな世界史像』論創社 二〇一六年）。この常緑広葉樹の地帯では、イネのほかに、アワなどの雑穀、納豆、コンニャク、鵜飼、養蚕、ウルシなどがあり、ネバネバした食品が好まれ、乳を利用しない生活文化が営まれた。また、クリやトチノキなどの果樹も見られる。主に、東アジア、東南アジア、南アジアなどの温帯湿潤の地域に広がっていた。

これに対して、常緑でも小さい葉の硬葉樹林文化があり、その主要な穀物は大麦と小麦である。これらは冬作物であり、夏作物の照葉樹林文化とは異なっている。それとともに、イチジク、オリーブ、ナツメヤシ、クルミ、アーモンド、ピスタチオなどの果樹が育成されている。

ローマ五賢帝の一人、マルクス＝アウレリウス帝の像。ローマ、カピトリーノの丘に立つ

さらにまた比べれば、照葉樹林文化のタンパク源は魚介類や野生の鳥獣であった。これに対して、硬葉樹林文化のタンパク源としては、エンドウマメ、ヒヨコマメ、ソラマメのような豆類がたいそう好まれた。それらとともに、ヒツジやヤギなどの家畜を利用し、肉を食べ、毛皮をとる。乳を搾(しぼ)って飲み、バターやチーズを作るのだった。要するに、乳を

活用する点できわだっていたのだ。このような生活文化が西アジアから地中海沿岸地域一帯に広く見られるのである。

ほかにも、照葉樹林文化と硬葉樹林文化の差異に注目すれば、両文化の特色はくっきりと浮かび上がる。照葉樹林文化には牛や水牛がおり、それは泥・木・水の文明であると言える。これに対して、硬葉樹林文化には、ウマやロバがおり、石の文明が築かれたのである。

ざっとわかりやすく説明すれば、照葉樹林地帯の稲作農耕文化と硬葉樹林地帯の地中海農耕文化の差異が鮮明になり、それだけにオリエントあるいは西アジアをつつみこむ「地中海世界」あるいは「地中海文明」の土台となる生態系が理解できるのではないだろうか。

人類文明史の八割は「古代」

ところで、二一世紀になって、それまで人類が悩まされてきた飢饉（ききん）・疫病・戦争の三大悪をほぼ克服しつつあるような雰囲気があった。衰弱よりも肥満、病死よりも老衰、戦死よりも自殺が死因になる確率が高くなっていたのだから、当然といえば当然である。ところが、二〇二〇年に始まる新型コロナウイルスの感染症拡大、二〇二二年になっての前近代風の覇権主義をかかげた侵略戦争がおこってみると、いったい近現代社会とは何であったのか、とあらためて問いたくなる。

そのような問いかけの前提として、近代以前の世界をふりかえってみることも一考に値するのではないだろうか。人類五〇〇〇年の文明史をふりかえってみれば、そのうちほぼ四〇〇〇年は古代史であったとも言える。そのなかで、人類文明史の基底となる古文明はいくつもあっただろうが、大きく見渡せば、地中海世界と中国を中心とする東アジア世界が二大源流だと唱えられることがある。なかでも、地中海文明は、近代世界を牽引してきた欧米世界が祖先とも土台とも見なしているのだから、その文明史を学ぶことは現代を知るためにはきわめて重要だ。

地中海世界の文明史のなかで、まず文字が生まれたことはよく知られている。やがて、前二千年紀半ばに、三〇文字足らずで何事をも表記できるアルファベットが開発されたことは、人類史のなかでことさら注目すべき出来事だった。それとともに、前一〇〇〇年前後には、第一の大きな変動期があった。それは、「神々のささやき」を聴いていたらしい人々に、その声が届かなくなる「神々の沈黙」が訪れたのである。その意味する事態はとてつもなく深いものがあった。

フランス南部にあるポン・デュ・ガール。各地に残る古代ローマの水道橋のなかで最も長い。朝倉淑恵撮影

第二の変動期は、ギリシアの古典文明を経た後のヘレニズム文明であり、ここで人類は初めて真の意味での「グローバリゼーション」を経験したのではないだろうか。東地中海の文明が東方のオリエント一帯に波及し、ユーラシアの西方世界に広がったのである。

第三の変動期は、長期にわたる「ローマの平和」を享受した後の古代末期といわれる時代である。ここにおいて、人類は神々をかえりみなくなり、唯一なる神を崇(あが)める信仰に傾いていったのである。

古代地中海世界の遺産を継承する中世・ルネサンス

やがて地中海世界を政治的に統一したローマ帝国は崩壊し、東西のヨーロッパ世界とイスラム世界へと再編されて、「中世」と呼ばれる時代になるが、ここで育まれた文明は、消えさったわけではない。そもそも古代末期の地中海世界にこそ、今日までつづくキリスト教もイスラム教も姿を現したのであり、古代文明の痕跡(こんせき)がさまざまな形で刻まれている。

たとえば、イスラム世界最大の哲学者たちはアリストテレス哲学を用いてプラトンを解釈し直し、新しい世界像を提示している。その議論は、トマス・アクィナスらの西欧スコラ学者にかなりの影響をおよぼしていたという。その背景には、イスラム世界のアラブ人たちがギリシア語を理解していたということが注目される。

また、中世文学も古典古代の修辞学の影響のもとにあったし、なによりも中世の知識人の間ではラテン語が広く公用語として使われていたことは忘れてはならない。一六世紀前半にあっても、当時の代表的な知識人であるエラスムスとトマス・モアとの間ではラテン語で往復書簡が交わされているほどであった。

同時期は、「古代の復興」といわれるルネサンス芸術の最盛期でもあり、イタリアでは、ダ・ヴィンチ、ミケランジェロ、ラファエロらが輝いていた。神学や宗教の力が大きかった中世期だが、そもそもユダヤ教もキリスト教もイスラム教も聖書を共有する啓典の民の宗教であり、古代地中海世界の

イギリス北部のハドリアヌスの長城。ブリテン島にまで拡大したローマ帝国の北辺を示す。長さは100km以上におよんだ。著者撮影

遺産を継承していたのである。

文明を対比すること

昨今、現代は数百年に一度、あるいは千年に一度の激動期にあると言われることがある。それなら、どのような文明と比較すれば、そのような大変動の様相をくっきりと浮かび上がらせられるのだろうか。ここにも現代にも連なる「地中海文明」をふりかえる意味がある。

また、コンピューター文明の拡大は、人工知能＝ＡＩを生み出すまでにいたっている。しかも、ＡＩの判断は人類の判断よりも正確であるから、われわれはＡＩの指示に従っていれば間違いがないという信仰もどきの雰囲気さえある。この短絡的な排他性は、一神教の信仰に似たものがあり、それらの事例は前近代に多く見られるのではないだろうか。たとえばローマ帝国はユダヤ教には寛容であったが、キリスト教が公認されると、逆に

イェルサレムの嘆きの壁。向こうにイスラム教の聖地、岩のドームが見える。現代に続く一神教は、地中海世界で誕生した。斉藤和欣撮影

ユダヤ教は「キリスト殺し」として迫害されたという。ここにも前近代史を軽視するべきではないという問題が浮かび上がる。

一口に「地中海文明」というとき、そこではオリエント文明、ギリシア・ヘレニズム文明、ローマ文明が錯綜（さくそう）して立ち現れ、対立と融合の渦巻く世界を形成していた。すでに古代にあって地中海世界は多種多様な人々が人類史上最初の創作と試行をくりかえした舞台であった。たとえば、美と愛の女神は、メソポタミアではイナンナあるいはイシュタルであり、フェニキアのアナト、ギリシアのアフロディテであり、ローマのウェヌス（ヴィーナス）にもなる。すべてが流れ込む「ローマの平和」では、これがエジプト起源のイシス女神と結びつき、やがてキリスト教のマリア信仰にも連なるという。

地中海世界を政治的に統合したのは、後にも先にもローマ帝国をおいてほかにない。だが、その

シリアの砂漠地帯に建設された都市、パルミラ。東地中海と内陸を結ぶ商業都市でヘレニズム時代から栄えた。2015年、ISが破壊。永山浩庸撮影

世界帝国も数百年後には政治統合体としては崩壊してしまう。その後、さまざまな民族が興亡をくりかえしたが、宗教を軸にながめれば、今日でも、キリスト教文明とイスラム文明に二分される。地中海世界はいぜんとして緊張関係のなかで対立と共存がくりかえされる舞台であるのだ。

思えば、二〇世紀は、戦争と殺戮、絶えざる技術革新と大量生産、人口の爆発と環境の破壊などをともないながら未曽有（みぞう）の変貌をこうむった時代であった。それをふりかえるとき、今や二一世紀になる現代文明の源流として地中海世界があったことも無視するわけにはいかない。われわれはほんとうに大変貌を遂げたのであろうか。それとも、未だに文明の衝突の底流にある近代以前の枠組みのなかで生きているのだろうか。

ともすれば、われわれは身近な現実に追われて、遠い過去の物語など浮き世離れした戯言（ざれごと）のごとくにしか感じないでいる。しかし、歴史のなか

には現代の祖型が息づいており、それを読み解くことで現実をより明確に認識することができるのである。

ところで、地中海世界の歴史は、メソポタミア史、シリア史、エジプト史、ギリシア史、ヘレニズム史、ローマ史、ビザンツ史、あるいはキリスト教文明、イスラム文明などとして切り離して語られがちである。もちろん学問の細分化・高度化あるいは分析の精緻化を考慮すれば、それぞれの専門家が詳細かつ正確な歴史を描くべきことは否定しようもない。しかし、ときには世界史の大きな流れのなかで、人類の経験としての歴史をとらえなおすことも必要ではないだろうか。しかも、それぞれの専門に分断されるのではなく、できるかぎり単独の歴史家によって語られることも歴史理解の一助をなすにちがいない。

これら一連の地中海世界の文明史四〇〇〇年をめぐって詳細に語ることが、本書全八巻の試みである。とりわけ、人類文明の始原となる「地中海文明」が、胎動する時期を経て周辺部をのみ込み、興亡をくりかえしながら、やがて予感もされなかった姿に変わって完結する――その一大文明の変貌の様相を語りつくしたいというのが筆者の願いである。

*

では、まずこの第一巻では、地中海世界の東の端に興った人類最初の文明からみていこう。ここにはすでに、後のローマ帝国にもみられる「神々と人間」のドラマが始まっているのである。

第一章

愛の女神イナンナに始まる

ウルクの大杯の中段の浮き彫り。イラク国立博物館蔵

1　文字と都市の出現

夜空にまたたく女神イナンナ

宵闇（よいやみ）がせまるころ、西の夜空に星がまたたく。宵の明星とよばれる女神イナンナが棲（す）むと人々は語っている。ほどなく夜のとばりにつつまれ、深い暗闇が澄みとおる。それだけ女神のきらめきはひときわ目にしみわたる。この女神の光は夜が白みはじめるころには、東の空できわだってくる。明けの明星とよばれ、朝焼けのせまる闇空に重きをなす。

夕方と朝方にことさら輝くことから、女神イナンナは二つの顔をもつという。ときには「愛の女神」あるいは「愉悦の女神」である。この女神を守護神とする町では、女神を祀（まつ）る館が建てられ、天に近い高台に棲むごとく仰ぎ見る。

イナンナはしばしば天空の神アンの娘として崇（あが）められているが、月神ナンナの娘と見なされることもある。だが、イナンナには決まった配偶者はいないという。イナンナの愛は性愛に結びついているせいか、もともと自由恋愛なのである。ときとして牧夫（ぼくふ）ドゥムジを恋人とする物語がある。

ある日、ドゥムジはイナンナに心を奪われ、なんとか言い寄ろうとする。あげくに、いきなりイナンナの家を訪れ、「入らせてくれ」と大声で頼むのだった。彼の手と脇腹からは乳とクリームがあふれ出ていた。イナンナは母親と語らった後、湯浴みをして、身体にオリーブ油をぬり、妃の衣を着て、宝石で身を飾る。こうして準備が整うと、やおら戸口を開けてドゥムジを迎え入れた。イナンナはドゥムジの腕に抱かれ、二人は狂おしく結ばれる。だが、激しく情熱的であればあるほど、それだけ破滅にいたることもある。

愛と悦楽の女神イナンナは、恋心と同じように、野心にあふれていたという。気まぐれで激情に走りやすく、天空の女将で満ち足りず、さらに大きな力をふるおうと望んだ。高い天空のみならず、低い冥界（めいかい）をも支配しようとする。やがてみずから冥界へ降る旅を企てる。

習わしでは死者を土中に埋葬する。だから、人々は地下には冥界があると信じて疑わなかった。やっとのことイナンナは冥界にたどり着いたが、その黄泉（よみ）の王国で囚われの身になってしまう。しかも、神々の策謀で、ひとたび「帰って来られぬ国」に足を踏み入れた者には、誰も犯すことのできない掟があることに気づく。身代わりを立てなければ、この世に戻れないのである。神々の命令でイナンナにつきまとっていた悪魔たちがいた。彼らは女神を説得して同意を得ると、恋人であるドゥムジを冥界に連れ去ってしまう。あわれなドゥムジは身代わりになって世を去り、冥界の神となるしかなかった。

気まぐれなイナンナが激しい感情をいだくとき、その姿は狂おしい姿にもなる。それが女神イナンナのもう一つの顔である。イナンナは飽くことを知らず貪欲であり、残忍にもなり、戦いを喜ぶ。そこには「戦いの女神」の顔がある。イナンナは戦闘を好み、覇権を広げることに熱中するのだ。彼女には羽が生えており、聖獣ライオンを従えながら、武装した女神として勝者を讃（たた）える。

ところで、古代人の神話物語の背後には、彼らの心があることは忘れるべきではない。それは理解し難いにしても想像してみるに値するはずだ。

現代人から見れば、神話は「作り話」にすぎない。だが、古代人にすれば「作り話」として笑ってすませられることではなかったはずだ。誰もが物心がついたときからいだく疑問がある。自分の目で見たり肌で感じたりする範囲はかぎられている。常日頃、目にしたり触れたりする世界の外にはいったい何があるのだろうか。

まだ文字もない稚拙な古代には、人々は狭い集落に住んでいた。そこは中心そのものであり、その中心地を離れれば、もはや未知の辺境にすぎない。それが遠く離れれば離れるほど、ぼんやりと霞んでしまう。辺境にはどのような風土が広がり、いかなる人間や獣が生息しているのだろうか。それは悪魔（ダーモン）の棲む、おどろおどろしい魔界のようなものに感じられたのではないだろうか。

さらに、この地上で生きていれば、空に太陽が昇って昼が訪れ、それが沈めば夜がやって来る。空には月が姿を現し、無数の星のきらめきが目に入る。だが、一条の光すら届かない世界に入れば、どうなるのだろうか。古代の人々が見た夜の暗闇は現代人には想像できないのではないだろうか。灯りをもつことになれた人々には想像を絶する真っ暗闇なのだ。おそらく自分の手をかざしてもそれすら見えないことがあったにちがいない。そのような夜には天空にちりばめられた星のきらめきがどれほど鮮やかだったか。そのなかでもひときわ輝く星であれば、そこに地上の人間の世界を超えた霊妙な力があると感じても不思議ではない。

愛とは人間が感情の極みにいだく甘美の熱情であり、戦いは敵対する者への憎しみの果てに生まれる劣情に根ざす。相反するようにみえる熱情と劣情とは、ある意味では情念をもつ生き物の表と裏であった。「愛と戦い」の女神イナンナの神格のなかには両者が溶けこんでいる。見渡すかぎり真っ暗闇にひときわ輝く明星の女神。そのなかに、黎明期(れいめいき)にあった古代人が直観として感じていた情念の生々しさがあったのではないだろうか。

「エデンの園」からの追放

このような物語を伝えるのはシュメール人とよばれる古代人である。彼らはメソポタミアとよばれる地方の南部に住んでいた。メソポタミアとは古風な響きがするが、そもそもギリシア語で「川の間」を意味する。東のティグリス河と西のユーフラテス河の間にある土地とその周辺地域であり、今日のほぼイラクにあたる。両川ともアナトリア（ほぼ現トルコ）の山岳地帯に水源があり、そこに冬には雪が降り積もる。その雪が春に溶けると、著しく川の水嵩(みずかさ)が増す。それはときには恐ろしい洪水となって襲いかかる。

シュメール人の像。前３千年紀初め。高さ20.4㎝

中流域は二つの川にはさまれた広大な地域があるが、かつての古代の海岸線は今日目にする内陸部の数百キロメートルにまでおよんでいたという。だが、海岸線は現代とそれほど変わらず、ほぼ同じ位置にあるとも指摘されている。数千年を隔てる古代となれば、時の経過とともに変化する形状を確定する地層のようなものが当てにならないのだ。まして海岸線であれば、その流動する様は想像に難くないだろう。

いずれにしろ、途中には支流、沼沢、湖などがあり、ペルシア湾まで船舶が往来していた。昨今では、両川は下流域で合流し、そこは沖積平野をなしている。この地域は標高一〇〇メートルにも満たない低地をなし、ほとんど高低差のない平坦な地形である。

古代にはこの両川をつつみこむように豊饒（ほうじょう）な土地が広がっていた。そのために「肥沃（ひよく）な三日月地帯」とよばれる地域の一翼をなしていた。だが、栽培することを知らなかった一万年前よりさらにさかのぼれば、ここでも人間は動物を狩り、植物を摘みとっていた。

メソポタミアに人が定住するようになったのは前八千年紀、およそ一万年前のことである。そのころ、人々はおおかた石器を使っていた。石器といっても二種類ある。ただ石を打ち砕いただけで形をなす打製石器があり、擦（こす）って洗練させる磨製（ませい）石器がある。打製石器を使った時期を旧石器時代とよび、磨製石器を使った時期を新石器時代と言う。

今から一万年ほど前に、数十万年はつづいた寒冷な氷河期が終わり、地球は温暖になりつつあった。このころ旧石器時代から新石器時代に徐々に移り変わっていく。打製石器が廃（すた）れ、磨製石器が広く使われるようになったのだ。

それとともに、農耕と牧畜が始まっている。もはや自然に生息するものを狩ったり摘んだりするだけでは安息できないと人々は感じはじめたのだろうか。この狩猟・採集生活から栽培・飼育生活に歩み出す様は人類にとって大きな飛躍であった。その変容は旧約聖書の「創世記」のなかの名高い物語

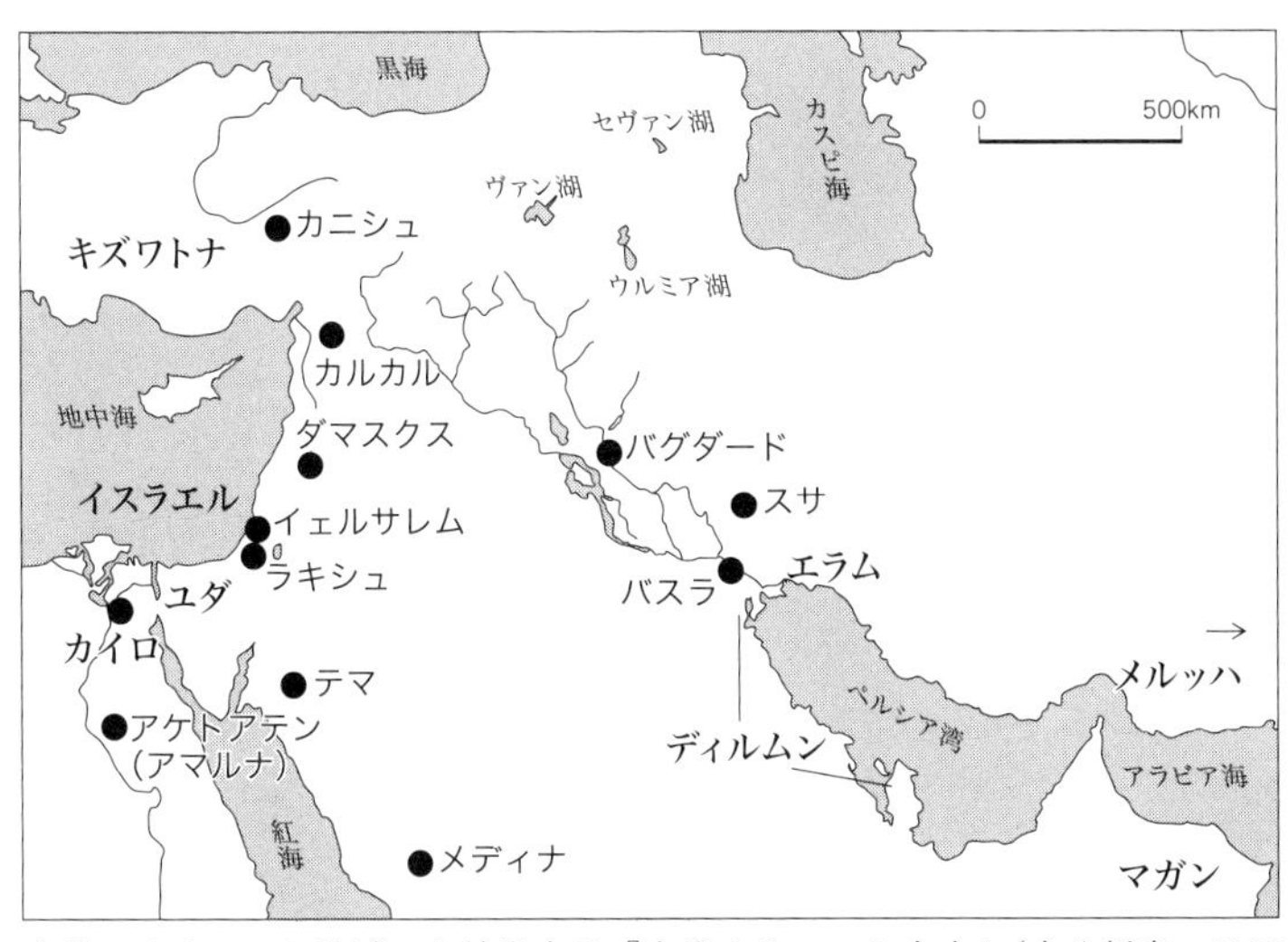

古代のオリエント地域。小林登志子『古代オリエント全史』（中公新書、2022年）を参考に作成

として象徴的に描かれている。

アダムとイブはエデンの園に棲み、気楽な採集者であった。やがて蛇にそそのかされて禁断の木の実を口にしてしまう。二人は自分たちが裸でいることを恥じるようになり、善悪を知る者になった。だが、そのせいで、二人はエデンの園から追放される。さらに、互いに男と女であることを知り、女が身ごもって、男児を産む。この子はカインとよばれ、土を耕す者となった。ほどなく弟アベルが生まれ、羊を飼う者となった。ここには狩猟・採集生活の終わりが暗示されている。

現実の出来事としてはどうであったのか。

メソポタミア北部は自然の天水にあずかっていたので、麦類を栽培するにも羊や牛を飼育するにも恵まれていた。この地域こそ人類が農耕を始めた場所だと考えられている。さらに少し遅れて前七千年紀になると、雨の少ないメソポタミア南部で最初の用水路が掘られた形跡がある。おそらく人々は天水に恵まれない南部にも生活の場を求めていったのだろう。これらの乾燥した地域に住むとなると、いかにして水を確保し活用するかはなによりも気がかりなことだった。

ウバイド文化――メソポタミア先史時代後期

文明は文字とともに始まるという。文字がなければ何事も記録されないからだ。このために文明以前の過去を先史時代とよんで区別している。もっとも昨今では考古学の調査が進んできたせいで、発掘された遺跡や遺物も過去の出来事を暗示する。このためにこの区別は曖昧(あいまい)になっているのだが。

メソポタミアのユーフラテス河の下流には、流水のために土砂などが積み重なった沖積平野がある。その地に先史時代後期のものとおぼしき遺跡がある。そこには小規模な家屋が残り、色彩をほどこした土器も発見されている。多くは黒色か暗褐色かで塗られており、水平に走る縞模様とさまざまな動物や幾何学の模様が装飾されている。ささいな工夫を楽しんでいたのだから、その背景には生活をともにする人々の群れがあったにちがいない。おそらく前五千年紀頃には人が家族規模の形で居住していたのだろう。

さらに、器具類のなかには日干しにして焼いた粘土で作られたものがあり、なかには穀物や葦(あし)を刈りとる鎌もあった。当然のことだが、金属製品すなわち青銅器を作る技術を手の内に入れるようになると、これらの鎌はもはや使いものにならなくなり放棄された。だが、堅固な石製の器具はまだ役に立つものと見なされ、青銅器時代になってもずっと使われていたらしい。

この遺跡はウバイドという土地にあり、そのためにメソポタミアの先史時代後期はウバイド期とよばれている。ウバイド遺跡の文化が発展していく様は、その近くにあるエリドゥ遺跡の発掘調査から、さらに明らかになっている。

このエリドゥについては、後世の「シュメール王朝表」で王権が天から地に降りてきた最初の都市と記されている。遺跡の大部分は堆積土に埋もれているが、およそ東西四キロメートル、南北三キロメートルほどの範囲であったらしい。この地は防壁に囲まれていた形跡があるが、その姿を今日見る

現代のメソポタミア地方とおもな遺跡。本村凌二・高山博『地中海世界の歴史』（放送大学教育振興会、2009年）を参考に作成

ことはできない。中央部にはおそらく古くから聖域と考えられていた場所があり、同所には幾度も神殿が建てかえられていたらしい。

これらの神殿の規模は古くは小規模だったが、だんだん基壇が高くなり、大規模になっている。神々を祀る社としての神殿の権威が高まっていったのだろう。俗世から切り離された空間はこよなく聖なるものと見なされたのである。このようにして基壇がますます高くなるにつれ、その最終段階で後世の巨大な角錐状の塔となるジッグラトが登場する。

前五千年紀半ばまでは、ここに居住する人々は魚介類などの水産物を獲ったり、ヒツジ、ヤギ、ブタなどの小家畜を飼育したり、大麦などの穀物を栽培したりしていた。その後、灌漑農業が整備され、徐々に浸透していった形跡がある。幾筋かの流水溝が作られ、近くの川から水を引き寄せていたので、水が人の手で管理されるようになったのである。

農産物の余剰で集落と交易が発展

天水農耕に比べて灌漑農耕では数倍の収穫量が得られたという。しかも、旱魃による飢饉の被害にさらされることも少なかった。雨量の多寡に左右されないので、生活は安定したものになる。

このようななかで農民はより多くの穀物を生産するようになり、余剰が生まれ、それを集積できる人々の集落は豊かになる。遺跡のなかには厚い壁で囲まれた大きな穀物倉を備えるものもあり、公共で管理される食糧保管所として備えられたのだろう。新たに試みられる生産技術が成功すると、余力をそなえた村は規模が大きくなり、町のような大集落になっていく。

前四千年紀頃のものとして一〇ヘクタールほどの規模の遺跡が知られている。もはや村落という規模を超えて、町あるいは小さな都市とよべるものである。その周りには一～二ヘクタールほどの村落があり、大集落を取り巻くように点在していた。

このような都市規模にある集落の発達があれば、もちろん人口が飛躍的に増大することがともなう。それを示唆するのが大規模な共同墓地の出現である。エリドゥ遺跡では居住区域とは切り離された区域に共同墓地が見出されている。発掘では二〇〇弱の墓跡が調査されているが、未発掘地域も計算に入れると、一〇〇〇近くにのぼる墓があったらしい。

会計用のトークン。ウルク期、スサ出土。高さ1.6～5㎝。ルーヴル美術館蔵

これらの集落がまだ小規模の頃は、住民たちの間にほとんど格差がなかったようである。集落を率いる首長のような地位も見られず、それが世襲されることもなかった。大きくなった集落の共同墓地でも、墓の規模や副葬品（土器や装身具類）に著しい差異は見られないという。

だが、そのころから粘土で作られた小型の印板が出現しており、それらはトークン（記章）とよばれ、物資の数量を記録するものだった。さらにトークンを入れる容器として中空の球形をなすブッラ（球箱）があり、トークンをスタンプのごとく押印して中味がわかるようにしていた。

これらのトークンやブッラが使われるようになると、交易の実権をにぎる富裕層が姿を現した様がうかがわれる。大集落の中心部には神殿らしき規模の建造物があり、そこには穀物が保存され、非常時には困窮した人々に分配されていたらしい。やがて、これらの大集落は周囲の小さな集落群を服属させるようになるのだった。

このようなメソポタミア南部でのウバイド文化の発展とともに、やがてメソポタミア北部からシリアにかけてもウバイド系文化が広がっている。かつてはウバイド人が移住したり征服したりしたと考えられていたが、近年では交易活動がさかんになり、それによって影響された結果であると解されている。というのも、南部と北部ではウバイド文化にも差異が見られるのである。たとえば、女性土偶においても、南部では蛇のような頭をした立ち姿であるのに、北部では膝を曲げて座る姿をしている。これは北部では以前から同じような膝を曲げて座る姿をとる伝統があり、それを受け継いだものである。また、南部では、粘土製の鎌や斧が数多く出土しているが、北部ではまったく出土していないという。

北部にあってウバイド系文化が吸収されていく様子は、たとえば神殿が築かれたとき、礼拝堂が中心にあり三列に構成されたウバイド様式になっていることでもわかる。神殿は集落の中心となり、だんだん規模が大きくなっていく。ウバイド末期のものでは二〇メートル四方の広場を囲むようにして三つの神殿が建てられ、アクロポリスのような聖域をなしていた。

北部では古くからスタンプ印章が数多く作られているが、ここから南部の消費地に資源を供給する交易活動の様子がわかる。ある神殿に付属する井戸からはスタンプ印章やその圧痕のある封泥(ふうでい)が出土している。このように神殿は遠隔地交易の実権をにぎっていた。神殿の力が徐々に強くなっていたのだろう。

ウルク期――「黒頭の人」シュメール人の登場

メソポタミアがこのようなウバイド文化の環境にあった前四千年紀前半、その最南端の地域に先住民と異なるシュメール人が姿を現す。ウバイド文化の担い手はシュメール人だったと指摘する学者もいるが、通例は先住民とシュメール人とは異なると考えられている。

シュメール人がどこから来たかはほとんど定かではない。セム語系のアラブ人でもないし、もちろん印欧語系の人々でもなかった。彼ら自身は「黒頭の人」とよんでいたというから、アジア系だったことも否定できない。

ユーフラテス河の流水域は、現代と古代では、いささか異なる。その古代の流水沿いの沖積平野に、一九世紀半ばに、ワルカ遺跡が発掘されはじめた。この地は古代にはウルクとよばれ、旧約聖書ではエレクとして記されている。

この集落ウルクがあった地域には、前五千年紀末、人々が居住しはじめたらしい。それから数百年で急激な人口の増加があった。というよりも、ウルクよりも北方にある諸集落に居住していた人々が南方のウルク周辺に大挙して流入したともいう。集落の中心部に泥煉瓦(れんが)で造られた神殿のごとき建物の痕跡があり、そこは後にエアンナ聖域とよばれる礼拝地区になる。そこから、かつてのウバイド期の特徴をもつ彩色土器と焼成粘土の器具類が出土している。この地に移住してきたシュメール人は先住民と接触しながら、その文化の影響を受けるようになったのだろう。

前四千年紀半ばになると、大きな集落が明確な形をとりはじめる。もはや都市とよんでもいいものだが、まだ後に地中海沿岸に見られる都市国家のようなものではなかった。このころから四〇〇年ほどの文化期をウルク期（前三五〇〇～前三一〇〇年頃）とよぶ。

集落には天空の主神アンと戦いと愛欲の女神イナンナを祀る聖域があり、それをとり囲む二つの居住区が姿を現す。この時期に建てられた神殿は円錐形の粘土釘で装飾され、大型になってくる。集落には周壁が設けられ、街路や水利施設も出現する。交易網は、かつて河川を中心に営まれていた。しかし、ロバの家畜飼育がさかんになり、車輪も開発されている。それにつれて、陸上の交易網が整備されて、河川の水系交易とも結びつくようになる。それとともに、なんらかの専用品を生産するための工房施設、商業交易の拠点となる市場集落が出現し、都市の管理行政にたずさわる役所もできた。

このころになると、墓所の副葬品にも格差が目立ってくる。なかには、高位身分の世襲を示唆する威信財も現れている。これら集落内における格差の拡大は、商業交易が活発になっていた背景があっただろう。これらの交易拠点によって、ウルク文化が広い地域に拡散し、出自の異なる集団が共存するようになったらしい。

これらの交易の発展を示唆するのが円筒印章の出現である。それまでのスタンプ印章に代わって、石に図像を彫り刻んだ円筒形のものが作られるようになった。その円筒形の石を軟らかい粘土の上に転がして封泥とする。神殿、神々への奉納、聖獣の行進、奉納のための狩猟、神殿付属工房での作業風景などが図柄となっており、あるがままの姿で人間や動物の筋肉さえも描写しようとする自然主義の姿勢が感じられる。そこには石工芸の進んだ技術があったことがうかがわれる。

　これらの円筒印章はほどなくイランやシリアなどの地域にも広がり、各地の遺跡でも見つかっている。広大な地域にわたってウルク様式の円筒印章が作製されていた。ウルクを中心とするメソポタミア南部の文化は広範に伝わっていたようだ。

　それればかりではなく、移住あるいは植民の足跡さえもたどることができる。ある研究者によれば、当時のウルクの人々は北イラク、シリア、イランなどにも進出していたという。たとえば、北シリアのユーフラテス流域にはハブバ・カビラの遺跡があり、ウルクと似た神殿をふくむ面積二〇ヘクタールの長方形の都市があった。ここでは、ユーフラテス河岸に港が開かれ、いくつかの街路が交差し、排水施設を備えた家屋が密集していた。

　この地域では、メソポタミア南部の人々が商業活動のための植民居住地をあちらこちらに作り、ハブバ・カビラはその中核をなしたらしい。さらに、イランのスサにも、メソポタミア南部の人々が植民していた形跡がある。

　このような事例から、ユーフラテス河を北にさかのぼって、シリア、アナトリアに進み、さらに東に向かってイランなどの広範な地域がウルク人によって直接に支配されていた、と主張されることもある。巨大な覇権国家のような政治組織があったわけではないにして

マリ出土の円筒印章。前3000年頃

も、ウルクが広大な地域の交易網の中心勢力をなしていたことは否定できないのではないだろうか。同時期の地中海沿岸地域では、このような交易網らしきものの形跡すらないのだから、メソポタミアの先進性は明らかであった。

楔形文字の出現

最古の文字はウルクのシュメール人が生み出している。だが、一九世紀半ば以降メソポタミアの発掘が進んでも、しばらくはシュメール人の存在は知られていなかった。出土した楔形文字の粘土板文書が解読され、バビロニアやアッシリアの研究が進展するにつれ、セム語系のアッカド語、印欧語系のペルシア語のほかに、第三の言語があることが明らかになった。やがて、その言語はシュメール語と命名され、その担い手となるシュメール人がいたことがわかったのだ。

シュメール語はセム語系ではなく、まして印欧語系でもない。日本語と同様に、語幹と接辞（て、に、を、は）を結ぶ文法からなる膠着語であるという。

とくに都市ラガシュのテルロー遺跡から数多くの粘土板文書が出土し、それらは同種の言語で書かれていた。解読されるにつれて、神聖な事柄ではない内容であり、行政文書、財政文書、契約書、手紙などであることがわかった。したがって、シュメール語が後世の人々に明らかになったのは、彼らの勢力が消滅した後、四〇〇〇年の年月を経てからなのだ。

もっとも、このシュメール語を表記するための楔形文字が発明される前に、絵文字があった。絵なら誰にでもわかるからシンボルのようなものである。ウルクから出土した粘土板に記されており、前三二〇〇年頃のものである。ウルク古拙（こせつ）文字ともよばれる。さらに、この絵文字に先立って粘土製のトークンとブッラがあった。ブッラのなかにトークンが入っていて、ブッラの表面にはトークンを押印した跡がある。都市化が進むなかで、穀物や家畜を管理する必要からトークンが具象的な形になっている。羊、牝牛、犬、パン、油などの形状のトークンが作られたが、それを粘土板に押しつけたのが祖型としての古拙文字であるという。

絵文字	シュメール期	アッカド期	新アッシリア期	意味
				油
				10
				牝牛
				銀
				1
				羊
				犬

絵文字から楔形文字への発展。本村凌二・中村るい『古代地中海世界の歴史』（放送大学教育振興会、2004年）を参考に作成

　文明らしい生活をおくるには、さまざまな原料や物資が必要である。黒曜（こくよう）石、大理石、ラピスラズリ、貝殻、木材を手にする人々もいれば、大麦などの穀物が余っている人々もいる。両者の間で物々交換が成り立ち、交易がはじまる。

　このような交易がさかんになり長期にわたれば、取り引きの詳細を頭のなかに記憶しておくことなどとうていできない。「どこの誰と何をどれだけ交換したか」という記憶に目に見える形を与え、

それを手がかりに記憶をよみがえらせる。そのような工夫に思いいたれば、文字を作りだすことになる。じっさいウルクの文字はごく短期間に生まれたと考えられている。もしかしたら、作ったのはひとりの個人であったかもしれないという。

都市文明が開花したウルク文化期の後期から、巨大な建造物が目立つようになり、富裕な支配者層に好まれそうな美術様式が姿を現す。それとともに、文字が発明され、記録システムが整えられていく。

言葉を目に見える形にした文字による飛躍

シュメール人の集落のなかでもウルクは最大規模の有力都市であった。おそらく交易活動の一大中心地をなしていた。ほかにも、エリドゥ、ウル、ニップル、ラガシュ、ウンマなどの都市が並び立ち、これらの都市の中心部には神殿がそびえていた。神殿は時を経るにつれ、ますます壮麗になっていく。そこには、活発な交易活動がくりかえされ、経済力が豊かになっていた背景がある。

ウルクでは、前四千年紀末の地層からウルク古拙文字ともよばれる絵文字の粘土板文書が出土している。世界最古の文書であり、意味を示す表意文字としての絵文字が使われはじめた頃である。内容は家畜、穀物、土地などに関するものがおおかたであり、これらの物品の流れを管理するための記録簿であった。絵文字であるから意味はわかりやすいはずだが、最初期にはほかの都市にはほとんど広がらなかったという。

ウルク古拙文書にはおよそ一二〇〇の文字があった。しかし、前三千年紀前半になると、文字の数が少なくなり、六〇〇ほどになっていく。それとともに、一本の葦(あし)のペン（尖筆）が工夫され、楔形(くさびがた)文字を表記できるようになった。上方を三角形の楔形にして側面を直線に削ってあり、下方を円にしておく。そうすれば、押しつけるだけで楔形、直線、円形をかんたんに刻むことができるのである。

こうして楔形文字が誕生した。文字を読み書きするなど現代では当たり前のことであるが、人類史という視野からすれば、これは人類のとてつもない一歩であった。言葉が口から出る音だけではなく目に見える形で理解できるのだから、新しい能力の獲得であるのだ。

もともと言葉は音であるから、意味を示す文字から音価を示す文字も生まれてくる。こうして表意文字を主としながら表音文字で補う記録システムとしての楔形文字が整う。前三千年紀半ばのことだった。

文字の出現は驚くべきことだったから、それをめぐって後世の人々が語り継いだことがある。ウルク王の伝えたいことはたくさんあった。ほかの国に知らせたくても使者は覚えきれない。そこでウルク王は粘土板を利用して言葉を粘土板に刻むことにした。それ以前には言葉を粘土板に刻んで手紙を書くことなどなかったという。

ところが、この話には解せない部分がある。なによりも手紙を書いてもそれを読める者などいないのだから、そもそも手紙などあり得ないことになる。おそらく文字を読める使者がそれを口にして読み上げたにちがいない。口に出る言葉を目に見える形にして伝えることが人間にとっていかに想像を超える出来事だったのか。現代人にすれば笑い話にすぎないが、深刻の渦中にある人々は真面目だったところにおかしさがある。

二〇世紀にあっても、文字を知らない部族がいた。彼らの生態を調査するために訪れた文化人類学者がいる。彼は文字というものをなんとか説明し、本を差し出して「このなかに言葉がたくさん詰まっている」と教えた。それを聞いた文字を知らない部族の人々はその本に耳を押し当てたという。これも現代人には笑い話に思われるが、文字を知るということが人間にとっていかに大きな飛躍であるかを物語ってくれるのではないだろうか。

職業名リストが物語る都市の成長

ウルク古拙文字の粘土板は大半が行政・財政の記録である。おそらく公共組織を管理する必要に迫られて作成されるようになったのだろう。奴隷、家畜、物品、穀物、土地面積などの数量を計算するための記録システムとして生まれたのだ。このころのウルクの規模は二五〇ヘクタールの広がりがあったという。そこに住む人々に食糧を配給するための記録も必要だった。

この種の公共記録が圧倒的に多いとはいえ、残り一五パーセントほどは語彙リストである。職業、容器、地名などで分けられ、羅列されている。とりわけ「職業名リスト」あるいは「官職名リスト」は注目される。その種のリストは公共組織の規模が大きくなり複雑になっていることを暗示する。それはもはやシュメール人の都市国家とよんでいいだろう。

最初期には広がらなかった楔形文字も徐々にメソポタミア南部の各地で受容され、そこでも「職業名リスト」が作成されている。そればかりか、シリアやイランの都市集落でも発見されている。

このころには、書法が変わり、最初期に見られた縦向きから九〇度回転して横向きになっていく。

楔形を押し直線を刻む作業がしやすかっただろうが、正確な理由はわからない。

ウルク文化期の前期には、ウルクは周辺の諸集落からきわだっていたわけではなく、むしろ北方にあるニップルやアダブなどの人口が多かった。ところが、後期になると、北方地域の集落が捨てられていく傾向がある。それとともにウルクの住民が増えているが、おそらく北方の人々が大勢ウルクに流入したのだろう。ウルクは周辺部の人々を吸いとるようにして都市という形態を生み出したのである。

しかし、つづく二〇〇年ほどの間（前三〇〇〇年前後）に、この都市革命はメソポタミア南部の全域に広がった。ウル、ラガシュ、ニップル、キシュなどが都市として姿を現し、それぞれが有力都市として成長する。

それとともに、粘土板文書も伝わり、その影響はイランの原エラム文字の成立にもおよび、おそらくエジプトのヒエログリフ（聖刻文字）の誕生にもおよんだことも考えられる。

大河の畔の都市文明

文明は都市とともに生まれ、それと同時に文字が開発された。世界史を見渡せば、年代の差はあれ、同じような経過をたどっている。なぜ、メソポタミアをはじめとして、これ以後、エジプトにも、南アジアにも、東アジアにも都市と文字をもつ文明が成立したのだろうか。

およそ一万年前に地球規模での温暖化が始まったが、その数千年後に、やはり地球規模での乾燥化がおこっている。サハラ砂漠、アラビア砂漠、ゴビ砂漠などはそのような乾燥化が進んだために生まれたのである。

アルジェリア、タッシリ・ナジェールの壁画

今日、サハラ砂漠は果てしなく砂丘が広がるだけである。しかし、今から六、七千年前はグリーン・サハラとよばれるほどの草原があった。タッシリ・ナジェールとよばれる地帯には人間が生活していた形跡が残っている。そのころはまだサバンナ地帯であり、湿潤な気候にも恵まれていたらしい。洞窟にはたくさんの壁画が描かれており、牛の群れやワニなどが描かれている。生活のために狩猟したり、舞踏をして楽しんだりしていた。そこから、人々が群れをなして生活していたことがわかる。

人間は水がなければ生きていけない。グリーン・サハラとよばれる地帯にはときどき雨が降り、水溜まりや井戸があり、それを拠り所に動植物が生息することができた。

しかしながら、さらなる乾燥化が進み、この地帯に雨雲を招く前線帯が通過しなくなったのだろう。人々は水が手に入る場所を求めて移住しはじめる。今から七〇〇〇年前、およそ前五千年紀頃に、都市の祖型をなす村落のような集団生活の形跡が世界中に残っている。

旧約聖書でエリコとよばれる町はヨルダン川西岸にあり、イスラエルの民が最初に征服した集落である。その地には、さかのぼれば前五千年紀以前から、人々が集落をなして生活していた跡がはっきりと残されている。近くに川が流れていることが、なによりも恩恵であった。

まして大量の水が流れる大河であれば、乾燥化するなかで水を求めて移動する人々が多く集まってくるのは当然である。その数が増大し、やがて村落から都市をなす規模に成長する。

メソポタミアにはティグリス河とユーフラテス河が流れ、エジプトにはナイル河が走っている。南アジアにはインダス河、東アジアには黄河が流れる。これらの大河の畔に多数の人々が定住し、都市ができあがり、文明が生まれた。

豊饒なる土地の洪水伝説

ここメソポタミアでは、二つの大河はこの地に豊かな土壌をほどこすことで、さらなる恩恵をもたらす。シュメール人が生きていた時代からすれば一五〇〇年ほど下るが、前五世紀、メソポタミアのバビロニアを訪れたギリシア人歴史家ヘロドトスは、自分が知るかぎりの地域のなかで穀物の生産量が「飛び抜けて最高である」と驚きをかくさない（『歴史』一巻、一九三）。なにしろ、一粒の麦から通常では二〇〇粒、最大の豊作ともなれば三〇〇粒にもなると語るのだから、目を丸くして仰天したくもなる。中世ヨーロッパの貧しい時代には、麦一粒から四粒ほどしか実らなかったというから、比較する気にもならない。もっとも、ヘロドトスの持ち出す数字はかなり誇張されているにちがいないが、収穫量がかなり豊かであったことは否定できない。

シュメール学の泰斗（たいと）である前川和也氏は、前三千年紀半ばの大麦の収穫倍率について、約七六倍と試算している。一粒まくと七六粒が実るのだから、なるほど驚異的であった。

現トルコ領にあるアナトリアの山岳地帯には、冬、はなはだしく雪が降る。その積雪が溶け出し、ティグリス・ユーフラテスの両大河の水源となる。積雪量は年によってまちまちだから、春になって雪が溶けはじめると、積雪量の多い年は水嵩を増し、ときには大洪水になることも少なくなかった。洪水は自然災害であるが、水の圧倒的な力におびえる古代人にはなにか大いなる力が人間におよぼす災いに思われた。このために世界中の各地に「洪水伝説」が残っている。

メソポタミアでも、最古のものとしてシュメール語で書かれた『大洪水伝説』がある。「七日と七晩の間、大洪水が国土で暴れ、巨大な船が洪水の上を漂った」と語る。さらに、神々は人間の種を滅ぼすために大洪水をもたらすことを決定した。しかし、知恵の神はジウスドゥラなる人物に大洪水の話を伝えたので、彼は船を作って、動物を乗せて、大洪水を逃れたという。そして人間の種と子孫が残されたという。

同様の話はメソポタミア文学の傑作『ギルガメシュ叙事詩』のなかにも残されている。永遠の生命を求めて旅にでたウルク王ギルガメシュは「不死の人」ウトナピシュティムに会う。そのとき彼はある神の助けで船を造って洪水を逃れた自分の経験を話した。

これと並んで「アトラ・ハシース物語」は大洪水をもたらす決定を下した理由について語っている。人間は神々の労働を肩代わりさせるために創造されたはずなのに、増えすぎて騒々しくなり神々を悩ます。だが、なかなか人間を滅ぼせず、ついには大洪水がもたらされることになった。エア神は最高賢者アトラ・ハシースに洪水を示唆したので、彼は家族や動物を乗船させて難を逃れた。だが、アトラ・ハシースが助かったことでエア神は非難され、ふたたび人間が増えすぎないように戦争と不妊が定められたという。

この伝説には、洪水、戦争、不妊などの人間にふりかかる不条理な出来事をそれなりに納得させようとした古代人の心の葛藤が残されている。とりわけ「洪水伝説」をめぐっては、後の旧約聖書「創世記」の「ノアの箱舟（はこぶね）」伝説にあざやかに刻まれている。
堕落した人間を絶やすことを決意した神はノアに言われた。

さあ、あなたとあなたの家族は皆、箱舟に入りなさい。この世代の中であなただけはわたしに従う人だと、わたしは認めている。あなたは清い動物をすべて七つがいずつ取り、また、清くない動物をすべて一つがいずつ取りなさい。空の鳥も七つがい取りなさい。全地の面に子孫が生き続けるように。七日の後、わたしは四十日四十夜地上に雨を降らせ、わたしが造ったすべての生き物を地の面からぬぐい去ることにした。（新共同訳「創世記」七・一－四）

旧約聖書の主役であるユダヤ人の住む地域に大雨が降って洪水をおこすような大河はないのだから、不定期に氾濫（はんらん）して大洪水がおこるメソポタミアを舞台とした伝説が採り入れられたのであろう。

神々の女主人を祀る神殿

しかし、人々は大洪水の脅威におびえていただけではない。なによりもかかる災難がふりかからないように神々を敬いながら、水のもたらす恵みにあずかり豊穣（ほうじょう）を祈ることであった。
ウルクの聖域とよばれる地区からは最古の粘土板文書が出土しているが、そこには公共建築物がつぎつぎと形をなしていた。なかでも天空神アンに捧げられた白色神殿および愛と戦いの女神イナンナに捧げられたエアンナ神殿はきわだっている。これらの神殿は複合体をなし、後代の高層神殿ともいえるジッグラトに結びつく神殿塔が備わっていた。

このころ作製されたものに「ウルクの大杯」がある。淡黄色の温かみのある軟らかいアラバスター(雪花石膏)に刻まれ、一メートルほどの高さの円筒の杯である。そこには浮き彫り図像があり、三段に分かれている。下段の底辺には河水が流れ、穀物の穂が実っている風景である。下段の上辺には羊と山羊が数多く並んで歩いている。中段には、幾種類かの容器を捧げもつ裸の男の行列の場面がある。上段は、おそらく聖なる祭儀の場面である。

ウルクのエアンナ神殿とジッグラト

もう少し詳しく見てみよう。

上段には、中央に祈る女性が描かれ、その背後には葦輪の束が立っている。あたかも葦製の家の戸口にある側柱であるかのようであり、おそらくエアンナ神殿である。さらにその背後には三匹の動物といくつかの土器があり、台座の上に小さな男女の人間像が飾ってある。女像の後ろには葦輪の束があり、男像は一連の大椀と小箱を両手でもちながら捧げものをする。この祈る女性はイナンナ女神とも考えられるが、むしろ女神に仕える祭司であり、その前に立ち家隷に捧げものをさせている正装の男が支配者たる王(足が見えるだけで破損している)であろう。王は従者に房飾りの衣服の裾(すそ)をもたせ、たぶん女祭司に恭しい視線をなげかけているにちがいない。

シュメール人の王はしばしば祭司も兼ねており、とりわけ大神に仕える祈禱者であった。ここでの王は神格化された存在ではなく、半神ではありえても、あくまで生身の人間である。

中段には、壺や鉢や籠を運ぶ裸身の男たちが描かれている。容器に収められているのは農産物であろうが、彼らが剃髪しているのは聖なる供物を捧げる祭儀であることを暗示する。（本章扉写真）

下段には、上辺に羊と山羊の大群が描かれ、これらの家畜が多産であることを願う気持ちが伝わってくる。底辺になによりも生物に恵みをもたらす河川の水の流れがあり、おそらく大麦などとナツメヤシが実る豊穣な場面を望ましいとする農民の祈りがほのめかされている。

前四千年紀後半のウルク期にあって、宗教あるいは聖なる祭儀はなによりも「人々の思念の体系」

ウルクの大杯。高さ1mほどもあるシュメール美術の傑作。イラク国立博物館蔵。

をなすイデオロギーである。都市の神が、生産物を受けとり、それらを人々に分配するのだ。それがシュメールの地に生きる人々に共通する思念であった。神あるいは神々の住居である神殿は、人々の生活共同体によって建造され、このような共通理解が滞りなく作動する中心軸となる制度である。広大な平地のなかに、壮麗な神殿の建物が人々の目を惹きつける。それだけで神々を敬いたくなる祭儀としての役割をなしている。

ウルクには重要な神殿が二ヵ所あり、その一つであるエアンナ聖域に祀られたのがイナンナ女神である。その神殿はシュメール人が移住するようになったころから大改装された形跡がある。

一言でイナンナ女神とよぶが、もともとの名称は「ニン・アン・ア」すなわち「天の女主人」の意である。最古までさかのぼれば、都市ウルクの最高神は天空神アンであったが、やがて暇な無為の神となり、脇へ追いやられたのだ。おそらくウルクの先住民の神よりも、ウルクに住み着くようになったシュメール人が天空神アンの娘であるイナンナ女神を祀り上げたのだろう。「宵の明星」あるいは「明けの明星」としてひときわ天上にかがやくイナンナは「神々の女主人」としてシュメール人の心にきらめいたのであろう。

神に仕える祭司王の働き

ところで、人間の集団が一つのまとまりをなすには、求心力がなければならない。それには軍事力にもとづく権力と並んで人々を惹きつける権威がともなうべきだろう。合理的な法・契約関係が希薄な古代社会にあっては、政治と宗教は分かちがたく結びついている。そこでは頂点に立つ為政者はしばしば祭司王として現れる。だが、神みずからが化身となって統治するのではなく、王にふさわしい人間を選び、王は神に奉仕する忠実な下僕であった。

これらの祭司王の姿がウルク後期の丸彫りに残されている。腕を胸の前で曲げ祈っているかのように両手を組んでいる。身体は荒削りであるが、頭と顔は細部に配慮して彫り刻まれていることから、君主であることがわかる。髭（ひげ）をはやし帽子をかぶっているが、裸体である。通常ならほかの図像から知られるように伝統装束である釣（つ）り鐘（がね）状のスカートを着けているはずだが、ここでは儀式として裸体で描かれたのだろう。裸体は純潔を象徴し、ある種の礼拝には欠かせないものだったらしい。

ウルクの祭司王の像。高さ30.5cm(左)。ルーヴル美術館蔵。©ALFGRN CC BY-SA 2.0

「大杯」では上段にひときわ大きい人物として刻まれた祭司王はイナンナ神殿の首長であり、おそらく生産物の収集と再分配を統率していた。これらを采配（さいはい）するにあたっては新たな作業集団としての官吏がいなければならなかったし、出入りする品々を記録し管理する組織が必要になる。このような作業のために役所ごとき装置や技術が備わってくる。どれほどの穀物やビールを収集できるのか、活用できる土地はどこにあるか、どれくらいの労働者を集められるのか、どの時期が作業にふさわしいか、などについて配慮する人々が組織されなければならない。とりわけ書いて記録する作業が将来のためにも必要であった。規模が大きくなる社会の変化に合わせて、管理組織の分業化が進んでいくのである。とはいえ、今日の社会からすれば、素朴で単純な組織だったのだが。

ウルク期の歴史については確実な話はほとんどない。あえて旧約聖書の伝説（「創世記」一〇－八）をもち出せば、ノアの子孫の四世代目に生まれたニムロドは地上で最初の勇士であり、勇敢な狩人であったという。彼はバベル、ウルク、アッカドなどの建設者であり、広くバビロニアやアッシリアの諸都市の王として現れている。だが、このような示唆は、とって付けたような場違いの誹り（そし）をまぬがれないだろう。

この時代について、シュメール語の王号はエンとして知られる。このエンはおそらく祭司王であろうが、史実として確定されたわけではない（後世の「職業名リスト」の最初に記された読み不明の文字が王を示すという解釈もある）。

2　シュメールの王、ギルガメシュ

シュメール人の王朝

前四千年紀には、メソポタミア南部のシュメール地方にウルク、ニップル、ウル、エリドゥなど、数多くの都市国家の祖型が姿を現したが、なかでもウルクは規模の大きさで傑出していた。

これらを都市国家とよべるかはともかくとして、これらの集落は共同体をなしていたが、それらが氏族の集まりであったかどうかは、それほどはっきりしているわけではない。氏族とはなんらかの血縁関係のある数多くの家族を取りまとめる集団原理であり、古代社会にはありふれて見られたので、社会の基盤として想定されがちである。しかし、ウルク期の都市国家ではそれは確証されることではないのだ。

確実に言えることは、ある規模をもつ集落共同体が併存するなかで、人口が集中し王を戴く大規模な都市国家らしき集団がウルクに成立したことである。おそらく多数の村落が川や運河に沿って散在し、町規模の都市を基点としてある地域内で連携していたようである。これらの中小村落のなかには、後に、住民が灌漑農耕の拡大とともに連携を深め都市に集住するようになるものがあり、ウルクはそれが早い時期におこったのであろう。この意味で、それまでの社会とは断絶しており、血縁というよりも地縁によって結びつく社会が生まれたのである。

このような王を戴く都市国家はやがてウルクのほかにも出現するようになる。前述した「大杯」の上段に刻まれた王の姿は、浮き彫りばかりでなく、単独の彫像としても表されている。しばしば王は髭をはやし頭に帽子をかぶっており、西アジアの造形美術において個人としての人間が初めて表現された事例である。階層社会がめばえつつあるなかで権力者の力が誇示されるようになったのであり、社会の変質を示唆するものである。

ところで、楔形文字のもとになる絵文字あるいは古拙文字は前三二〇〇年頃にウルクで生まれたが、これらで記された古拙文書は三〇〇〇枚以上あるという。文書の内容はほとんどが家畜、穀物、土地などについての帳簿である。これらの古拙文字が楔形文字として文字体系を整えていくにはなお数百年を要し、前二五〇〇年頃シュメール語が完全に表記されるようになった。文字数も六〇〇ほどに整理されたのである。

しかしながら、前三千年紀初期までは、あくまでも世俗的な組織運営に関わることであり、穀物、魚、鳥、家畜、木材、日常品、籠、織物、金属、職名、地名などの語彙リストも作成されている。ここから社会の規模が大きくなるにつれて仕事が多様化し分業化が進んでいくことが読みとれる。

前四千年紀のウルク後期には真に都市国家とよべるものはウルクだけだったと言っていいだろう。それが前三〇〇〇年前後にはウルク型の都市国家は三つほどに増えてくる。さらに、数百年を経るなかで、ウルク型の都市国家は一〇くらいまでに増えていく。それとともに中小村落の数が著しく減少している。遺跡の表面調査によるものであるが、正確な数はともかく、前三千年紀前半において居住址が時とともに変化する様の大雑把な趨勢（すうせい）は充分に示唆されているだろう。

ウルクが突出した都市国家であった時代が終わり、前三千年紀になると、シュメール初期王朝とよばれる時代が始まる。この時代について語るとき、後世の作品であるが「シュメール王朝表」なる貴重な史料がある。それぞれの都市の伝承をもとにして前三千年紀末までの諸王権について記されている。

内容を見れば、洪水を挟んで二つに分かれている。洪水以前は後世の加筆と考えられており、「王権が天から下され、（中略）五都市、八人の王で治世の年数は二四万一二〇〇年である」とあるから、およそ伝承にすら値しないだろう。

メソポタミアの諸王朝の王の名を記した「シュメール王朝表」

洪水が襲った後で王権が天から下された時、キシュ市に王権があった。（中略）キシュ市は武器で打たれ、その王権はエアンナに運ばれた。（中略）ウルク市の王、ウルク市を作った者エンメルカルが王となり、その治世は四二〇年である。牧者ルガルバンダは、その治世は一二〇〇年である。漁師ドゥムジ、彼の都市はクアであり、その治世は一〇〇年である。ギルガメシュ、彼の父は風魔であり、クルラブのエンは、その治世は一二六年である。（小林登志子訳）

洪水以後の時代でも、諸王の治世年数が異様なほど長期におよんでいることから史実の片鱗（へんりん）すら残っているかははなはだ疑わしい。ギルガメシュについては、「風魔を意味するリルラを父とし、クルラブ（ウルクの聖域）の主であるエン祭司」であったという。これがどれほど史実を反映するものかは判然としない。しかしながら、シュメール語で書かれた英雄叙事詩の主人公に注目すれば、ウルクの王とされるエンメルカル、ルガルバンダ、ギルガメシュのみであり、治世年数はともかく彼らがシュメール全域に何らかの覇権をふるったことは想像に難くない。なかでも、ギルガメシュについては、すばらしい叙事詩が残されており、後世のアッカド語などのセム系言語で全容が理解されるとはいえ、その大略は知っておくべきだろう。

『ギルガメシュ叙事詩』の王と豪傑

ギルガメシュはすべてを知る知恵ある王であり、世界中の道を歩み旅した王であり、シュメールでもっとも高名な都市ウルクの城壁を築いた人である。

ウルク王ギルガメシュは静かにしていられない英雄であり、並ぶ者などいない暴君であり、民衆に独裁者として君臨していた。とりわけ耐え難いことは、快楽を追い求める、王のあくなき性欲であった。あまりにも理不尽であったために、ウルクの民衆は泣きわめき、その叫び声は神々の耳に達する。ギルガメシュの傍若無人（ぼうじゃくぶじん）なふるまいは、彼が人間たちのなかに対等な者を知らないからだということを神々は知る。母なる女神アルルに呼びかけ、この耐え難い苦境を終わらせようとした。アルルは手を洗い、粘土をつまんで豪傑エンキドゥを形づくる。

エンキドゥは全裸で人間と関わることなどまったく知らず、昼も夜も草原の獣たちと一緒に暮らしていた。ギルガメシュの傲慢（ごうまん）を静め荒ぶる心を矯正するために神々から遣わされた者は人間よりも野獣に似たエンキドゥだった。まずはエンキドゥを人間らしくしなければならない。それには女の力が必要だった。ウルクの高級娼婦は服を脱ぎ捨て裸身をさらす。エンキドゥの性本能は呼びさまされ、六日七晩にわたってエンキドゥは女体をむさぼった。満足しきってエンキドゥが獣たちを見ると、獣たちは逃げまどい、遠ざかっていった。エンキドゥはもはや野獣の力は失ったが、知力を得て賢くなる。獣たちには彼はもはや仲間ではなく、エンキドゥは分別ある知恵者に変身したのだ。娼婦は衣服を着たり食べたり飲んだりする文明生活の嗜みを我慢強くエンキドゥに教えこむのだった。

エンキドゥは人間らしくなり、ギルガメシュに会いに行く。途中で狼やライオンを殺し、牧夫たちを救ってやる。ギルガメシュはすでに夢のなかで最強の男エンキドゥがやって来ることを知っていた。比類なきウルクの王者の力を見せつけようと聖婚の酒宴を企て、エンキドゥを誘う。だが、家の門の前で、エンキドゥはギルガメシュを足止めしたので、二人は摑みあって格闘し始めた。通りでも広場でも戦いがつづく。とどのつまり、もともと野人だったエンキドゥに対抗できそうもなかったが、二人とも精根尽き果てたかのように、手をとり合って抱き合うのだった。激しい闘争の末に、深い友情が生まれたのだ。

香柏（檜）の森を守護する恐ろしい怪物フンババがいた。ギルガメシュはこの怪物を倒して殺す計画を友であるエンキドゥに打ち明けたが、フンババの恐ろしさを知っていた友はあまりに危険だと警告する。だが、ギルガメシュはエンキドゥの怖れをあざ笑うだけで、重い武器を作らせ、ウルクの男たちに遠征に出かけることを告げた。

かつて野人として香柏の森に通路を知っていたエンキドゥはギルガメシュの支援者として同伴することになった。二人はウルクの長老たちに祝福されて出立する。旅の途中、彼らは昼夜にわたって全力で歩き、四度、休息の眠りをとった。そこでギルガメシュは四回とも夢を見るが、その内容を聞いたエンキドゥはフンババ征服のお告げと解し、夢にとまどう友を納得させるのだった。

二人は勇気をいだいて香柏の森に近づく。だが、太陽神シャマシュを祀り助言を授かっていたにもかかわらず、フンババがひとたび恐ろしい叫びをあげると、ギルガメシュの怖れは止まらなくなった。怯むギルガメシュをエンキドゥが鼓舞し、やがて二人は森に到着した。

ギルガメシュとエンキドゥの前にフンババが立ちはだかる。雄叫びをあげるフンババが迫ると、ギルガメシュは立ちすくんだが、エンキドゥはギルガメシュを励まし、二人は力を合わせてフンババに立ち向かった。太陽神シャマシュが吹かせた一三の激しい風がフンババを身動きできなくさせ、息もたえだえになって、二人に命乞いをする。だが、フンババの恐さを熟知するエンキドゥは殺害を主張し、フンババは撃ち殺される。二人は森の杉を伐採し、筏を組んで木材を神々の主エンリルの棲む都市ニップルに運んだ。

盟友の死で永遠の命を望んだが

ギルガメシュとエンキドゥはウルクに帰還すると、身なりを整えた。ギルガメシュの姿の凛々しさと麗しさにウルクの守護女神イシュタル（＝イナンナ）は目をみはり、思いをよせ言い寄るのだった。女神イシュタルはあれこれと数多の贈り物をほどこしギルガメシュを誘って自分の情欲を満たそうとした。だが、ギルガメシュは女神の見境のない乱交と不実をよく知っていたので、女神の申し出を嘲り、あからさまに拒絶する。

女神はいたく傷つけられ、天空神アンに嘆願して、ギルガメシュを懲罰するために暴れ回る天牛を送らせる。地上にくだった天牛はウルクで暴れ回り、ウルクの武人数百人が惨殺されてしまう。だが、ギルガメシュとエンキドゥはこの野獣と闘い、これを撃ち殺すことに成功した。

人々は天牛の角の大きさに驚き、二人の武勲を讃える声が響いた。二人の英雄はもはや生涯の栄光の極みにあった。だが、フンババと天牛の殺害に関わったエンキドゥは不吉な夢を見る。彼には神々によって早すぎる死が定められたのだ。エンキドゥは自分の運命を呪う。ほどなくエンキドゥは冥界の夢を見たが、その日から彼は衰弱して病の床に伏し、為すすべもなく悲嘆にくれるギルガメシュが見守るなか、一二日後に息を引きとるのだった。

ギルガメシュは手厚い葬送儀礼を執り行いながら、哀惜と苦悶に暮れる。愛する盟友エンキドゥは世を去り、いずれ自分にもまた同じ運命が待ち受けているのだ。もはや英雄としての名声や栄光はほとんど慰めを感じさせない。

友の死によって死の恐怖にとりつかれたギルガメシュだが、形ある肉体の不滅を渇望するようになる。彼は永遠の生命の秘密を探し求めることを願い、旅に出る決意をした。

荒野をさまよったギルガメシュは、唯一の不死なる賢人ウトナピシュティムに会わなければならないことを知る。だが、賢人は人間が近づけないほどの遠い地に住んでいた。さらに山を越え野を越えてさまよい、野獣の襲撃と飢えの恐怖にさらされながら、海辺の地にたどり着く。そこで酌婦から賢人に会うためには死の水を渡らなければならないと教えられる。艱難辛苦の末に疲労困憊して、やっとのことでウトナピシュティムの前に立つのだった。

永遠の命の秘密を得たいというギルガメシュの訴えを聞くのだが、賢人ウトナピシュティムは人間はいずれも死を避けがたいとすげなく説くだけだった。なおも懇望するギルガメシュに折れて、賢人は地上の生物をすべて滅ぼそうとした神々が大洪水をもたらした話をする。彼は知恵の神からの指示で箱舟を造ってある種の生物たちとともに救われたという。それを知った最高神エンリルは怒ったが、知恵の神のとりなしで神々のような不死の生命を授かったことを明らかにする。

だが、さらに待ちうける試練にもはやギルガメシュは耐えきれず、追い払われるだけだった。失望したギルガメシュを見て、同情したウトナピシュティムの妻は夫に助言したので、海底の深淵(しんえん)にある不老の草の所在が明らかにされた。ギルガメシュは海に潜ってこの草を手に入れ、喜び勇んでウルクへの帰路についた。だが、途中、泉で水を浴びているときに、蛇がその草を持ち去ってしまう。

ギルガメシュはもはや精根尽き果て、絶望してウルクに帰り着く。しかしながら、あらゆる苦難を耐え忍んできた知恵ある勇者として、ギルガメシュはウルク国家の基盤を築くことに慰めを見出すのだった。

生身のギルガメシュ王

そもそも『ギルガメシュ叙事詩』は前三千年紀からメソポタミア南部に住むシュメール人に伝わった物語であったらしい。シュメール語の伝承にまでさかのぼる部分もあるが、後に居住するようになるセム語系の人々のアッカド語でまとめられた『叙事詩』を標準版とする。一口にアッカド語と言っても、アッシリア語やバビロニア語などの地域と時代によりさまざまな「方言」に分かれており、これらとは別に、前二千年紀末以降の標準バビロニア語で記されたものを標準版とする。この標準版をアッカド語『ギルガメシュ叙事詩』の定本とし、前一二世紀頃に成立したという。

ところで、ギルガメシュの名は、後世の作とはいえ「王朝表」のみならず「神名一覧表」や「供犠一覧表」などにもあげられている。しばしば限定詞が付いていることから神格化されたことがわかるが、おそらく死後のことだろう。このようにシュメール伝承において、ギルガメシュはかつてのウルクの支配者であり、神となった人物であった。

これらの文書のなかで、ギルガメシュに先行する王たちは、残された碑文にも記されており、実在していたらしい。さらに、後世の讃歌のなかには「あなた（＝ギルガメシュ）はキシュの王エンメバラゲシの頭に足を置いた」と記すものもあり、ギルガメシュによるキシュ制圧という史実の伝承があったのだろう。エンメバラゲシは前二六三〇〜前二六〇〇年頃の王であり、シュメール語伝承『ギルガメシュとアッガ』に登場するキシュ王アッガの父であった。要するに、ギルガメシュが前二六〇〇年頃のウルクの王であったことはほぼ間違いない。

ギルガメシュを実在の人物と考えたとき、古来のシュメール語伝承の示唆するところは興味深い。九編の叙事詩が残っており、そのうち五編がギルガメシュをめぐる叙事詩である。とりわけ『ギルガメシュとアッガ』で語られるエピソードはギルガメシュの心象をのぞかせるものがある。

前三千年紀前半、シュメールにあっては、いくつかの有力な都市国家が乱立していた。前二七世紀末、南のウルクと北のキシュは都市国家として対立していたらしい。キシュ王アッガは使者を派遣してウルク王ギルガメシュに灌漑施設の勤労奉仕を勧告する。ウルクの長老たちは「キシュの指示に従うべきだ」と申し立てた。ギルガメシュはその意見を拒み、次には若者たちを招集して抵抗を呼びかける。期待した通り、若者たちは賛同し、威勢よく「アッガなど恐れることはない」と叫んだ。じっさいに武器をとって戦うのは若者たちだから、ギルガメシュにとってはわが意を得たりである。だが、果敢に戦いを挑んでも、強大な勢威をもつキシュ軍を前に苦戦の連続だった。戦況を憂えたギルガメシュは、アッガのもとへ使者として出向く勇士はいないかと問うと、一人の勇士が願い出る。彼はキシュ軍に捕らえられ虐待されながらアッガ王の前に立った。そのとき別の勇士が城壁越しに顔をのぞかせた。それを目ざとく見つけたアッガ王に向かって最初の勇士は「今見た男は王ではない。私の王はもっと雄々しいすばらしい勇者です」と答える。そのとき勇壮なるギルガメシュが現れると、キシュ軍はたちまち恐怖にとらわれ真っ青になり散り散りになって壊滅した。しかしながら、ギルガメシュはアッガを上司として褒めたたえ、かつて彼が自分に対して示した温情に感謝するのだった。

ここには、ギルガメシュのいかなる思いが潜んでいるのだろうか。ある学者の推察では、ギルガメシュはアッガに対して拭いがたい負い目があったという。叙事詩の文脈の暗示するところでは、かつてギルガメシュは亡命者となったとき、アッガは自分を庇護してくれた。そればかりか、自分をウルク王に就任させてくれたのだ。これらの温情は誇り高いギルガメシュにとって、ひどく負い目に感じることだった。

主君が臣下に課した勤労奉仕という賦役を拒否して、臣下は主君に戦いを挑んだのである。武力で主君アッガを斥ける以外に、臣下ギルガメシュには負い目を消し去る術はなかった。このようにして戦いが始まり、ウルクが勝利した。だからこそギルガメシュはアッガに温情をもって厚遇し、かくして彼の負い目は消え去ったという。
前三千年紀という太古の有為の人々の心などほとんどわかりようもない。きわどい解釈であるが、ありえない出来事ではない。おぼろげな伝説の人物ではなく、肉体と魂をそなえた生身のウルク王ギルガメシュがよみがえっているかのようである。

ラガシュ王、ウルカギナの善政

ところで、ギルガメシュだけが注目されがちだが、ほかにも個性的で有為な人物がいないわけではない。ギルガメシュより二〇〇年ほど後、初期王朝時代末期にラガシュ王になったウルカギナがいる。ある王碑文はこう記している。

その時エンリル神の戦士ニンギルス神がウルカギナにラガシュ市の王権を与え、三万六〇〇〇人の中に彼の権力を確立した時に、運命はその時から定まった。ウルカギナは彼の王ニンギルス神が彼に語った言葉を実行した。（中略）エンシの家に、エンシの畑に、その王ニンギルス神が入った。王妃の家に、王妃の家の畑に、その女主人バウ女神が入った。王子の家に、王子の畑に、その王シュルシャガナ神が入った。死体が墓に置かれた時、彼のビール三壺、彼のパン八〇個、寝台一台、彼の山羊一頭を葬儀官が持って行った。一八シラの大麦を泣き男が持って行った。（中略）ラガシュ市民、即ち債務に苦しんで生きている人、不正なグル枡を設定した人、正しいグル枡に不正に穀物を一杯にした人、盗人、殺人者たちを、ウルカギナは彼らの牢獄から解

「ウルのスタンダード」に描かれた平和を象徴する「饗宴の場面」

放し、彼らに自由をもたらした。孤児や寡婦を有力者は捕らえてはならない。ニンギルス神とウルカギナは契約を結んだ。(後略)(「ウルカギナの改革碑文」小林登志子訳　一部修正)

ウルカギナが王になる前に、前任者たちは数多くの悪行をなしていた。神々の財産を横領し、役人たちは重税をかけ、強者が弱者の持ち前をかすめ取る。それらの悪行を糾弾しながら、ウルカギナはニンギルス神の召命により改革を断行した。横領された神々の財産を返還し、各種の税を軽減し、弱き者を保護し、債務奴隷や犯罪者に恩赦を与えて、ラガシュ市に自由をもたらしたのである。

3　「戦争」と「平和」の風景

ウルのスタンダード

前三千年紀半ばといえば、今から四五〇〇年前のこと。前五

「ウルのスタンダード」に描かれた「戦争の場面」。大英博物館蔵

千年紀までさかのぼる居住址のあるウルは初期王朝時代の主要都市であった。公共建築物の多くは神殿であり、そこには日常業務を営む大きな組織があったらしい。堆積層の大墓地のなかには、貴人たちが石造りの部屋に金銀の財宝とともに埋葬されたいわゆる「王墓」がある。外側の部屋には従者らしき人々が埋葬され、殉死（じゅんし）が当然のごとく行われていた。

貴人の死後の殉死は必ずしも未開社会を示唆するものではなく、むしろ文明社会あるいはその影響下にある社会というのが通説になっている。というのも、国家組織のなかに支配者と被支配者があり、そこに君主と忠臣との間の道徳感情が生まれ、それが純化されたものが殉死であると言えるのである。日本でも卑弥呼の墓には奴婢が葬られたと『魏志倭人伝』は伝えている。二〇世紀初頭にあっても、明治天皇の崩御（ほうぎょ）にともなう乃木（のぎ）希典（まれすけ）夫妻の殉死はあまりにも有名である。

ところで、この「王墓」には、おそらく宮廷内での各自の役割に応じる用具や装備も収められていた。ハープ、竪琴、橇（そり）などがあり、職人のすぐれた技能、交易による貴金属・宝石などの高価な品々の多さには驚かされる。なかでも「ウルのスタンダード」とよばれるモザイクパネルは、高度な技術力をともないつつ、貝殻やラピスラズリなどで作られた考古学遺品の至宝の一つである。高さ約二二センチ、長さ約五〇センチの傾斜のある木製の箱は大英博物館の目玉展示物の一つであるが、発見当初は軍隊の旗章（スタンダード）と見なされていた。しかしながら、昨今では楽器の共鳴箱であったかもしれないという見方が有力になっている。ここには、平和を象徴する「饗宴（きょうえん）の場面」と有事を示唆する「戦争の場面」が描かれている。

　平和の場面の最上段では、王と一族の饗宴の模様を見ることができる。彼らは椅子に座り、羊毛皮の短袴（キルト）か下袴（ペティコート）の古風な服装であり、上半身は裸である。召し使いたちが給仕をし、片端では楽人がハープを奏で、そばに宦官（かんがん）の歌手が両手を胸にあて、楽器に合わせて唄っている。中段および下段は分捕り品や献上品を運ぶ従者の行列が描かれている。胸の前で手を組む従者は恭順の仕草を示し、彼らに導かれて牡牛、山羊、羊、魚などが献上される場面になっている。とりわけ、中央部に一頭の山羊と二頭の羊が描かれているのは注目される。山羊が先導し羊がつき従う「群れ」そのものが象徴されているのかもしれないという。下段には、献上品のロバがひかれ、穀物袋などが運ばれている模様が描かれている。（カラー口絵も参照）

　戦時の場面は、下段から中段へ、さらには上段へと、時間の流れをたどるかのような構成が見られる。下段には御者（ぎょしゃ）と兵士が乗った二頭立て四輪戦車の四両が描かれている。戦車をひいているのは、ロバというより、オナガー（半ロバ）であろう。左端のオナガーは並足だが、ほかのオナガーは駆け足で走り、右へ移るほど前足が高く上がっているから、一台の戦車が徐々に加速していく様を表現しているかのようである。二枚の板をあわせた四輪車で機動性があったはずがないので、おそらく実戦には耐えられず、戦場まで貴人の戦士を運ぶためのものだったにちがいない。中段では重装備の兵士の密集隊ファランクスが進んで行く。最上段には、戦車を降りた王の姿がひときわ大きく描かれている。王の後ろには三人の従者がつづいている。さらに、小人が空の戦車をひくオナガーの口取りをし、御者は戦車の後を歩いている。王の前には、裸にされ両腕を縛られた捕虜たちが引き連れられ、おそらく王の裁きを待っている。

このような「平和」と「戦争」は人々の生活の大半をなしており、この秩序のなかで人々は生きていた。図像は王侯貴族や富裕者層を描くものが多いが、王国に住む大多数は庶民であり、彼らの生活風景をたどることは容易ではない。

庶民の生活風景

太古の人々の心の動きなど、いかにして知りえるのだろうか。英雄や王侯貴族ですら、その行動ならともかく、その心や精神のようなものまで立ち入ることなどできるものではない。まして人口の大半をしめる庶民の思いにいたっては、まずはあきらめた方が無難であろう。

だが、ときには、庶民の情景が浮かび、その声が聞こえてくるような史料もないわけではない。格言や諺(ことわざ)として伝えられる文言のなかには、太古の庶民の生活風景のなかの戦争と平和への思いがこめられている。

「楽しみ――それはビール、

いやなこと――それは遠征。」(『シュメール神話集成』杉勇・尾崎亨訳　以下同)

それればかりか、これらの庶民の声はさまざまな形で残されている。彼らの多くは貧しい生活を余儀なくされていたにちがいない。

「パンのあるときゃ塩がなし、塩があるときゃパンがない。
薬味のあるときゃ肉がなし、肉のあるときゃ薬味がない。」
「貧乏人はいつも自分の食べものを気にしている。」
「富は(いつも)縁がない、貧乏は(いつも自分の)そばにいる。」

だから、これら貧乏人たちの富裕な人々に対する心情は屈折するのだが、それは世の常かもしれない。

「不遜にも貧乏人が金持ちに軽蔑の眼差しを向ける。」

貧富の差ばかりが、仲よくできない原因であるわけではない。いろいろな食い違いが不仲をもたらす。

「彼らの喜びは彼らの不快、
彼らの不快は彼らの喜び!」

貴賤はともかく、他人の職業は羨ましくなるもの。とりわけ人々から敬われる職人として書記がいた。収入もよかったから、きちんとした技量を示せば、褒められる。

「手が口（から出る言葉）とともに動く書記——
彼はまさに書記だ。」

とはいえ、皮肉ともいえる褒め言葉もある。

「書記がたった一つしか（人・物の）名を覚えていなくても、
彼の手跡がすばらしければ、彼はまさに書記だ。」

だが、すぐれた能力の持ち主ばかりとはかぎらない。技量の疑わしい書記なら、チクリと刺される。

「君は書記であるのに、自分の名前（さえ書き方を）知らない。
自身の顔をピシャッと打て。」
「シュメール語を知らない書記だってえ？
彼はいったいどんな書記だい。」

「面目を失った書記は〈呪文を唱える〉人になる。」

人類史のなかで最初に文字を開発した人々だから、楔形文字への思い入れはことさら強かったのだろう。

さらにまた、日常生活の楽しみのなかでも、歌や踊りが注目されたことは想像に難くない。だから、演技者への期待や評価も出てくる。

「歌い手がたった一つしか歌を知らなくても、
彼の〈顫音〉がすばらしければ、彼はまさに歌い手だ。」
「歌い手の〈声〉がよければ、彼はまさに歌い手だ。
〈声〉のよくない歌い手――彼は並みの歌い手だ。」
「面目を失った歌い手は笛吹きになる。」

とはいえ、日常生活のなかで、なによりも心にかかることは家庭生活であろう。とりわけ夫婦の間では順風も波風もくりかえされる。いわく……

「彼にとり楽しいことには――結婚。
熟慮してみたら――離婚。」

となることもある。夫婦仲がいいに越したことはないが、さまざまな理由で気に障る出来事がくりかえされる。その最たるものとは、連れ合いの浪費と嫉妬であろう。

「浪費癖のある妻が家の内に住んでいると、あらゆる悪霊より恐ろしい。」

「私の〔妻〕は私を嘘つきとののしる。(でも)私は(他の)〔女の尻〕をおいかけたりしているだろうか。」

夫ばかりが妻を疎ましく思うわけではない。家族をかえりみない夫あるいは父もどこにでもいたのではないだろうか。

「妻を扶養せず、子を養いもせぬ者――
彼の鼻に引綱はかけられない。」

妻ばかりか子供すら心にかけない男も少なくなかったのかもしれない。それだけに貧しい生活を強いられた人々がいたことが推察される。

そのようななかで、たとえ親の言うことを聞かない子供たちであっても、元気であればいいではないかと思わないでもない。だが、乳幼児のころはともかく、いくらか育ってきていっぱしの若者らしくなってくると、親の手をやかせる少年少女も少なくなかった。

「ペチャクチャ娘――彼女を母親は黙らせた。」

「ペチャクチャ息子――彼を母親は黙らせることができなかった。」

二つの文言を並べてみると、なぜ母親は娘を諫(いさ)めても息子を諫めることができなかったのか、という思いが残る。すでに少年少女のころからですら、親からしても男尊女卑の風潮は拭いがたかったのだろうか。それとも、力強くなった腕白盛りの少年を抑えつけることなど母親にはできなかったと言っているだけなのだろうか。父親にはできても、そんなことに父親は関心がないということかもしれない。

楽園を夢想する人々

いずれにしろ、歴史をさかのぼればさかのぼるほど、庶民の声は聞きとりにくい。だが、格言や諺のなかには、声なき声の痕跡(こんせき)をたどれる素材もあった。その背景には、文字を読み書きできる学校教育のもたらすものがあったにちがいない。

メソポタミア南部のシュメールの地には大河のもたらす肥沃(ひよく)な土壌があったが、それだけで豊かな恵みにあずかれるわけではない。庶民の大半をなす農夫たちはさまざまな経験にもとづいて耕作作業をよりよきものにしようと努めた。その痕跡は学校教育で使われた教科書の「農事暦」としての粘土板に残されている。その冒頭部は以下のような忠告である。

むかし、一人の農夫が彼の息子に（これらの）教えを伝えていう、畑を耕作するときには、水が（畑地に）あまりはいり過ぎないように、灌漑溝に注意せよ。耕地の水をせき止めたら、水が平均にゆきわたるよう、耕地の湿った土壌によく気をつけよ。耕地をさまよう牛にそれらを踏まれないようにせよ。うろつく獣は追い出し、固められた土地のように取扱え。三分の二ポンド（以下の重さ）の細い手槌で、耕地をきれいに地均しせよ。その刈り株（？）は手で抜き取り、束ねること、抜いた跡の小さい穴は地均し器でならすこと。そして耕地の四隅にかこいをすること。（夏の太陽に）耕地が灼けている間は、耕地を二つの部分に同じように分けること。おまえの農具をうなるように働かせること（？）。牛馬のくびきはしっかり結びつけること。新しいむちは把手にくぎでしっかりむすびつけ、古いむちをつけておいた把手は雇い人の子供に修理させるがよい。（N・クレマー『歴史はスメールに始まる』佐藤輝夫、植田重雄訳）

シュメールの乾燥した土地では、なによりも水を耕地に引きこまなければならない。灌漑に気を配ることこそが農作業の肝要なのだ。水が過不足なく万遍なく行きわたるように最善の注意を払うように、さまざまな忠告がなされる。

「農事暦」であるから、初夏に両河が増水するときから始まり、翌年の春までの一年間の農作業をめぐって語られている。灌漑と排水、犂耕と播種、収穫と脱穀などが話題になる。作品として書きとどめられたのは前二千年紀前半であるが、長い年月の間に言い伝えられてきた農民のための農耕術であるとともに、シュメールの主神エンリルの子である農耕神(ニヌルタ)の授ける法でもあった。

穀物の耕作ばかりが農作業であったわけではない。菜園と果樹栽培もシュメール人の重要な生産活動であった。とりわけ、「生けるものの国」を希求する人間にとって、動植物の生命に欠かせない清らかな水はなにものにも替えがたいものだった。メソポタミア、とりわけ南部の乾燥した気候にあっては、ことのほか清水が求められ、地中から水を引き上げる努力がなされた。このような潤沢(じゅんたく)な清水の象徴が、たわわに実る緑の畑野と牧場であり、それは神々の庭園として理想化された。

炎天下の野ざらしにあって、園芸術はたくさんの日除けの草花や樹木を植えて太陽光や強風から庭園の植物を保護することでもあった。それは同時に、楽園を夢想する人々の誕生であったにちがいない。旧約聖書の「エデンの園」はおそらくその名残であろう。

4　アッカドからバビロニアへ

都市国家の枠を超えて

シュメールの時代区分については、しばしば、初期王朝時代、アッカド王朝時代、ウル第三王朝時代に三分される。これは王朝交代を目安とする区分である。これとともに、王権の発展と支配領域の拡大を拠り所として、都市国家分立期、領域国家期、統一国家形成期、統一国家成熟期に四分されることもある。

初期王朝時代の大半は都市国家分立期でもあった。しかし、末期になると、統一の主導権をめぐって、都市国家が互いに相争う最終局面としての領域国家期を迎える。それぞれの都市国家がときには「義兄弟」という名目で同盟関係を結びながら、合従連衡をくりかえすのだから、まるで戦国時代のようであった。

このような領域国家初期の混乱期において、都市国家の支配者のなかには、みずからの都市の王のみならず、北の有力都市キシュの王と称する者も出て来た。ウル王、ラガシュ王、ウルク王などが「キシュの王」を名のったという。この王号には愛と戦いの女神イナンナが関わっており、覇権をめざす王たちの意思が表れている。近隣の都市の征服だけではなく、遠隔北方の有力都市キシュまでもみずからの勢威の下にあると宣する。そのことで、シュメール全域を防衛する武勇にみちた正当なる王であることを誇示したのだ。

さらにまた、初期王朝時代の最末期（前二四世紀）には、「国土の王」を名のり、シュメール全土の王を自称する者も登場する。ウルクを盟主とするシュメール連合ができあがり、おそらく有力都市キシュに対する戦争を契機として「国土の王」が姿を現す。はじめて自称したエンシャクシュアンナにつづいて、「ウンマの支配者であるウウの子」と称したルガルザゲシも「ウルクの王、国土の王」と名のりあげている。彼は伝統あるウルクに本拠をかまえ、シュメール全土の統一に熱をあげた。都市それぞれの安寧に配慮し、各都市の守護神の祭祀を司るとともに、最高神エンリルの祭祀権をも手に入れ、名実ともにシュメール全土の「国土の王」となったのである。

歴史の現実は思惑どおり進むわけではないが、少なくともその種の理想をもった統率者が出現したのである。それは都市国家という枠を超えた新たな国家の模索であり、新たな人間集団のあり方を人々が求めていたのだろう。そこに住む人々はそのような形で安全と安泰を感じられたのであり、もはや都市国家は人々の安らぎを保証するものではなくなっていたのだろう。

アッカド人の王、サルゴン

前二四世紀中頃、シュメール人の諸都市はウルク王ルガルザゲシによって支配されていた。だが、北方には、かつて勢威をもっていたキシュがあり、この国家で献酌官であったセム人サルゴンは独立して、都市アガデ（未発見だがアッカドの語源となる）を造営しようとした。この人物の出自をめぐっては曖昧(あいまい)な伝承につつまれており、母親が出産を禁じられた巫女であったために、生まれてまもなく、葦籠に入れられてユーフラテス河に捨てられたという。ほどなく庭師に拾われて、彼の手で育てられたとも伝えられる。

やがて、セム系のアッカド人を率いて都市国家を建設し、女神イナンナ（アッカド語ではイシュタルになる）に愛されて、その王位につく。さらには、南方にあるウルク、ウル、ラガシュ、ウンマなどのシュメール諸都市連合軍との戦いで排撃をくりかえし、メソポタミア南部一帯に覇を唱えた。ついにはシュメール勢力の盟主であったウルク王ルガルザゲシを王の従臣たる小王や豪族ともども捕らえて、枷(かせ)をはめてニップルにある最高神エンリル神殿まで引きずり出した。そこでサルゴンは「キシュの王」であるとともに、「国土の王」でもあった。この「国土」とはシュメールおよびアッカドを意味するものであり、まぎれもなく「全土の王」であった。アッカドが人よりも都市を指すというなら、セム系の人々と言いかえてもよいだろう。さらには、東のエラム、その北のシムルムを制圧し、西方遠征ではマリ、名だたる「レバノン杉の森」をも征服したという。

伝説につつまれているとはいえ、サルゴンは自分自身の手でアッカドという名の都市を創設し、それを国家として興隆させた史上初の為政者だった。その意味で、いかなる旧来の伝統の意識ももっておらず、出身地たる故地も知らない革命家だった。葦籠に入れられて川に流された捨て子という伝説は、いかなる先例もなく、これまでにない大国を築き上げた成り上がり者にふさわしい物語であったのだ。

ところで、サルゴン王は、毎日、五四〇〇人とともに食事をしたとも伝えられている。この伝説はおそらく常備軍らしきものがあったことを示唆しているのではないだろうか。その軍隊には多くのセム系の人々が参加していたが、その種の兵士だけが仕えていたわけではないだろう。サルゴンと並んでウルク王ルガルザゲシもまた統一国家をめざしていたのであり、サルゴンの制圧後は、セム系住民とシュメール系住民とが対立したというよりも、両勢力は複雑な形で共生関係に入ったと考える方が自然ではないだろうか。

略奪から共存へ

このように各地を征服し、帝国とよんでいいほどの大国を建設したという事実を思うとき、「何のために」という疑問がわいてくる。ただ一人の野心的な人物の征服欲や権力志向からだけで大国が生

アッカド王、サルゴンのマスク

まれるわけではない。その背後には何かもっと切実な動機があったはずではないだろうか。

　サルゴンは貧しく卑しい境遇で生まれたにちがいない。そうであれば金を蓄えて富豪になりたいという欲求はことさら大きかっただろう。類稀（たぐいまれ）な強い意志をもって都市アッカドを建設しても、当初はみすぼらしい大集落にすぎなかった。そこをどこよりも栄光あふれる美しい首都にしようとしても、その近隣のどこにも資源がない。交易によってそれを補うことはできるにしても、輸入品に見合う輸出品が欠けていた。資源の欠如がどうしようもないなら、略奪しかない。そのためには戦争こそ最も近道であった。自分たちが提供する商品を用意するまでもなく、自分の軍隊の攻撃力を頼りに、ひたすら自国をより豪華に飾るための資材を手に入れるのである。

　困窮した者が略奪のために戦争するなど現代では許されないことである。だが、人類の歴史を通じて力がものをいう時代が延々とつづいてきたのである。とりわけ軍事力の前ではそれに屈する以外に生きていけない人々が圧倒的であった。

　そのような時代にあって、サルゴンは力の行使によって資源を獲得し思いどおりにできることを知ってしまったのである。そのとき、さらに征服していこうという思いにとりつかれたとしてもおかしくない。たんなる略奪行為であったものから資源を求めて共存をはかるものになっていったのだ。彼は征服者であったが、賢明にも私腹を肥やすことなく利益を享受する人々の層を広げたのである。「アッカドの王」サルゴンをめぐる伝承には語り継がれてきた息の長さがある。そこには為政者への敬愛が暗示されている。彼の名前は後世のメソポタミア・バビロニア史を通じて語られ、前六世紀になってすらサルゴンの彫像の前には奉納が供えられたという。

サルゴン死後の反乱と遠征

サルゴンはまさしくシュメール・アッカドの偉業を達成した。碑文には「下の海（ペルシア湾）から勢力下にあり、アッカド市民にシュメール諸都市の支配権を選び与えた。マリとエラムは国土の王たるサルゴンの足下に服した」と刻まれている。西はマリ、東はエラムまでがサルゴンの覇権下にあった。だが、「全土の王」として君臨した期間はほんの数年であり、共存共栄が図られたにしても、その支配はまだ安定したものにはなっていなかった。

じっさい前二三世紀初め頃、サルゴンが逝去してその子リムシュが即位すると、早々にシュメール人の反乱がおこる。碑文には「八七四二人の兵士を殺した」、「同盟者たる都市支配者を捕らえた」、「シュメール都市の住民五七〇〇人を退去させた」あるいは「都市を破壊し、城壁を崩した」などと記されている。そのような破壊に言及されることはそれまでなかっただけに、シュメール人の反乱がいかに凄まじいものであったかがわかる。アッカド王朝にとってまさに危機の迫るものであったにちがいない。

前二三世紀半ば、サルゴンの孫ナラム・シンが登場すると、祖父同様に、広範な地域に遠征をくりかえした。国内にあっては反乱に直面したために、バビロニア諸都市の連合を一年間で九度も戦って打ち破ったという。その戦勝碑の浮き彫りからうかがえるように、彼は武勇にすぐれており、兵士たちの先頭に立って敵を打ち倒す頼もしい武将であった。

このような戦勝を重ねて王としての自分の地位を不動のものにすると、ナラム・シンはみずからを「神」とした。この為政者の神格化は史上初めてのことであり、それは注目すべき革新であった。

ナラム・シンの遠征はさらにつづき、イランで勝利し、ペルシア湾沿岸の現オマーンからも戦利品を持ち帰ったという。さらにまた、北方ではティグリス河とユーフラテス河の源流域にまでおよび、ついには地中海岸に到達している。国内統治にあっては必ずしも安定したものではなかったが、彼の征服活動はペルシア湾岸から地中海岸まで拡大し、「四方世界の王」を自称するほどだった。

しかしながら、空想物語のような叙事詩の伝承にはナラム・シンの人物をめぐる風聞がひそんでいるのではないだろうか。彼は神託を無視して蛮族を襲撃しようとしたが、怒った最高神エンリルの命令で山岳部族グティが侵入し、さしもの繁栄を誇ったアッカド王朝は滅びゆくはめになったという。アッカド王朝が崩壊に向かうのは次の世代以降のことである。それにもかかわらず、ナラム・シンの王朝であるかのような物語が伝わっている。彼には神々にも不敬をなす傲慢不遜（ごうまんふそん）な支配者というイメージがつきまとっていたのだろう。

グティは前二二〇〇年頃にアッカド王朝の首都を破壊したザグロス出身の山岳部族であったと思われている。その実態についてはほとんどわからないと言った方がいい。シュメール人の伝承では、グティ人は文明を知らない人間以下の者と見なされていた。「市民に分類せず、文化ある国土に加えて数えられることはない。グティ人はタブーを知らず、人として造られたものの、その知は犬のごとく、その顔は猿である」「神を敬う術を心得ず、祭式、占いを知らない」などと蔑視されている。たしかにイラン南西部の山岳にあったグティウムとよばれるグティ人の住む地域にはアッカド王国にとって厄介な勢力がいて目障り（めざわり）だったらしい。王朝末期にはこの地域への遠征が記録されている。

シュメール人によるウル第三王朝

前二四世紀のアッカド支配から、やがてグティ部族の侵入などを経て、前二二世紀後半のメソポタミア南部は混乱しており秩序がなかった。そのなかからシュメール人が勢力を盛りかえし、ウル第三王朝とよばれる王国を創始する。為政者は「シュメールとアッカドの王」を名のり、やがて「四方世界の王」と自称するようにもなった。

この王号にはエンリル神の庇護（ひご）の下に全世界を平和と秩序をもって統治するという願いが込められていた。国王の讃歌には「わが碑文には、われによって破壊された都市や、壊された城壁や、はかない葦（あし）のごとく押し潰された国土を記述するものはない」と語られている。

ウル第三王朝の五人の王の治世下にあって、ウルは帝国規模の大国の首都であることを誇示しようとしているかのようであった。これらの王たちはこの地を大いなる覇権の卓越（たくえつ）にふさわしい中心地にしようと努めた。神殿などの公共建築物が修復され、再建された形跡が遺構に多々ある。じっさい第三王朝末期には、ウルの都はこれらの王たちの富と敬虔（けいけん）の念を明らかにするにふさわしい壮麗な記念

グデア王の座像。ルーヴル美術館蔵

建造物にあふれていた。後に異国の敵軍に破壊されたせいで、荒廃した神殿が再建されたが、その土台も煉瓦にはしばしば第三王朝の創建者たちの名が刻まれているという。

このウル第三王朝とよばれる時代には、シュメール・アッカドの諸都市は、ウルに従属していた。とはいえ、それぞれ都市としての独立は保たれており、最高神エンリルを祀ることがかろうじて諸都市連合が統一されているという証であった。ニップル、ラガシュ、ウンマにはそれぞれ独自の月名を使っていたほどである。

前二二世紀後半のラガシュに、グデアという支配者がいた。この都市遺跡の一角からグデア王の彫像がおよそ三〇体ほど出土し、その多くが現在ルーヴル美術館の一室に展示されている。祈願者あるいは礼拝者の姿をした石像であり、その神々の恩寵にあずかる容姿はいささか理想化されているが、おそらく敬虔なシュメール人の表情を示唆している。

シュメール人の由来は不明であるが、グデア王の顔つきを見れば、どこかアジア系の出自であるような気がする。彫像全体がアッカド時代の技術に精通した職人の手で制作され、細部にわたって気配りが行き届いている。なかでも手の指は、われわれの知る仏像の指と比べても、遜色ないほど美しく洗練されている。

このグデア像のいくつかにはシュメール語の楔形文字で王碑文が刻まれている。グデア王がいかに敬虔な人物であるか、また、神殿建設用の杉材獲得のために西方遠征をしたこと、あるいは都市エラムを襲撃して戦利品を獲得したことなどが報告されている。

シュメール人は個人の守護神を信じており、その個人神は人間のなかにいると考えていたらしい。その個人神のとりなしで大いなる神々に通じることができるかもしれないのだ。グデア王も個人神をもっており、そのとりなしで大いなる神ニンギルスに願い事をしたという。

為政者というものは理想化されやすいとはいえ、グデアは神々の前で敬虔深いばかりでなく、民衆に対しても恩恵をほどこすことを忘れなかった。ある円筒碑文には次のような文面が刻まれている。

> グデアがエニンヌ神殿を建立した。彼はその儀式を完全にした。彼は債務を免除し、恩赦を授与した。彼の王が神殿に入った時、七日の間は女奴隷は彼女の女主人に等しく、奴隷は彼の王の傍に立ったものである。（小林登志子訳）

神殿の建立後、酒宴が催され、債務奴隷が解放されたことを示唆している。人間の代わりに大神に祈願するグデア王が人々から敬愛されていた様子がしのばれる。

シュメール人は神々の前で恭しくしたが、大神ははるか高みにあり親しく敬愛するにはあまりにも恐れ多かった。だからこそ、大いなる神々に向かい合って祈りを奉げるグデア王の姿は崇高ですらあったにちがいない。

正義と公正の使命で支配

ところで、シュメール人もまた死者がおもむく冥界（めいかい）については漠然と信じており、死者の供養も怠らなかった。だが、後で見るエジプト人のように、死後に復活し永遠の生にあずかることに思念をこらし、「あの世」のイメージをあれこれと膨（ふく）らませることはしなかった。これは古代人といえどもさまざまであり、彼らの魂の根源にふれる著しい差異として注目されてもいいことである。

いずれにしろ、シュメール人は「あの世」に目を向けるよりも、「この世」の今ここを大切にした。防御の安全な都市に住み豊富な食糧があっても、いつどこで災厄がふりかかるか知れたものではない。洪水、日照り、疫病、異民族の侵入などの危機にさらされ不安におびえていた。なぜ人間はこのような危機に脅かされるのか。科学にもとづく知識のない人々にとって、これらの災厄をもたらすのは大いなる神々の意思にほかならなかった。

アッカド王朝の崩壊が山岳部族グティによるものかはまったくわからない。ただし、この時期、山岳部族民の侵入のために荒廃していたことは明らかである。その国土をなんとしても安定させようと努めたのがウルナンムというシュメール人であった。彼はウル第三王朝の創建者とされており、メソポタミア南部の秩序を回復しようとして法典を編纂する。アッカド王朝以来、正義と公正を達成することは王の使命であった。この後に史上に名高い「ハンムラビ法典」が編纂されるが、それに先立つこと三五〇〇年ほど前であった。

このウルナンムが定めた法典は世界「最古の法典」とよばれており、「ハンムラビ法典」によって踏襲された箇所もある。ただし、同法が「目には目を、歯には歯を」の同害報復を原則としていることは周知であるが、それに比べて、最古の「ウルナンム法典」は多くの損害に罰金刑（相応の金銀・穀物量）を定めている。

また、「孤児を金持ちに渡すことなく、寡婦を有力者に渡すことなく、一シルクしか持たぬ男を一マナ持つ男に渡すことなく、一頭の羊しか持たぬ男を牡牛を持つ男に渡すことなくした」と規定しており、弱者救済の思想があることは注目される。後世の旧約聖書にも弱者救済への配慮が見られるが、為政者としてのウルナンムの庶民へのまなざしは瞠目すべき点がある。というのも、二〇〇〇年後のギリシア・ローマの古典期にあっても、乞食、女、子供という存在への弱者救済という観念は生じていないのだ。

メソポタミア史上の王侯には珍しいことに、ウルナンムは戦場で命を落としている。有事とあらば、先陣を切って進む指導者としての自覚があったのかもしれない。そこには、勇者としてばかりではなく、貧者や臣下に心を配る為政者の姿が浮かび上がるかのようである。

神と名のったシュルギ王

ところで、前三〇〇〇年末のウル第三王朝の時代、第二代のシュルギ王の治世は四八年間におよんでいる。その長い治世は「年名」からたどることができるし、彼は有能な王だったという。やがてその強大な権力と軍事力を誇示するかのように、シュルギ王はみずからを神と名のった。この王の神格化はそののち数世代にわたって継承されていく。

この時代にはしばしば「王讃歌」が知られている。並外れた力をもつ王は崇高な姿で世界に君臨する。

我は胎内あるときからの英雄である。我はシュルギ、生まれながら強者である。我は恐ろしき眼をもつ獅子であり、大龍が産みし者である。我は四方世界の王である。

人間のおよばない非凡な力をもつ動物は「神々に愛でられし王」の卓越を形容するのにふさわしい比喩であったのだろう。

おもしろいことに、シュルギ王は学校に通って文字を習ったことを自慢気に語っている。

幼い頃から学校に入り、シュメール、アッカドの粘土板で書記術を学んだ。幼少の時から既に、私のように粘土に書ける者はいなかった。書記術のため、人は学びの場を経巡り、あくせく努力して、引き算、足し算に終始して、課程を修了してしまう。だが、ニダバ女神、輝ける女神ニダバは、その鷹揚な御手ずから、私に知恵と知識をお授け下さった。(岡田明子訳　一部修正　以下同)

学校といったところで、かんたんな読み書き、計算を教えるだけの私塾のようなものだったとはかぎらない。シュメール人の社会では、かなり早い時期から書記学校が成立していたらしい。それでも初等教育の読み書き・計算ぐらいの実用段階でお終いという生徒も少なくなかったにちがいない。

四日登校して、一日休みだったというが、成績を上げるのはかなり難しかっただろう。「遅刻すると先生に鞭打たれますから」と弁解する者、父親から「広場にたむろするな。街をうろつくな。学校に行け。それがお前のためになる」と叱責される不肖の息子もいた。ところが、その初等教育段階にとどまらず、シュルギは中高等教育まで進み、書記術の守護女神ニダバの導きで、奏楽をなし、学芸諸般に精通していたらしい。

シュメール語やアッカド語のように楔形文字を使う書記術は習得が難しく、それだけで書記はエリート層であった。数多くの行政経済文書が残存していることからも、書記たちが都市の公的な活動を記録する役人として重要視されていたことがわかる。

まして、王侯貴族が武術の心得のみならず学芸の素養に恵まれているとあれば、きわめて稀なことであっただろう。シュルギ王がそれを誇らしく思っていたことは、まことに微笑ましい。それとともに、前三千年紀末の庶民の読み書き能力の一端がしのばれ、また王侯貴族の知的生活の一面も浮かび上がるかのようである。

ウル第三王朝の軍事活動については不明なことが少なくない。だが、五代にわたる諸王の軍事的偉業は記念碑的な建造物の建立計画からも明らかである。金やラピスラズリで飾られた建物の遺構の一部が発見されており、初代のウルナンム王や二代目のシュルギ王の後継者たちが先王の意向を実現しようとしていたことがわかる。とりわけ、シュメールの神々のために階段のある塔の形をした神殿をいくつも建てている。この新しい塔形の建物はジッグラトとよばれ、その遺構はシュメール文化の偉容を伝えている。

ウルのジッグラト

突然の王朝崩壊

しかしながら、もともとこの王朝の覇権にあっては、支配下にある諸都市がそれぞれ独自に行動することが目立っていた。末期の王の治世になると、ラガシュ、ウンマ、ニップル、エシュヌンナなどの都市の文書から王の年名が消え去っている。ウルの支配から離れ、諸都市が自立していく様が映し出されている。

それとともに、西の砂漠地域に住んでいたセム語系の遊牧部族が北メソポタミアに流入するようになり、ますます深刻さを増していた。彼らはアムル人とよばれるが、後の旧約聖書ではアモリ人ともよばれている。

諸都市の離反や遊牧民の侵入などが重なり、混乱をきわめるなかで、前三千年紀末、突然のごとくウル第三王朝は崩壊する。東方に位置する異民族エラムが侵攻してきたのである。その様子を「ウル滅亡哀歌」は次のように描き出している。

> かつて人々が通っていた壮大な城門に多くの死体が転がっている。祝祭に集まった人々のいた広場には死体が散乱している。ナンナ神よ、ウル市は破壊され、住民は離散した。

このとき、ナンナ神像は神殿から略奪され、ウル最後の王イッビシンも捕虜として連れ去られたという。哀歌は都市神の不在という異常事態を嘆くとともにナンナ神像の奪還を期待する人々の願いを刻んだにちがいない。さらに、神々に見捨てられた都市として近隣の諸都市をいくつもあげているが、それは史実にもとづくものではなく、周辺にいる異民族の凶悪な姿をかき立てようとしたのだろう。詩作上の脚色がなされているとはいえ、たしかに王朝は滅亡し、ウルの近隣地域にある諸都市が徹底的に攻撃されたのは事実である。

継承者・イシンとラルサの時代

ふりかえってみれば、ウル第三王朝の滅亡とはメソポタミアにおけるシュメール人の覇権が完全に失われたことを意味する。じっさいには、アッカド人をはじめとするセム語系の人々が優勢になりつつあったとはいえ、もちろんシュメール人も居住していた。シュメール語も使われていたし、日常生活のなかで生きている言語がかんたんに廃(すた)れるわけがない。

しかしながら、セム語系の人々が多勢になるにつれ、アッカド語が徐々にシュメール語に取って代わるようになる。一〇世代もしないうちに、日常生活のなかで口語としてのシュメール語はほとんど使われなくなったらしい。だが、書き言葉の文語としては、その後もかなり長期にわたって生き残るのである。シュメール語は学校で教えられることもあり、宗教用語や学芸用語として、とくに知識人が用いていた。シュメール語の文芸作品がアッカド語に翻訳され、名高い『ギルガメシュ叙事詩』なども大半はセム語系の言葉で今日に伝わっている。

これは、後世のローマ帝国で用いられたラテン語の運命とも似ており、きわめて興味深い問題を浮かび上がらせる。ローマ帝国が衰えるにつれ、人々はラテン語を使わなくなっていったが、教会や修道院あるいは創設された大学ではラテン語が公用語だったのである。一六世紀のルネサンス期にあっても、知識人の代表格になるエラスムスとトマス・モアはラテン語で往復書簡を交わしている。

ところで、大規模な灌漑（かんがい）施設を用いる社会では、求心力のある中央集権と遠心力をひめた地方分権がしばしば交代する。つまり統一と分裂がくりかえされるのだ。ウル第三王朝はシュメール人の手で統一を果たす試みであった。しかし、地中海からペルシア湾までを支配領域にしたとはいえ、中心地域となる覇権の内側でも、各都市はそれぞれ独自に進もうとする気運がひそんでいた。しかも、この覇権の外側にはさまざまな勢力がうごめいていた。王朝を壊滅させたエラム人もそれらの外部勢力の一つであった。

ウルは数年間エラム人の勢力に占領されたが、ウルより北西遠方にあるイシンの軍勢がエラム人をウルから追い出すことに成功する。イシンの統率者はアムル人の首長であったが、彼らはウル第三王朝の後継者としてふるまった。シュメール人の伝統を重んじることを潔しとしたのだろう。

彼らは「ウルの王」「シュメールとアッカドの王」「四方世界の王」などというウル歴代王の称号を用いている。また、王の権威を高めるために王讃歌が作られ、法典編纂も進められたが、これもまたウルの模倣であった。

そもそもメソポタミアでは、現在の春分の日ころの新年を祝うものとして「聖婚」儀礼が行われた。なによりも国土の豊穣を祈願するものだった。王讃歌には、「我が女主人」のために王宮に寝台を設けたと謳っている。そこへ聖なる女神イナンナと神格化された王が沐浴して赴き交わるのである。やがて祝賀の朝餐が開かれ、王は満悦の極みにあり、人々は豊潤にあふれて時を過ごす。

この儀礼がなされるのは、ことさら豊穣を願う時代であったからである。大いなる女神イナンナ（アッカド語ではイシュタル）と配偶神ドゥムジとが結び交われば、農作物が豊かに実るとされていた。王はドゥムジ神と同一視されるために神格化されるのだろう。

さかのぼれば、すでに前四千年紀末の「ウルクの大杯」にも「聖婚」儀礼の一場面とおぼしき図柄が描かれている。また、数多い円筒印章にも「聖婚」が彫りこまれているのだから、いかに人々の豊穣への願いが強かったかがしのばれる。自然の生産力と人間の生殖力とが同様のものと見なされ、新年更新の祭儀として「聖婚」儀礼は欠かせないものだった。

現代人には一年はたんに目安を設け区切っているにすぎない。だが、古代人には一年は完結した生のサイクルであった。新年はなによりも生の再生・復活であり、その新しい循環の始まりであった。だから、宇宙の秩序ある運行に従うことが、人間社会に平安と豊穣をもたらすと信じられていた。

前三千年紀の末期、シュメール文化の伝統はウル王朝に体現されていた。そのウル第三王朝が崩壊しても、ウルはまだシュメール人にとって伝統の精髄であり、イシンはその後継者たるを誇示したのである。

このようにしてウルの継承者イシンの勢力は、メソポタミア南部のシュメールの地に浸透していく。エリドゥ、ウルク、デールなどを占領して、覇権下に治めた。ときには古都ウルの神殿を再建し、祭祀を復興する。ウルは一時的に異民族に占領されたが、イシンによって奪回されている。さらにまた、法典編纂事業もくりかえされ、国の正義を確かなものにしようと努力した。

都市国家ラルサはメソポタミア南部のウルクの南東にある。河川交通の要地にあり、アムル人の族長によって建国されたという。前二〇世紀後半になるとめきめきと国力を増し、イシンと並ぶ勢力になっていく。やがて、古都ウルをイシン王朝から奪い手に入れると、シュメール全域の覇権に大儀名分が与えられたかのようだった。北進してラガシュをも領有し、ニップルの支配をめぐってイシンと対立を深めている。ニップルはシュメールの国家神である最高神エンリルを祀(まつ)る聖地であり、王権の宗教的権威としてことさら重要であった。

ウル第三王朝崩壊後、イシンとラルサが次々と諸都市を覇権下に治め、攻防をくりかえした。そのために、その二〇〇年ほどはしばしば「イシン・ラルサ時代」とよばれている。しかし、それはあくまでティグリス・ユーフラテス両河の河口地域にあるシュメール地方の二大勢力の対立抗争である。

アッシリア人の台頭

きわめて大雑把であるが、両河にはさまれたメソポタミアは、その南部をバビロニアとよんでいる。そのバビロニアも南北に分ければ、南がシュメールであり、北がアッカドである。

ふたたびメソポタミア全土に目を向けると、南部がバビロニアとよばれたのに対して、北部はアッシリアとよばれている。したがって「イシン・ラルサ時代」という名称はメソポタミア南端部にあるシュメール地方にのみ当てはまることはわきまえておくべきだろう。

前三千年紀末から始まるメソポタミア全土の数百年間については、「古バビロニア時代」とよばれることが多い。というのも、この時代になると、シュメールやアッカドだけを視野におさめているわけにはいかない。北方にも目を向けると、新しい都市勢力の台頭が目につくようになる。

というのも、バビロニアの語根となる都市バビロンやアッシリアの語根となる都市アッシュルなどの諸勢力が頭角を現すのである。その背景には、前三千年紀後半からセム語系のアムル人（アモリ人）がメソポタミア全土に移住や侵入をくりかえしていたことがある。これらの新興部族は辺境地域にありながら、徐々に力をたくわえていたのである。

アッシリアの「王名表」を見れば、最初の王たちは後世の創作でしかない。それは自国の由緒正しさを求める古代人には当然であったが、われわれ現代人にはたんなる虚構にすぎない。前二千年紀初め頃から実在の王が登場する。まぎれもなく母市アッシュルを中核としてアッシリア人が勢力をもたげたのである。

ティグリス河中流の西岸にある都市国家アッシュルについては、すでにアッカド王朝時代から部族組織としてはおぼろげに確認されるらしい。しかし、史料から明確になるのは前二〇世紀半ばからであり、それ以後のおよそ四〇〇年間は古アッシリア時代とよばれている。

そもそもアッシリアは政治勢力としてよりも、母市アッシュルを交易の要所として活動したことで知られていた。アナトリア各地にも交易拠点を築き、まさしくアッシリア商人は国際交易の担い手として活躍したのである。当初は、ほかの勢力と異なり、領土拡大の野心をもたず中継交易に足場をもつ経済立国をめざしていたかのようである。王碑文には、いくつかの都市の範囲で〝自由〟を確立した」という主張が見られるのも、アッシュルが自由交易港であることを宣言したものであろう。政治的にはウル第三王朝支配下の地方都市であり、行政担当者は知事の称号を与えられていた。独立後も都市の為政者はこの称号を継承しており、ここでもウルの伝統につらなる権威が重んじられていたのだろう。その背景には、都市の主神であるアッシュル神こそが真の支配者であり、エンシ（アッカド語ではイッシャック）はその補佐役あるいは代官であると見なすシュメール人の古来の王権理念がひそんでいたのかもしれない。

さらに、アッシリアでは「リンム」年という特殊な紀年法が用いられていた。市民層から選出された任期一年の行政職によるものであり、就任者は強力な権限を付与され、重要な役職であった。とはいえ、ほかの列強に比べれば、アッシリアの統率者はかなり制約を受けていたらしい。ここにも、古アッシリア時代にあって、アッシリアが政治的な野望に走りにくい勢力であることを読みとれるのだ。

しかし、前一九世紀末には、アムル系遊牧民の勢力がさらに強まると、王権の簒奪者であるシャムシ・アダドが登場する。アッシリアは強大策に転じ、エシュヌンナやマリなども服属させている。ほどなくメソポタミア北部一帯にアッシリアの勢威が届くようになった。

アッシリア大王が息子におくった手紙

ウル第三王朝没落に前後して、独立王国となったエシュヌンナは混乱期を脱すると、前一九世紀半ばにティグリス河にそそぎ入る支流域一帯を支配する王国となった。それとともに、エシュヌンナはメソポタミア南部の覇権争いに巻き込まれ、軍事遠征に連なる領土拡張策に転じたかのようである。

広大な領域支配をめざす中央集権国家にふさわしく「エシュヌンナ法典」も編纂されている。法文は価格表から始まり、傷害罪に賠償金を負わせ体刑を科していない。さらに、シュメール語ではなくアッカド語で書かれた最初の法典であった。その意味では、後の名高い「ハンムラビ法典」の先駆けをなすものであった。

ユーフラテス河中流の西岸には、マリとよばれる覇者をめざす勢力があった。アムル系遊牧民を抱えこむ王国であり、マリの官吏たちは徴兵のために各地で人口調査を行っていたという。全領土はいくつかの行政区に分けられ、各区の知事の下に村落と遊牧民の双方を管理する役人がいたという。また、マリの王宮には二六〇を超える部屋と中庭があり、その権勢の大きさがしのばれる。

しかし、前一八世紀前半に、マリをはじめとする諸都市は強大になりつつあったアッシリアに併合され、大国アッシリアの王子たちがマリなどの副王として君臨した。これらの副王の下には在地の地方官僚組織が置かれていたという。しかし、アッシリアの大王シャムシ・アダドの権勢は副王の軍事・行政のみならず、家産の管理にまでおよび、副王はあくまで代官のようなものであった。

前一九世紀から半世紀間の時期のマリが異彩を放つのは、王宮書庫からおよそ二万五〇〇〇点の楔形文字の行政書類や書簡が出土しており、通称「マリ文書」とよばれる貴重な記録である。

アッシリアの大王である父親が副王としてマリにいる柔弱な息子宛におくった手紙がある。

お前は子供であって、大人ではないのか、お前の顎には髭がないのか。お前はいい歳をしてまだ一家をかまえていないではないか。……

お前の宮廷は誰が管理しているのか。もし管理者が二、三日でも指示を与えなかったら、管理行政はつぶれてしまうのではないか。どうして、その日に誰かをその地位に任じなかったのか。

なにかと嘆きながら叱責しているのだが、父親として忍耐強く「帝王学」を諭(さと)しているようでもある。さらにまた、家臣の中傷讒言(ざんげん)を真(ま)に受けることのないように心すべしとも忠告する。

それらの言葉には真実な内容はひとつもない。それらの言葉は誇張されている。

中傷讒言の背景には、家臣間の抗争があるはずだ。それをよく心得た賢い父王の忠言である。為政者たる者は家臣どうしの争いに巻き込まれてはならないのだ。

バビロン王第六代・ハンムラビの登場

前二千年紀初めの二〇〇年間ほどのメソポタミアをながめると、イシンとラルサはウル第三王朝の後継者をみずから名のり、シュメール地方の覇権を争っている。前王朝の王権のあり方を理想とし、中央集権の行政システムをそのまま受け継ごうとした。シュメール地方からすれば辺境にあるアッシュル、エシュヌンナ、マリなどの都市は、旧来の伝統を受容しながらも、地方独自の王権や社会を進展させたのである。

しかし、これらすべてをつつみこむかのような強大な覇権国家が出現する。それがバビロンを母市とするバビロニアの勢力である。

バビロンはユーフラテス河が下流域にさしかかる東岸に位置する。セム語系の遊牧民でも北西方面から侵入したアムル人たちは各地に小さな部族王国を建て、それらは族長によって統率されていた。バビロンもそれらの部族王国の一つにすぎず、前一八九四年頃に創建されたという。

ここからバビロン第一王朝の歴史が始まる。最初の王たちは城壁を築き、運河を掘り国力の充実に努めた。まだ弱小勢力の域を出なかったが、これらの惜しみない土木建築事業が後のバビロンの繁栄の礎となったのだ。

前一八世紀に入ると、ラルサ、アッシリア、マリなどの列強勢力に有能な指導者が相ついで輩出する。バビロンにも第六代の王としてハンムラビが現れた。しかし、就任当初の数年間はまだアッシリアの勢力に服属していたらしい。もっぱら内政の充実に努めるしかなかった。彼もまた城壁を築かせ、神々の玉座を作らせ、法律を定めて国内の秩序の安定に心をくだいた。

ハンムラビは、即位直後「バビロンの王」あるいは「強き王」とみずから名のっている。また、治世当初は「国土に社会正義を確立」することをめざしたという。さらにはみずからの「正義の王」像を奉献したことも記している。これらの強調は、まるで法治国家を実現しようとしているかのようであり、臣民に公明正大な王としてふるまうことを自己に課しているかのようでもある。

ハンムラビ王の治世について、「マリ文書」などの書簡から、宮廷生活や外交活動、さらには不穏な陰謀の模様などが垣間見られることがある。ある書簡からは、いらだつハンムラビ王の姿が浮かんでくるという。

行政問題にとりくむ家臣たちの間で不正事件が持ち上がったらしい。ところが、それに関してハンムラビ王が寛大な処置を示したことに苦情が寄せられたのである。その種の苦情について彼はかなりいらだちを隠さなかったのだろう。これもまた前述したアッシリア王シャムシ・アダドが息子宛に示した忠言を思い出せば、よくわかるのではないだろうか。ハンムラビ王もまたこのような苦情の背景には家臣どうしの敵対関係があることを熟知していたのである。

ハンムラビがバビロンの王位についた前一八世紀初め頃、アッシリアが強国として睨(にら)みをきかせていた。とはいえ、大雑把にみれば、メソポタミアは小国群立の時代であった。このころの国際情勢をめぐって、アッシリアの支配を脱したマリの高官の一人がイシュタル(イナンナ)女神の犠牲祭に招待されたメソポタミア北部の王侯に向かって演説した記録がある。

バビロン王には一〇人から一五人の王侯たちが従い、ラルサ王には同数の王侯たちが従い、エシュヌンナ王にも同数の王侯たちが従い、カトナ王にも同数の王侯たちが従い、ヤムハド王には二〇人の王侯たちが従う。

ここで王侯たちというのは、むしろ族長たちとよんでもいいほどである。この演説から土豪のような族長たちにとりまかれた小王国が群立する様子がありありと目に浮かぶのではないだろうか。

このころ、マリは強国アッシリアの覇権にふりまわされていたが、強国の力が衰えても軽んじられない独自の勢いがあったらしい。バビロンとマリはきわめて友好な関係にあったという。バビロンにはマリの使節や兵士が常駐しており、マリにもバビロンの使節が滞在していた。さらに両国とも共同で軍事活動をおこしたこともあった。たとえば、マリがバビロンに兵士一万人と小型船の派遣を願い出たとき、正式な要請が届く前に多数の兵士と船が派遣された、と語る書簡が残っている。

前一七八一年頃、強大なアッシリア王シャムシ・アダドが世を去った。彼は軍人としても行政官としてもきわめて有能な支配者であったという。おそらくハンムラビにとって畏敬すべき為政者であっても煙たい存在であったにちがいない。というのも、王位就任当初のハンムラビはシャムシ・アダドの権威の前で忠誠をつくすことを余儀なくされていたのだ。

このため、若きハンムラビは、近隣諸国の争いに巻きこまれながらも、もっぱら内政に意をそそぎ、国力の充実に努めている。なによりも運河を掘り城壁を固めることが大切であった。

シャムシ・アダドの死はハンムラビには安堵感をもたらしたかもしれない。だが、彼はすぐに軍隊を動かすことはなかった。慎重には慎重をきして、さらに国土を開発することに身を投じるのだった。

迅速な行動でバビロニアを統一

どちらかといえば柔弱で防衛的な対外策であった。それに変化が訪れ、治世の二九年目、ハンムラビ王は大規模な行動に打って出る。なにか期するところがあったのだろう。軍事活動は迅速にして衝撃的だった。しかも外交的手腕にもひときわ優れていたという。軍事支援をかかげて同盟関係を結びながら、それを国益にかなうように活用する術も心得ていた。

同年、東方の強国エラムおよび同盟する北方の強国アッシリアとエシュヌンナなどを撃破し、シュメール・アッカド征服への道を開いた。翌年にはバビロニア南部に勢威を誇った長年の宿敵ラルサの軍隊を撃破して、シュメール・アッカドの支配権を手中におさめた。その年は「ハンムラビの軍隊の前を行進するアヌ神とエンリル神から神託を授かり鼓舞されて……シュメールとアッカドを彼の秩序に従わせた年」と名づけられ、バビロニアを統一した記念すべき年になった。

それ以後、ハンムラビはバビロニアの外にも目を向け、東方・北方へも進軍して、エシュヌンナとアッシリアの一部をも領有している。さらにはユーフラテス河をさかのぼって西方のマリをも占領し、交易路を確保した。さらにまた、アッシリアをも戦わずに併合したのである。

まさしくメソポタミア全土に君臨する大王が支配する時代の到来であった。治世三二年目には「ハンムラビは人類の豊穣であり、アヌ神とエンリル神の寵児（ちょうじ）である」という名の運河を掘らせている。この運河はニップル、エリドゥ、ウル、ラルサ、ウルク、イシンなどにも潤沢（じゅんたく）な水をもたらしたという。これらは「シュメール・アッカドの王」と並んで「四方世界の王」とみずから誇るにふさわしい実績である。

治世最後の十年ほどは、反抗勢力への討伐はあったものの、ふたたび内政の充実に心を砕いている。とりわけ、治世晩年に、メソポタミア全土における国内秩序の安定をめざして「ハンムラビ法典」を編纂させたことは、まぎれもなく人類史を画する功績である。

法典の内容や発見された書簡集などから、ハンムラビの人物像が浮かび上がってくる。彼は日常のありふれた出来事にも配慮を怠らない有能な管理者であるだけではなく、臣下の幸福に個人的にも全力を尽くす公正で人間味あふれる支配者であった。そのような傑出した支配者がほかにいなかったわけではないだろう。しかし、バビロンを西アジアにおける指導的な都市にのし上げたのは、ほかならぬハンムラビであった。そのバビロンの名声は一〇〇〇年以上の長きにわたってつづくのであり、まさしく天に恵まれた人物としてのハンムラビ王であったのだ。

それに関連して、ハンムラビ王が生前に自らを神格化しようとしていたか、と議論されることがある。治世三四年目頃に刻まれた王碑文の後世の写本によれば、「国土の神」が称号として使われた形跡があるという。それが真に同時代の文言であっても、生前自称になるわけではないだろう。ハンムラビ讃美の他称であってもいいわけである。

というよりも、現代人の感覚からすれば、この人物には「神」の生前自称はあってほしくないという気がするのだ。歴史家としてはあるまじき偏見かもしれないが、ときにはひとりの人間としての書き手の願望もあっていいだろう。それをわきまえて読んでいただければいいのである。地方村落の訴訟問題にまで耳を傾けたハンムラビ王には自任していたという「人民の父」がふさわしいのではないだろうか。

「ハンムラビ法典」の発見

ハンムラビ王の治世に全盛期をむかえたバビロン第一王朝は、後に「古典時代」あるいは「黄金時代」とよばれている。シュメールとアッカドが民族・文化のうえで対立した数百年を経ていたので、それらが解消し、すべてがアッカド語で表現されるようになった。もっとも、シュメール語は宗教、法律、学芸などの用語として文語の形で残っていく。この時代には、古来のシュメール人の神話、伝説、文芸、年代記などが整理編纂されたり、さらにはアッカド語に翻訳されたりもした。

ハンムラビ王は、古来の伝統を破棄して新しい秩序を築くために、まず宗教の統一を図る。都市それぞれが奉じていた守護神（都市神）はバビロンの都市神マルドゥクを主神とする神々の体系（パンテオン）のなかに組みこまれる。マルドゥクは「神々の王」となり、バビロンは諸都市の王となった。それは地上世界の王でもあったので、各都市には王直属の知事が派遣されている。このために、以後のバビロニアでは諸都市国家が分立したり独立したりする動きはほとんど目立たなくなったという。

そのような宗教や行政における統合を進めるとともに、社会には法秩序が求められる。今までの都市法の上に立つ統一法が制定されなければならないのだ。いうまでもなく、それが「ハンムラビ法典」である。

「ハンムラビ法典」は、二〇世紀初めにエラムの古都スサの遺跡から発見されたが、当初は世界最古の法典と見なされていた。しかし、それよりも数百年前に制定された「ウルナンム法典」などが発見されるにおよんで、それ以後、シュメール法に由来する伝統も受け継いでいることが明らかになっている。とはいえ、王国全体に施行された統一法として世界史を画するものであった。前七世紀のアッシリア王の大図書館からも「ハンムラビ法典」の写本が出土しており、その後代に与えた影響がしのばれる。じっさい、法典に規定された条項の多くがアッシリア法書のなかにも採り入れられているという。

そもそもメソポタミアでは黎明（れいめい）期からエリドゥやニップルのような最古の宗教都市にあって「神の掟（おきて）」があり、律法の原形をなしていたという。やがて、神に委託された都市の支配者たる王が律法の実行者となる。それらは都市に応じて異なっていたが、根本において差異は目立たず、そこにシュメール原始法のようなものを見ることができる。

前二四世紀にセム語系の異民族アッカド人が侵入し、その後のシュメール人の復興のなかで、シュメール都市文化とアッカド遊牧文化が融合していく。今のところ世界最古といわれる「ウルナンム法典」はウル第三王朝の始祖の名にちなんでいる。これに次いでイシンの王が発布した「リピト・イシュタル法典」がある。さらには、初めてアッカド語で記された「エシュヌンナ法典」がつづく。これらの法規定を比較すると、ハンムラビ王以前にバビロニアの法慣習の原形がすでにできあがっていたと考えるべきだろう。

バビロニアの都市社会は三つの身分に区分されている。まずは国家の中核をなす上層身分の貴顕市民（アウィルム）がいる。征服者であるアムル人であり、官吏や軍人として封地を受領する。次いで中層身分の平民（ムシュケヌム）がおり、国家に服属する者と見なされていた。農民、手工業者、商人、肉体労働者など住民の大半をなす人々であり、先住民たるシュメール人やアッカド人であった。最後に下層身分としての奴隷がおり、主として戦争捕虜と債務奴隷からなっていた。法典では「強き者が弱き者を虐げることのないように」と謳われており、奴隷身分を阻止する規定が散見されるが、じっさいには奴隷身分は増えつつあったという。

あえて法典というにしても、近代人の考える規約の意味ではなく、あくまで模範となる公正な王を明示することに狙いがあった。序文では長々とした讃美のなかで神々に愛でられし王としてハンムラビが前面に出る。その序文の最後は、マルドゥク神が人々を導き、全土に社会道徳を教えるように私にお命じになったとき、私は真実と正義を国民の口に上らせ、人々の暮らしを善くした。

と結ばれている。ルーヴル美術館に展示されている「ハンムラビ法典」碑の上頭部には「正義の神」である太陽神シャマシュがハンムラビ王に法典を授ける場面が刻まれている。神々の王たるマルドゥク神が命じたにしても、ハンムラビ王は鎮座する「正義の神」、裁き主シャマシュ神の前に立つのである。そのようにして法典を授かり、以下条文がつづくことになる。

同害報復と弱者救済も

二八二条からなる本文は、おおかたは「もし……ならば、……しなければならない」という類の形式が用いられている。それぞれ特殊な事例をとりあげ、基準となる判決文を提示する。全体としては、訴訟総則、刑法（窃盗）、軍人・官吏の義務と家禄、農事法、商法とその他、家族法、刑法（傷害など）、職業法、奴隷法についての条文から構成されている。これらの規定はすこぶる具体的であるから、あたかも判例の集成のようでもある。それだけにしばしば、裁判官が自由に裁量したり不文の慣習法が介入したりする余地も珍しくなかったにちがいない。

第一条　もしある人がほかの人を自分に対する殺人罪で告発したが、それを立証できなかったならば、告発者は殺されるべきである。

裁判に出廷して告発内容を立証できない場合あるいは偽証が明らかになった場合などの総則を規定している。そう易々と告訴できないのであり、告発者は相当な覚悟をもって裁判に臨まなければならないのだ。ここには社会道徳としての心構えが説かれているかのようである。

第二二条　もしある人が盗みをして捕らえられたならば、この人は殺されることになる。

おそらく弁解の余地がない盗みの現行犯であろうが、これもまた現代人からすれば途方もなく重くのしかかる罰則である。つまるところ「人の物を盗んではいけない」という基本的な道徳を教え諭す

「ハンムラビ法典」の碑。ルーヴル美術館蔵

ことが狙いなのだろう。

だが、道徳というよりも、人間社会の約束事と思われる規約もある。

第一二八条　もしある男が妻をめとったにしても、彼女に関する契約書を作成しなければ、その女は妻ではない。

このような規約がどれほどの拘束力をもったかどうか。もちろん財産もちの富裕者には有効な場合がある。基本的には一夫一婦制であり、女性が男性の家産に入る。条件付きで夫は複数の妻を娶ることも認められていたという。結婚は双方の家族で交わされる結納と契約を前提としており、女性の身分・財産も保護され、離婚権すら認められていた。

第一四二条　……もし彼女が身持ちの良い女で、過誤がなく、彼女の夫が外出しがちで彼女をないがしろにしていたならば、その女に罪はなく、彼女は自分の家資を持って実家に行くことができる。

女性の生活態度に「身持ちの良い女」という条件がついているとはいえ、このような女性の保護は古代社会にあっては異彩を放っている。

だが、大半は貧しい人々であり、資産も家資もない男女どうしの事実婚で間に合っていたのではないだろうか。法の言及するところを見ると、逆に、その背後にある当時の社会と家族の情況を推測させるものがある。

「ハンムラビ法典」のなかには「目には目を、歯には歯を」で名高い「同害報復」原則がある。

第一九六条　もしある貴顕市民がほかの貴顕市民の眼を損なったならば、人々はその人の眼を損なうべきである。

これはあくまで同じ身分にある加害者と被害者の場合である。この「同害報復」原則はシュメール人の法慣習にはなかったものであり、新来のアムル人の法慣習を反映したところに著しい変化があったのだ。

もっとも身分が異なると「同害報復」原則も成り立たなくなる。

第一九八条　もしある貴顕市民がある平民の眼を損なったならば、または骨を折ったならば、その人は銀一マヌー（約五〇〇グラム）を支払うべきである。

これは明らかに身分差別であるが、人間の優劣がことさら問題にされない社会ではこのような身分差別は当然であった。しかし、メソポタミアでは古来の伝統として「社会正義と弱者保護」は王者に欠かせない徳目とされていたから、どこか辻褄（つじつま）が合わなくなる。おそらく社会正義と弱者保護は別々のものではなく不可分のものであったのではないだろうか。だから別の形で身分の低い者にも目が向けられる。ときとして困窮者救済のために徳政令が発布されているが、それは王者たらんとする為政者にはことさら順守すべき大事なことであったにちがいない。

この「法典」碑を設置する目的について、ハンムラビ王は「結語」の冒頭で述べている。

これらは正義の法であり、力強い王ハンムラビが確立した。……強者が弱者を虐げないように、孤児や寡婦に公正がもたらされるように、私は石碑に私の貴重な言葉を刻み、バビロンにあって、「公正の王」とよばれる私の彫像の前にそれを設置した。

ここで言及されている「公正の王」の彫像とは、ハンムラビ王が治世の二一年目に作られたものであるという。公正の王はなによりも弱者、とりわけ孤児と寡婦に心を配る者でなければならなかった。たしかに三五〇〇行におよぶ二八二条の規定は生活のさまざまな分野をあつかっているが、これらの条項だけでおこりうる犯罪や不正などのすべてを覆いきれるものではない。また、仔細に見ると食い違う文言も散見されるという。

パン屋の訴訟に再審を命じた王

ところで、「ハンムラビ法典」にかぎらず、諸王の発布した「法典」のいずれも古バビロニア時代の裁判の現場で判決文に引用されてはいないという。そのせいで、法令として法的拘束力をもつものであったかどうか、さまざまな議論があるらしい。

そうであれば、このような堂々たる偉容を誇る「ハンムラビ法典」碑はどのように理解されるべきだろうか。ここではむしろ、法としての指令の形をとりながら、この地に公正を実現する王としてのハンムラビの生き生きとした姿があり、神々の裁定としての言葉が重々しい力をもつ記念碑として打ち立てられたというほどに理解しておきたい。

法令としての拘束力をもたなかったにしても、「ハンムラビ法典」が日常生活のなかでまったく心にかけられなかったわけではないだろう。むしろ人々は係争事が生じたときに、問題を解決するための行動規範の拠り所と感じていたのではないだろうか。

それまで裁判は神殿と祭司がとり仕切っていたが、ハンムラビ王は法制の改革にとりくんでいる。国家の規模でも地方の規模でも裁判所が設置されたという。公正の実現者としてのハンムラビは玉座に鎮座してながめていたわけではなかった。地方の裁判所から届いた控訴にも目を通していたらしい。ある手紙には、地方のパン屋の貸借訴訟にまで耳を傾け再審を命じたと記されているという。「人民の父」を自負したハンムラビ王にとって、「法典」が公正なる秩序の規範となることはなにより も願わしかったのではないだろうか。

皮肉なことに、世界史のなかで最初に「公正の秩序」を確実なものにする試みがあったにもかかわらず、現イラクを中核とする旧メソポタミアの地はあいかわらず混乱の渦中にある。それどころか内乱がくりかえされ、「公正の秩序」が回復されそうな見込みなどまったく思い描くことすらできない。

われわれはそのような争乱にまきこまれることのない遠い異国の日本人である。そこからながめれ

「夜の女王」ともよばれる「バーニーの浮き彫り」。大英博物館蔵。CC0 1.0

ば、この地に住む人々は太古の昔から言い争いの絶えない妥協なき集団であったのではないか、と思いそうになる。それは筆者だけの偏見にすぎないのかもしれないのだが。

四三年におよぶハンムラビ王の治世はまさしくバビロニアによるメソポタミアの統合であった。近隣に並ぶべき勢力はなく、バビロニア王朝の下で繁栄の極みを誇った。首都バビロンは古代遺跡のなかでも最大規模をもつが、前七世紀の新バビロニア王国が栄えた文化層に達した段階で、発掘は中止されている。そのために、ハンムラビ王時代の古都バビロンについて、王宮跡や家屋跡などはまったく知られていない。

ハンムラビ王時代の華麗さを伝えるものの一つに「夜の女王」とよばれる女神像がある。おそらく、かの女神イシュタル（イナンナ）の姉である女神エレシュキガルであり、地下の世界を司るものとされる。どこかの神殿に設置されていたのだろうが、黄泉の国への信仰心の希薄な人々であったとはいえ、やはり死者の世を司る女神には魅かれるものがあったのだろう。

古バビロニア王国の滅亡

しかしながら、第一バビロニア王朝の栄華は長つづきしなかった。前一八世紀半ばハンムラビ王が没し、それから一〇年も経たないうちに、バビロニア南部で覇を唱える勢力が現れている。さらにまた、東方の山地からカッシートとよばれる集団が侵入し、メソポタミア南部を荒らしまわった。だが、ほどなく傭兵（ようへい）、小作人、労働者として定住したという。いずれの勢力も王朝に代わる実力をもっていたわけではなかったが、王国もまた勢力圏の維持すらままならないのだった。

前一八世紀後半には、困窮した農夫、牧夫、下級官吏などに未納の税の残額を「王が社会正義を確立したことにより」免除したという勅令（ちょくれい）が出ている。このような徳政令も弱者救済を名目とした王権の維持強化を図る苦肉の策であったにちがいない。その後もときどき貢租（こうそ）の減免や借金の免除などの徳政が行われたらしい。

ハンムラビ王の没後一五〇年余りの期間に、五人の後継者が登場している。しかし、南のシュメール地方では「海の国」とよばれる勢力が反乱をくりかえし、東北方山岳地域ではカッシート勢力が脅威であった。もはやバビロニア王国はその覇権を縮小して存続するのがやっとだった。

前一六世紀初頭、古バビロニア王国には、はるか西方のアナトリアから遠征してきたヒッタイトとよばれる勢力の脅威が高まる。やがて、ヒッタイトの軍勢はユーフラテス河を下ってバビロンに向かった。だが、たいした抵抗を受けた形跡はないらしい。かなりの急襲であったにちがいないが、バビロニアの国力がそれだけ衰えていたのかもしれない。首都バビロンは略奪され、王は殺されたという。こうして前一五九五年、メソポタミアに君臨した古バビロニア王国はその三〇〇年の歴史を閉じたのである。

ヒッタイトの興隆

前二千年紀初め頃から、国際政治の舞台では目立たなかったが、メソポタミア北部のアッシリアは商業交易ではひときわ抜きん出ていた。早い時期から現トルコ領土のアナトリアにも進出し、植民地のごとき居留区をもっていたという。そこにある古アッシリア語の文書には「アニッタ」という固有名詞があり、その名を刻んだ槍の穂先も出土している。どうやらアナトリア中心部を制圧する勢力の王であったらしい。それは後にヒッタイトとよばれる人々であるが、彼らは北シリアを通じてバビロニア人から楔形(くさびがた)文字の書き方を学ぶようになった。しかしながら、小国家が群立するなかで、やがて統合されヒッタイト王国が成立する過程についてはほとんどわかっていないという。

このころのアナトリアでは数多くの言語が使われており、そのなかには印欧系の言語を話す部族もあった。ヒッタイトの人々もその系統のひとつであったらしい。アニッタ一族の率いる勢力は黒海沿岸地域にまでおよび、その一連の軍事活動のせいでアッシリアの国際交易網に陰りがもたらされていたかもしれないという。

アニッタの死後、その勢力は衰退していったが、後世の記録にはアニッタの名を記し保存するものが少なくない。おそらく彼は後のヒッタイト古王国の先祖と見なされていたのだろう。

前一七〜前一六世紀にあたるヒッタイト古王国についての記録には、しばしば遠征の軍事活動と国王継承問題が扱われている。遠征活動は年代記風に書かれており、メソポタミア周辺地域では最古の類というが、前一三世紀頃の後世に書かれたものらしい。国王の継承問題についての文書についても、かなり偏っているらしい。よくあることだが、新しい王は自分の立場を正当化するために、正史を作らせるからだ。とはいえ、このころ丘上にあって防御に恵まれたハットゥサ（現ボアズキョイ）に王宮が建てられ首都が定まっている。

やがて、ヒッタイト王国は東南方面に進出し、北シリア地域で略奪をくりかえしている。その侵略の手はバビロニアにまでおよび、バビロンの都はヒッタイト軍勢の嵐のごとき急襲によって破壊された。そのようなユーフラテス河をあえて下る東方遠征の目的はまったくわからないが、たんなる強奪だったのかもしれない。だが、その裏には声望の高い華々しい都を制圧することで、ヒッタイト王国の勢威を見せつけようとする意図があったにちがいない。

ハットゥサ遺跡の「戦士の門」。松川裕撮影

賠償による和解の精神

ところで、メソポタミアやシリアと異なり、アナトリアは山々に囲まれた谷間に集落ができる。そこを故地とするヒッタイトでは木材が豊かであり、その樹木の生地に沿って穀物も栽培され、樹木に囲まれた地形でブドウ、オリーブ、果物なども作られた。

また、山羊や羊が育てられ、豚、牛、さらには馬も育成されている。山間地に住むために、しばしば人々は夏には高地に拡散し、冬には低地の谷間に集中して住んでいたらしい。地形からして大きなまとまりをなす覇権はできにくく、個々の勢力が独立していた。

それにもかかわらずハットゥサには王族の宮廷が建てられ、そこを首都としてヒッタイト王国が姿を現した。社会の最上層には王族を中心とする貴族層がおり、下層には住民の大多数をなす農民、牧人、職人などがいた。このような社会の一端について「ヒッタイト法典」はきわめて興味深いところがある。

もし何者かが自由人の目を見えなくするか、またはその者の歯を打ち落とすならば、以前は銀一マヌーを与えていたが、現在では銀二〇シクルを与えるべし。また、彼の家も責任を負うべし。（大城光正訳）

ここには、「ハンムラビ法典」に見られる「目には目を、歯には歯を」の同害報復原則はない。それとは異なり、賠償による和解の精神が見られる。しかも、昔よりも量刑が軽減されており、バビロニア人の社会とのきわだった差異がある。というよりも、バビロニア人の同害報復原則がむしろ例外であったと見た方がいいのではないだろうか。

しかしながら、前一六世紀後半、王国もその内部にあっては王侯一族が王位継承をめぐって争いをくりかえし、混乱のなかで勢威も衰えていく。やがて前一五〇〇年頃には、ヒッタイト古王国も姿を消してしまうのである。

王国が滅亡したとはいえ、ヒッタイト人が消え去ったわけではない。前二千年紀半ばのメソポタミア、シリア、アナトリアなどのオリエント一帯には、セム語系の人々のほかにも、ヒッタイト人、カッシート人、フリ人などとよばれる多種多様な人々もいた。

なかでも、カッシート人は、前一六世紀初めから、ヒッタイト古王国撤退後のバビロニアで覇権をにぎっていた。カッシート人は馬の組織的な飼育と戦車の技術にすぐれていたというが、その軍事組織と小規模居住地の拡散によって王国の防衛ができたのだろう。カッシート語は他のいかなる言語とも近隣関係になく明らかなことはほとんどない。

フリ人はもともと北メソポタミアを中心に活動していたらしい。前二千年紀半ばまでにはシリアやアナトリアなどにも広がっている。その一部はミタンニ王国を形成し、一時はアッシリアを破ったり、エジプト遠征軍と戦ったりした。とはいえ、フリ語が接尾辞のみをもつ膠着語の一種であることはわかっているが、言語系統はほとんど不明と言うしかない。

じつのところ、前一六～前一五世紀頃のオリエント世界については、歴史上の出来事と変遷はあまりにも不確かである。だが、この時期になんらかの急激な変動がおこっていたことは隠しようもない。それを「暗黒時代」として片づけることもできなくはないが、大局的に見れば「新しい時代」を迎えていたとも言えるのである。

このようにメソポタミアの文明史をたどってみると、人類にとって類例のない初めての経験に出会っていたことは、新鮮ですらある。これらの経験が積み重ねられていくなかで、地中海世界の文明の基層となるものが形を見せていくのだった。

第二章

神々の河は地中海にそそぐ

エジプト、ハトシェプスト女王葬祭殿。著者撮影

1　聖なるナイルの王権

超自然的な力を神として崇める

はてしなく広がる砂漠のなかを悠然と大河が流れる。世界最長級のナイル河は、古来、その水源をめぐってとめどもない物語がつむがれていた。ナイル河は天の彼方に発し、死者の住む冥界(めいかい)を通って、人間の居住する南の国境に近い辺りで地上に現れ出る、と信じられていた。

今日の知識をもってすれば、赤道直下のヴィクトリア湖周辺を水源とする白ナイルが本流となる。それとともに、エチオピア高原を水源とする青ナイルも流れている。両者は現スーダン共和国の首都ハルツームで合流してナイル河となり、やや北でもう一つの支流が合流した後、およそ二七〇〇キロを流れて地中海の河口に達する。ナイル河の全長は約六七〇〇キロもあるというから、古代人の感知のおよばないものだったにちがいない。

古代エジプトでは、一年の始まりはナイル河の水位の上昇によって示されるのだった。ほどなく、河川は洪水のごとくあふれ出し、野原を水浸しにして、そこに沃土(よくど)が積もる。それは人々にとって豊穣の恵みであり、ここにはナイルの増水を司(つかさど)る神ハピがいた。ハピの彫像を見れば、太った男でありながら胸の乳房は弛(ゆる)んだ姿で描かれている。それは洪水のもたらす農耕の繁栄を象徴しており、その頭はしばしば睡蓮やパピルス草で飾られていた。その形姿は数多くの壁画にも刻まれており、ハピ神への信仰の広がりが理解される。

ナイル河の畔の沼地にはワニが棲んでおり、人間や動物を狙っていた。はさみとった獲物を連れ去り、破壊する力は絶大だった。その様はワニの姿をした男神セベクとして崇拝されている。このために中部エジプトではミイラ化されたワニが墓地に祀られるほどだった。

さらに、河辺にはカバの群れも目につく。そのむき出しの獰猛さは危険を感じさせたが、その化身としての女神タウレトは妊婦の身体を脅威から保護する力をもつものと信じられていた。カバの頭をもち妊婦の姿をしていたが、手足はライオンであり、ワニの尻尾をもっていた。

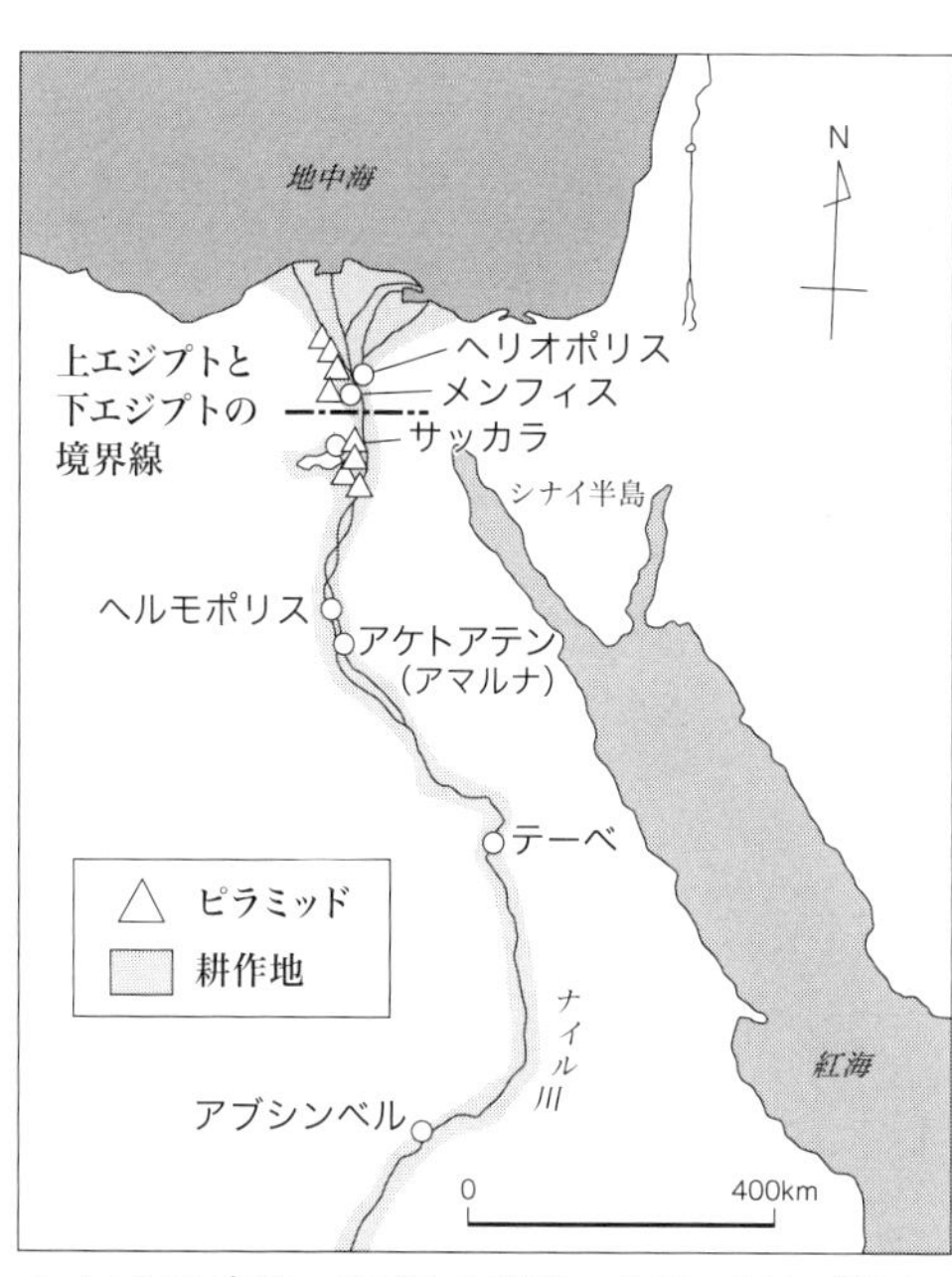

ナイル河と古代エジプトの都市。本村・高山『地中海世界の歴史』を参考に作成

これらの河辺にちなむ神々のほかにも、黒い山犬（ジャッカル）の姿をしたアヌビス神は、死者の眠る墓地の守護神であり、ミイラ作りを仕切る神でもあった。心正しき死者を冥界に導く役目を担う神として崇拝されるのだった。また、ハヤブサの頭をもつソカル神はもともと職人の守護神であったというが、砂漠に由来する大地の神でもあった。さらに

また、ハヤブサの姿をしたホルス神は天空の神であり、その目は太陽と月であると言われ、為政者たる王の守護神として崇(あが)められている。

砂漠に象徴される自然は人間の前に絶大な力として現れる。エジプトは砂漠によって外敵から守られているとともに、そこは乗り越えがたい脅威でもあった。さまざまな自然現象を前にして、人間のおよびしれない力を感知しながら、自分たちの無力さに打ちひしがれる思いだった。そのような超自然的な力を感じとり、それを神として崇め、ひれ伏す。これは自然界に生息する動物についても感知されるところだった。天高く飛びまわるハヤブサ、死者のいる墓所に出没する不気味な山犬、人間に死の危険をもって迫るワニや毒蛇など、これらの動物たちに超自然的な力を感じ、そこに神々のごとき聖性がひそむことを認めて崇めるのだ。

死者と生者の境界をなすナイル

灼熱(しゃくねつ)の太陽がふりそそぐ砂漠に囲まれたナイル河畔に住む人々には、水はなにものにも替えがたい恩恵であった。温暖で乾燥した気候であるために、ナイル河谷(かこく)は人々を吸い寄せる。一筋の緑地帯が連なり、生物はそこでのみ生息できるのである。葉の多いヤシの樹、ヤナギ、イチジク、クスノキ科の常緑樹、野生のブドウの樹などが生い茂っていた。さらに、人が手を加えれば、タマネギ、ネギ、ソラマメ、ニンニク、ヒラマメ、ヒヨコマメ、大根、ホウレン草、カブ、ニンジン、レタス、キュウリ、メロン、カボチャ、ヒョウタン、オリーブなども栽培されていた。もちろん小麦や大麦が実ることは言うまでもない。もともとナイル河沿いに暮らしていた人々とともに河辺に移住して定住しはじめる人々もいた。彼らは入り混じって小さい集落を形成した。

茫漠たる自然の大半が緑なき砂漠であったエジプトでは、ナイル河は唯一変わることなき神聖な存在である。そのナイル河をはさんで陽の昇る東方は生者の世界であり、陽の沈む西方は死者の世界であったという。少なくともエジプト人には生と死の有り様はそのように感じられていたのであろう。

ナイル河は豊穣の恵みであるとともに、生者と死者の、この世とあの世の境界をなすものだった。古代エジプト人にとって、来世は河の向かい側にあるほど身近なものと感じられていた。あの世への旅立ちとは河の向こう側の彼方へ移動するだけという感覚であったかもしれない。永遠の生命あるいは永遠の生活は手に届かないものではなく、あきらめるべきものではなかった。だから、彼らは永遠なるものにこだわり、来世の生活を当然のごとく夢みるのだった。

今や完璧な静寂を知らない現代人には聞こえない音も古代人の耳には届いていた。砂漠の風もナイル河の波風も静寂のなかで生きる人々には聞こえていた。毎夜のごとく河畔の奏でるさざ波のかすかな音すら、とぎすまされていた古代人の心には、あの世から誘惑されるかのように響いていたかもしれない。

石を磨き、水を通す

今から一万年近くさかのぼれば、アフリカ大陸北部のサハラ砂漠はそれなりの湿潤さをもつサバンナだった。そこには野生動物の群れが数多く生息しており、その後の数千年の間、かつてはもっぱら狩猟と採集に従事していただけだったのに、植物を栽培し動物を飼い慣らす生活に移りつつあった。

穀物栽培や動物飼育は西アジアに起源すると言われているが、それがエジプトに伝わったと考えるのが理に適っているだろう。

ところで、ナイル河の流域は南の上エジプトと北の下エジプトに区分される。上エジプトは巨大ダムのあるアスワンから首都カイロまでの河谷地帯であり、それより北のデルタ地帯が下エジプトとよばれている。いずれにしろ雨量ははなはだしく少ない。下エジプトは地中海性気候であるために、雨はしばしば冬季に降る。がいして雨量は、北から南へ進むにつれ、また、西から東に進むにつれ急速に減少する。

前六千年紀後半になると、エジプト最古の新石器文化が姿を現す。石を磨いて石器を作る技術が生まれたのだ。小麦や大麦を栽培し、牛、豚、羊、山羊などの家畜を飼育する農耕集落が登場する。それとともに、生産物を運んだりたくわえたりする土器も作られるようになった。さらには、死者を集落内に埋葬する習わしがあり、顔が陽の昇る東向きに置かれていたというから、故人を祀る宗教の観念がめばえていたらしい。このような集落はデルタ地帯南西部と上エジプト中部にできていたという。しかし、それらは互いに環境が相違しているために、経済活動から土器の型や葬祭慣習にいたるまで、生活様式がさまざまに異なっている。

最古の新石器文化について、栽培植物や家畜から観察すると、東北方の西アジアとのつながりが指摘されている。そこを起源とする農耕生活が下エジプトのデルタ地帯に伝わり、近隣に拡散したらしい。

これと同じ時期に、上エジプトには別の文化と生活様式の集落が出現している。栽培植物と家畜については類似する種類もあるが、埋葬様式や副葬品がかなり異なっていることから、系統の違いが目につく。下エジプトでは墓の規模に著しい差異はなく、副葬品も少ないので、身分差のない平等社会だったという。だが、上エジプトでは墓の規模が大小異なり、副葬品も多く品質も高い。上エジプトは、おそらく南方に隣接するヌビア方面から、あるいは西方砂漠を南北に走りナイル河谷とヌビアを結ぶ経路を通じて、アフリカ大陸の文化の影響下にあったらしい。

ほぼ前五千年紀の間、これらの文化をもつ諸地域において農業が広く行きわたる。それにつれ、個人よりも集団による共同作業が求められるようになる。およそ前四〇〇〇年頃、農村共同体が姿を現し、文化発展の核となった。

前四千年紀になると、上エジプトと下エジプトにそれぞれ性格の異なる二つの文化圏が生まれている。上エジプトにはナカダ文化とよばれる墓地・集落群があり、下エジプトにはマアディ・ブト文化という墓地・集落群が登場した。

ナカダは上エジプト南部ナイル西岸にある遺跡であり、テーベ（現ルクソール）の北方二六キロほどに位置している。先立つ最古の新石器文化を継承しながら発展し、とりわけナカダから北方のアビュドスの周辺が発祥の拠点であった。つづく数百年の間に上エジプト南部のほぼ全域に広がっている。ナカダ文化の受容は農耕が生業として定着したことを意味する。ロバや牛が家畜となり、銀が広く使われ、銀・黒曜石（こくよう）・ラピスラズリなどが交易されていた。石製の容器が作られ、交線紋土器が登場する。だが、初期には、狩猟漁撈のための石器も少なくなかったらしい。

高品質な土器

数多くの墓地がナイル河流域の各地で見つかっているが、集落の形跡はまだ数少ない。それらの集団墓地はしばしば沖積低地近辺の砂漠縁辺にあり、墓には屈葬遺体とともに、土器や装身具などの副葬品が納められている。これらの副葬品のなかでも、きわだった特徴をなすのが土器と化粧板(パレット)である。

古代エジプトにおける土器の発展をふりかえると、装飾的にも品質的にも統一王朝が生まれる以前の前四千年紀にすでに頂点に達した感がある。驚くべきことに、古い時代に作られた土器の方が高品質であるのだ。これらの土器は覇者たる王をはじめとする高貴な人々への副葬品として製作されたにちがいない。かなり高度な技術を備えた熟練職人の集団がいたのだろう。ところが、時代が下るにつれ、数少ない例外を別にして、土器がたんなる日用品として使用するために作られるようになると、その品質や装飾が劣っていったのである。

高品質のものとしては、口縁部を黒色に焼き上げた黒頂土器や細やかな装飾をもつ彩文土器などが数多く見られる。初期には交線紋だけであったが、徐々に多様化し、フラミンゴや船などの細やかな絵も描かれている。

そのころには、河川から水を導いて配水する貯留式灌漑(かんがい)の農耕がはじまり、墓地が大型になっていく。集落そのものが大規模になり、墓の規模と副葬品に格差が見られるようになり、身分・階級が分化していった。おそらく地域の統合が進み、各地に首長をいただく部族国家が出現し、ほどなく地域の覇者となる王が生まれたのだろう。そのなかから、ナカダ、ヒエラコンポリス、ティニスなどの有力な部族が「原王国」のごとき勢力をなしたのである。

北に拡大したナカダ文化

ところで、下エジプトのデルタ地帯に見られたマアディ・ブト文化は、この地域の新石器文化をそのまま受け継いでいた。全体として見れば、土器は粗製であり、石器はしばしば石刃から製作されている。注目されるのは、銅製品が出土していることであり、おそらくシナイ半島産の銅を加工したものであろう。ここに住む人々がナイル河谷にとどまっていただけではないことがわかる。さらに、彼らの住居は円形や方形の平面ばかりか、半地下式のものもあったという。

ところが、前四千年紀後半になると、南にある上エジプトのナカダ文化が北の下エジプトのデルタ地帯にも拡大している。下エジプトの地元産の土器や製品が徐々に姿を消し、デルタ地帯もナカダ文化の影響をこうむり、それに吸収されていったのである。

ナカダ文化が北に浸透するのに先立って、注目される現象がある。デルタ地帯に隣接する上エジプト北部に大型墓地が出現しており、人々が北へ移住している有り様が目立っている。そのような大きな住民の移動の背景にはどのような出来事があるのか、それは重要な問題となる。

文字のない時代だから記録もなく、残された遺物や遺跡から想像してみるしかない。文化の中核をなしたナカダやヒエラコンポリスは大きな集落が城壁で囲まれており、アビュドスには最古の神殿があったという。墓の規模が大きいものも小さなものもあり、その格差がかなり鮮明だった。最大級の墓は煉瓦(れんが)で補強され、壁面には猛獣や敵を打ち負かす勇者の姿が描かれたりしていた。

おそらく、勢力をもった大規模集落の部族がお互いに抗争を重ねながら、ほどなく小さな王国が誕生することになる。やがて、それらの小さな王国もまた対立と併合をくりかえす。その大きな流れのなかで、エジプト全域を統合しようとする動きが目立ってくるのだった。

前四千年紀の先王朝時代におけるエジプト文化に特有なものとして、化粧板（パレット）がある。化粧用の顔料となる孔雀石（くじゃくいし）や方鉛鉱（ほうえんこう）などを粉末にするために薄板状の道具が用いられたのである。シルト岩や粘板岩（ねんばんがん）で製作され、磨り石とともに使われていた。すでに新石器時代から使用されていたらしい。

ナカダ文化期にはさまざまな形状をもつものが現れ、菱形などの幾何学形があり、魚、鳥、亀などの水辺の動物をかたどった化粧板がしばしば見受けられる。しかし、同千年紀末には、化粧板の形状が単純かつ小型になりながら、長方形や楕円形が広く認められる。その一方で浮き彫りを施した大型の奉納用化粧板が製作されている。

ナルメル王のパレット

カイロ博物館（エジプト考古学博物館）の正面玄関を入ると、真っ先に目に飛びこんでくるのが「ナルメル王の化粧板（パレット）」とよばれる楯形の遺物である。高さ六四センチの粘板岩製の粉飾図。中央に立つ大男は上エジプトの王冠をかぶり、ひざまずく小男の頭髪をつかみ棍棒（こんぼう）で打ちすえようとしている。この図柄は王の勝利を示唆するものという。王の右上には王権の象徴であるハヤブサをかたどったホルス神が見える。このハヤブサは下エジプトを象徴するパピルスの生える大地をかたどる男の口につけた縄をつかんでいる。さらに化粧板としての窪みがある表面には、同じ王が下エジプトの王冠をかぶっており、敵の首なし死体の山を視察して戦果を確認している図像が刻まれている。いずれも、エジプト全土を統一した上エジプトの支配者が上下エジプトの王として国土を支配する、そのことを表すものだったのだろう。

後世の伝承によれば、前四千年紀末期に、上エジプトのメネス王が下エジプトを征服し、ナイル河口にいたる長大な統一国家が誕生したという。同時代史料としての化粧板には鯰(ナル)と鑿(ノミ)の図像のヒエログリフ（聖刻文字）が描かれているという。そこから化粧板のナルメル王こそメネス王にふさわしいという。

ナルメル王のパレット。カイロ博物館蔵

ところで、前四千年紀末、古代エジプト人は自分たちの言葉を文字に記すようになる。それはヒエログリフとよばれ、写実的な表記文字であった。ナルメル王の化粧板にはその最初期の形が描かれている。人間、動植物、物などの絵文字をそのまま文字として用いたもので、鳥の羽根の文様や籠の編み目なども微細に描かれ、芸術としても美しいヒエログリフができあがったのである。

ヒエログリフと楔形文字はほぼ同時期に誕生したせいで、相互の影響について取り沙汰されることがある。初期の文字のなかには動物の自然の形状を模倣してできた文字もあり、むしろそれは人間の発想として自然な知的活動であり、別々に生まれたものと考えた方がいいだろう。

ヒエログリフは縦書きにも横書きにもできたし、反転させれば右からも左からも書くことができた。それらは墓石や神殿の壁に浮き彫りとして刻まれ、宗教文書や公式碑文などの形で人目をひいた。

これらの文字を刻むには専門の書記がいた。その姿は「書記像」として描かれ、今日、しばしば各地の美術館で見ることができる。これらの書記たちは神や王を讃えたり、あるいは有力人物の事績を書きとめたりした。

伝説につつまれた王国の誕生

後世になると、エジプト人の言葉は、ヒエラティック（神官文字）やデモティック（民衆文字）でも書かれている。ヒエラティックはヒエログリフの崩し字体であり、一種の行書体であるが、行政文書や物語などがパピルスに記録されている。デモティックはさらなる崩し字体であり、一種の草書体であるが、当初はパピルスや陶器の断片などに世俗の所用を書き記すために使われている。これらの書体は線書きであるために、ヒエログリフに比べてはるかに速く書けるという利点があった。

美しい形のヒエログリフはしばしば石造建物の壁面に刻みこまれているが、パピルスに記されることもある。湿地に生える丈の高いパピルス草の茎を材料にして四角い薄い紙状のものを作り、それらをつなぎ合わせて巻物ができる。それに葦の茎からなるペンと、煤や鉱物からできたインクを使って文字が書かれた。パピルスには三つの書体のいずれも用いられている。なかでも「死者の書」のような神聖な文書はヒエログリフで記されたという。

王国の誕生という出来事はどこでも伝説につつまれている。後には大義名分でかためられ立派に語られても、おおかたは混乱と強奪がくりかえされたはずである。考古学の立場から見れば、エジプト全土を統一するという出来事そのものが一度の事件でなされたとは考えにくい。

上エジプトのナカダ文化が下エジプトに広がり受け容れられるには、数世代にわたっていくつもの波が打ち寄せていただろう。そのたびに王国統一の試みがなされていたにちがいない。それらの試みの成果がメネスという一人の国王に集約されたと見なすべきではないだろうか。伝説のメネス王は幾世代にも語りつがれた統一の記憶の集積としてできあがり、同時代の事実のごとくナルメル王に帰されたと考えた方がいい。

原義	前2900-2800年	前2700-2600年	前2000-1800年	前1500年頃	前500-100年
魚					
ワシ					
コブラ					
胸飾り					
ロータスと池					
水差し					

エジプト文字の発展。本村・中村『古代地中海世界の歴史』を参考に作成

ハヤブサの神ホルスの化身とされた国王

およそ前三〇〇〇年頃から、ナルメル王を始祖として王朝の時代がはじまる。彼は同時代の人々によって国家の創建者として認められたのである。彼は上エジプトの首都ティスの出身者であったという。やがて古都ナカダの古い首長の子孫にあたる娘と結婚したらしい。そこには征服にともなう領土統合が示唆されている。

さらにナルメル王は有力な古都ヒエラコンポリスのホルス神殿にことのほか敬意をもっていた。ホルス神は地方勢力の神であっただけではなく、王権の神でもあったからだ。この神殿への奉納物は記念碑としても王権を象徴する力強い声明であった。一つは棍棒頭とよばれる丸い石であり、柄を通す穴がある。そこで描かれた図像では、玉座に座る王が捕虜と戦利品の行列を見つつ、あらたな領土の儀礼をながめている。もう一つは例の化粧板であり、王が捕虜を打ちのめし、首なしの敵の死体を検分し、砦(とりで)の防壁を破壊している。いずれも、エジプト全土を統一するナルメル王の姿を打ちだし、敵対する者たちを容赦しないという断固たる決意であった。それとともに、王は国境を守る代わりとして民衆のすべてに忠誠を求めることが暗にほのめかされているのだ。

古代エジプトの国王はハヤブサの神ホルスの化身とされる。王宮に現れたホルスが国王と見なされていた。だから王名はホルス名ともよばれ、しばしば王名を囲む枠の上にホルス神の姿が描かれている。

この初期王朝時代（第一・第二王朝　前三一〇〇〜前二六八六年頃）の王権の下で、十数人の王が南のアスワン辺りから北のデルタ河口までの地域に君臨した。近辺にネクロポリス（大規模墓地）があることから、メンフィスに王国の拠点となる都が建設されたらしい。メンフィスは河口地帯とデルタ地帯が接する場所にあり、ナイル河が人々と物資の輸送のための結び目をなしていたのだ。

初期王朝時代末期にエジプトは、青銅器時代に入ったという。王墓の副葬品には最古の青銅容器である水差しと水盤とがふくまれているのだ。青銅器製造に必要な錫（すず）が交易でもたらされたのであり、王室工房の技術は高く洗練されていた。

また、そのころ王の埋葬地が移動していることから、「闘う北の民」を示唆する話もあり、南北の間に内乱があったのかもしれない。やがて、この混乱もおさまり、国内が安定していったようである。というのも、周辺地域との交流が急増しており、造船用の杉材を確保するために、レバノン沿岸との交易が再開されている。これらの航海用の船舶は地中海沿岸地域の隣人たちと交易するだけでなく、それらの隣人たちに国力を誇示する絶好の機会でもあったのだ。

さらに、王国に収益が流入し、国庫が増大したことから、王の建築事業が目立つようになる。上エジプトでは神殿が造営され、あるいは拡張されたばかりではなく、街地集落の近くに巨大な祭祀（さいし）用の周壁が建設されている。さらにまた、自分の墓を葬祭周壁で補う作業も進み、その遺構は今なお周囲の景観を圧する感があるという。後の葬祭記念建造物としてのピラミッドへの道は開かれつつあったのだ。

2　時はピラミッドを怖れる

最初に建造した王と宰相

古代エジプトといえば、なによりもピラミッドが思い出される。それらが築かれたのは古王国時代（第三〜第六王朝　前二五八四〜前二一一七年頃）であり、そのころ統一国家の支配が安定期を迎えている。

それにしても、あの巨大なピラミッドは、なぜ建設されたのだろうか。ピラミッドはしばしば王の墓であったとか言われている。誰もがそう信じたのは、前五世紀のギリシアの歴史家ヘロドトスのせいである。自分の目と耳で見聞することが好きだったので、彼は当時の世界各地を旅行している。そのなかでエジプトにも出かけ、ギザにある名高い三大ピラミッドも自分の目で見たという。

そのなかでも最大規模のピラミッドはクフ王のものと言われる。この巨大ピラミッドについて、ヘロドトスは一〇万人の奴隷が二〇年間をついやして建造したと伝えている。そのため、古来、人々は奴隷が鞭打たれ息も絶え絶えに酷使されていた姿を思い描いてきた。

しかし、ほんとうにそれは事実なのだろうか。そもそもピラミッドが王の墓であったかどうか、それすらはっきりとは断言できないという。というのも、すでにクフ王の父は複数のピラミッドを造っているのだから、王の墓にしては不自然だと指摘されてもいる。だが、埋葬の場ではなく、葬祭施設としての「墓」であれば、不自然ではないだろう。

ところで、数多いピラミッドであるが、これを最初に建造したのはジェセル王であると言われる。前二七世紀半ば、初期王朝時代を脱し第三王朝の礎を築いた実力者であり、巨大なピラミッド建造の偉業はまさしく新しい王朝の息吹を伝えるのにふさわしいものであった。

下エジプト南部の王都メンフィスに隣接するサッカラには、階段ピラミッドとよばれる最古の石造建築物がある。これを設計したのは宰相イムヘテプとよばれる賢人であり、後世には信仰の対象になるほど広く敬愛されたという。

クフ王のピラミッド。著者撮影

この第三王朝以後は古王国時代とよばれているが、ピラミッド時代とも言う。巨大建造物を造営するためには必要な資材を集める行政組織の力がなければならなかった。ほぼ一〇〇トンにおよぶ石灰岩を切り出し、運んで積み上げ、仕上げて装飾をほどこすという作業はとてつもないものであった。そのために工学技術を開発し事業を計画し実行するのだから、まさに空前の偉業であった。

それにしても、エジプトは外から攻撃されにくかったし、資材を自前で調達する環境にも恵まれていた。このようにしてジェセル王の治世には行政機構が複雑になりつつ発展していったのだろう。

イムヘテプは第三王朝末期に世を去ったらしいが、史上に華々しい偉業をなしとげた人物であるから、数々の伝説や神話が生まれている。それは不思議でもなんでもなく、最古のものである階段ピラミッドの複合体を創造した歴史上の人物としてふさわしい誉れだった。かくして、ジェセル王の名とともに、偉人イムヘテプの名はひたすら史上に残っていくのであった。

行政機構が整っていくにつれ、それらの担い手には、才能さえあれば任務につける機会もあったことになる。低い家柄の者にも公人への道が開かれ、王族でなくても公職の最高位にのぼれたわけだ。ピラミッド造営という大事業がなされるには、その背景により高度な専門知識が求められており、それを担える公人たちがいたということにほかならない。彼らの多くは読み書き能力のある書記の親族あるいは周りにいる人々だったにちがいない。在庫管理、会計業務、耕地監督、作物監督などの公務をとどこおりなく務めれば、王の代理人として地方行政官になるのも夢ではなかっただろう。これらの忠実な奉仕の代わりに国家から広大な土地を与えられたという事例も知られている。

方錐形ピラミッドを建てたクフ王の父

第三王朝については、人数は定かではないが、王のすべてがメンフィス周辺に埋葬されたらしい。さらにまた、天高く上るピラミッドを考案したことと関連するのか、太陽(ラー)を神として崇めた最初の王朝であったという。ラー神殿で見つかった最古の浮き彫りにはジェセル王が描かれている。ほかの王たちもシナイ半島の銅山やトルコ石鉱山の浮き彫りに登場している。これらの発見された場所から東方国境地域への遠征が行われたことがわかり、それは判明しているかぎり最古の遠征であるという。これらの王の肖像は、公式美術の始まりであり、それは後世まで伝えられるのである。

アラブの諺(ことわざ)に「人は時を怖れるが、時はピラミッドを怖れる」とある。ピラミッドは時間をも超越する悠久の存在だ、といったところだろう。あまりにも名高いギザのピラミッド群を目にすれば、誰もがそう実感するのではないだろうか。そこには三基のピラミッドが並び立っているが、なかでももっとも壮大なクフ王の大ピラミッドを見上げるときには、ある種の畏怖と感嘆の念をいだかざるをえないだろう。

ところで、この巨大なピラミッドを造らせたクフ王には偉大な父親がいた。彼は第四王朝の開祖であり、すでに前代の階段ピラミッドに代わる新しいピラミッドの建設を試みている。それは階段状のピラミッドから方錐形のピラミッドへの移行であった。この父王は三基の方錐形ピラミッドを完成させたのだが、ピラミッドが王墓であるならば、なぜ三基も必要だったのかという疑念は残る。

すでに太陽神ラーへの信仰は前王朝時代にめばえていたが、このころには王権との結びつきが強まっている。方錐形は太陽光線を具象化したものであり、王が死ぬとその光線に乗って昇天するとされたという。三基も構築されたのは、より立派な方錐形ピラミッドをめざして試行錯誤がなされたからであろう。

このような完璧なピラミッドが求められたのも、王が太陽神ラーの化身として君臨すると意識されつつあったからだろう。ラーこそは宇宙の秩序（マアト）をもたらし、エジプトの繁栄を保証する神であった。ナイル河の増水が規則的である、それはラーの化身としての王がみごとに役割を果たしていることの証（あかし）であった。

現世にあってラーの化身としての役割を立派に果たしたのであるから、王は死後に昇天して神々の一員となり、国土の繁栄を見守ってくれるはずだ。その期待と確信をこめて、ピラミッドが造られたのだろう。そうであれば、それは為政者たる王個人のための墓であったばかりでなく、民衆の信仰心を集める一種の神殿でもあったにちがいない。そのような神々を崇める宗教的な情熱がピラミッドには投影されていたのだろう。なるほど、ピラミッドが三基も造られているわけだ、と納得できる。

クフ王はこれらの巨大ピラミッドが砂上にそびえるのを見ながら成長したのであり、そのために巨大建造物を好むようになったのだろう。それとともに、彼はみずからの地位が創造神から授かったことを意識していたかのようである。おそらく三〇年近く統治したというが、それだけ若年のうちに王位を継承していたにちがいない。

二〇年間に一〇万人を動員した巨大事業

クフ王の大ピラミッドは、底辺二三〇メートル、高さ一四六メートル、勾配五一度であり、全ピラミッド中最大のものである。建造技術も最高水準の域にあった。この記念建造物はおよそ二三〇万個の石灰岩ブロックを使っているというが、いかにして建築労働者が動員されたのだろうか。

前五世紀のギリシアの歴史家ヘロドトスは、世界各地を旅行したなかで、エジプトも訪れている。そのピラミッド見聞録のなかで、二〇年間で一〇万人の奴隷が建造で働かされたという。だが、これはほんとうにあった出来事なのだろうか。

最近、明らかになったことといえば、ピラミッドの近くの墓から多量の骨が出土し、それらの男女の比が半々くらいであり、子供も少なくない。また、後世には墓作り職人たちの出勤簿が残っており、そこには欠勤理由が書かれている。もちろん疾病が最大多数であるが、ほかにもたとえばサソリに刺されたとか、ひどい場合には二日酔いのため休んだとかが記録されている。さらに、神官の契約碑文もあり、そこには建設にたずさわる人々にパンとビールを与える内容が記されていた。奴隷であればそれほど優遇はしないだろうから、一般の自由人が使われていたと昨今では考えられている。七月から一〇月までのナイル河流域は洪水に浸され、農閑期になってしまう。仕事のない農民たちを救済するのは為政者の重大な義務でもあった。ピラミッド建設は農民の生活を保護するための国家プロジェクトであった、と考える学者もいる。あたかも後のローマ帝国で行われた道路・水道建設などの公共事業を思わせる。しかし、エジプトのピラミッドを公共事業と見なしていいかどうか、断言できるわけではない。

さらにまた、この大ピラミッドに隣接する周囲には、クフ王の親族の多くが埋葬される墳墓が造られている。王は生前のごとく死後もまた、身近な人々に囲まれて過ごすことを願っていたかのようである。

このようにして、このギザ台地での巨大建築事業の資材を集めるために、近辺に大規模な石灰岩採石場が開設され、エジプト全土から貴重で高価な石材を入手する作業がつづいた。あたかも王国の財政と官僚機構のすべてが王権の「再生」空間を建設するという唯一の目的のために動員されているかのようだったにちがいない。

そこには複雑きわまりない官僚機構ができあがっていただろうが、おそらく、この大事業をなすための有能な管理監督者がいたにちがいない。労働者の収容組織、食糧供給、採石と石材輸送、工事用の傾斜路の建設・保持、測量士・建築家・現場監督などの配置があったが、それらの全体を管理し采配をふるったのはクフ王の甥にあたる人物であったという。この男の彫像が残されているが、その肥

象牙製のクフ王の像。カイロ博物館蔵

満体の姿は卓越した廷臣としての富と特権を示唆するものであり、そこには自信と決意のあふれる表情があった。

おもしろいことに、大ピラミッドの建設者でありながら、クフ王の確実な彫像はちっぽけな象牙製としてしか残っていない。玉座に座り、断固とした決意を示す表情だが、高さがほんの八・五センチしかない。カイロ博物館に展示されているが、よくよく目を凝らして探さないと見出せないことになる。

神官の息子が新王朝を

ところで、「ウェストカー・パピルス」（ベルリン、エジプト博物館所蔵）とよばれる文書には「魔法使いの物語」が記されている。もともとは永遠に受け継がれるはずの神聖な王朝がなぜ新しい王朝（第五王朝）に替わるのかを説明するために語られたものらしい。そのなかで、大ピラミッドの建設者クフ王は、気晴らしのために珍奇な物語を聞かせてくれ、と王子たちに命じている。最後に登場する王子は、不思議物語をするよりもましとばかり、じっさいに魔法使いを連れて来て、奇跡を演じさせる。さらにクフ王の質問に答えて、魔法使いは太陽神ラーが神官の妻に産ませた三人の子供が王位を継ぐと予言する。この物語の結末は失われてしまったが、たしかに新しい王朝は太陽神ラーの神官の息子たちの手で創立されたのである。

後世から経過をたどれば、クフ王の後継者たちは「太陽神ラーの子」名を公称として用いるようになっている。それだけ神の血筋にあずかる神聖な存在でもあるが、神の化身としての子である劣格な存在ともなるのだ。巨大ピラミッドの建設は古王国時代の全盛期であり、クフ王はその頂点をなす強大な権力者であった。公称「ラー」の王名はむしろ王権が弱まっていくことを告げているかのようである。

しかしながら、時が過ぎ去ると、ときとして歴史は苛酷（かこく）である。仰ぎ見る大ピラミッドの造営者であるがために、後世の人々には、クフ王は誇大妄想の暴君という印象を残したことは否めない。そのようなクフ王への低評価が二〇〇〇年後のギリシア人旅行者ヘロドトスの耳にも届いたにちがいない。そこには、大ピラミッド建設のために膨大（ぼうだい）な数の奴隷が酷使されていたという伝説が残っていたのである。

クフ王の死後、その子息が王位についたが、早世したために、異母弟カフラーが王位を継ぐ。彼はなによりもギザの三大ピラミッドのなかで中ピラミッドともいえる第二の方錐形ピラミッドを建設した。底辺二一五メートル、高さ一四三メートルであり、大ピラミッドよりもやや小ぶりであるが、保存状態はよい。このためにピラミッド複合体の構造を知るうえで標準となる最古の事例である。

父王の大ピラミッドよりもやや小規模であるのは、父王に遠慮したからだろうか。そのような奥ゆかしい配慮があったというよりも、むしろ石積みの建造技術が低下したためと見なした方がいいだろう。だが、かたわらには大きなスフィンクスが置かれており、参道で結びついていた。隣接する河岸神殿址からは、ホルス神に護られた玉座像など、数多くの王像が発見されている。

石工技術の粋をきわめたギザの三大ピラミッドを造った王の最後はメンカウラー王である。彼はカフラー王の実子であり、第三のピラミッドを建造したが、祖父のものや父のものと比べても格段に小さい。底辺一〇五メートル、高さ六五・五メートルであり、容積にいたっては八分の一にも満たない。河岸神殿からは、メンカウラー王と王妃の立像などの優れた彫像が発掘されている。

二〇〇〇年後に訪れたヘロドトスはメンカウラー王を慈悲深い公正な王として描いている。おそらく前任の二人の王が巨大なピラミッドを建造させたのに対して、メンカウラー王の控え目な規模が人々を抑圧しなかったと想像させたのだろう。だが、外装材には遠方のアスワン産の赤色の花崗岩を使用しようとしていた形跡がある。採石と輸送に多大の労力を費やすものだったから、容量の減少だけでは判断できないところである。

メンカウラー王の治世の後、ギザは王家の埋葬地ではなくなっている。それ以後、王墓複合体の規模は小さくなる。王たちのなかにはギザの南方にあるアブ・シールに小型のピラミッドを建てる者もいた。それに隣接して広い中庭があり、そこには高いオベリスクが中央にそびえる太陽神殿が建てられた。これらの事業をなした王たちは第五王朝初期に属していたらしい。クフ王の世を舞台とした「魔法使いの物語」はおそらくこの時代に作られたものにちがいない。

これらのピラミッドは、規模こそ小さくなったが、壁面の浮き彫りは数多く残されており、その質もきわめて高いという。ここでは最古のものに近いパピルス文書群も見つかっており、神殿には官僚機構があったはずである。日常業務の記録であるが、そこには祭儀の実施手続きも記されていた。

第五王朝中期には、アブ・シールにおける太陽神殿などの建築事業がなくなっている。やがて、王朝末期の最後の王のころ、ピラミッドこそ最小規模だが、内部の壁面に冥界での王を助ける呪文（じゅもん）を記した葬祭文書（ピラミッド・テキスト）が刻まれている。エジプト人は死後の世界を信じて疑わなかったというから、その来世思想の由来や変化をたどるうえでもすこぶる貴重である。さらにまた、神殿の参道には、農耕や狩猟の風景、王位更新祭の儀礼、石材の運搬、異国民との戦争、飢餓に苦しむ砂漠民の姿などの多様な場面が浮き彫りされている。一種の写実主義のまなざしを感じさせるが、視覚を納得させるために描かれたのではないという。神々や死者のための生存環境を整えるべく刻まれたのである。

ペピ二世に贈られたピグミー

すでに第五王朝期から王の中央権力が各地の役所や役人を介して地方の組織に広がりはじめていた。第六王朝になると、地方役人の葬祭記念建造物のなかに、北方でも南方でも隣接する諸勢力と衝突したことが記されている。

サッカラには廷臣の文書が残っているが、それらはなによりも埋葬する者が後に幸せな来世をおくれるようにという願いにある。王や宮廷や軍事行動について語られているにしても、そうすれば、役人の地位と威信が高まり、来世でも現世に劣らない幸運な生活をおくれるはずだとの確信をいだけるからだった。

これらの事例は少なくない。ナイル河谷（かこく）上流の部族民は数百年にわたってエジプトに服属していたが、彼らのなかには今や自分たちの独立を言いだす輩も目立ってきた。その偵察のためにある廷臣が軍勢を率いて遠征している。そもそもは正確な情報収集が目的であったので、廷臣は部族の首長と交渉し、戦利品のような獲物を手に入れた。三〇〇頭のロバ、香料、黒檀、高貴な油、投棒、象牙、豹の毛皮などを積む隊商をつれて、意気揚々と帰路につく。豪勢な獲物をともなう帰路は安全ではなかったが、なんとか切り抜けて、帰国した。

このような遠征がくりかえされ、さまざまな美しい贈り物が届くことから、王は心躍らせて忠実なる廷臣の帰国を待ちわびた。王の喜びを感じさせる私信を受けとった廷臣は、王の書簡の全文を自分の墓の正面に刻ませている。廷臣にとって王の私信はなにものにも替えがたく誇らしいことだったのだ。

この廷臣が年老いて最後に仕えたのが、ペピ二世とよばれる王であった。彼は六歳で玉座につき、一〇〇歳まで生きたというから、エジプト史上最長の治世となるのだ。幼い王は廷臣の旅から記念品としての「踊るピグミー」がもたらされると耳にすると、「余はほかの贈り物よりも、このピグミーを見てみたい」とはしゃいでいたという。中央アフリカに住む狩猟採集民で、小人のような体型と伝えられていたから、好奇心をそそられたのだろう。母后の膝に座る幼い王のペピ二世の崇高な彫像(ブルックリン美術館所蔵)は名高いが、それと同様に幼い統治者の逸話はすこぶる印象的である。

ところが、この王のころから、地方役人の記した文書を見ると、彼らの気風が変わっているのが目につく。それまで王との結びつきを誇らし気に語っていたのに、自分の武勇と自立を自慢するようになったらしい。そのころ、上エジプト南部では激しい内戦がおきており、独立心旺盛な地方の役人が活躍する場面がたび重なったのかもしれない。それとともに、上エジプト南部に新たな勢力が広がっていたという。

ペピ二世には少なくとも四人の王妃がおり、王は増えつつある家族に囲まれて、それなりに無難な治世を楽しんでいたらしい。王妃のなかには異腹の姉妹もおり、彼女の墓所の内部は来世信仰の「ピラミッド・テキスト」で装飾されていた。これは王以外のテキストとしては初めてのものだった。埋葬や葬祭をめぐる慣例が曖昧(あいまい)になり、王とそれ以外の人々との区別がはっきりしなくなったのだろう。つづく来世信仰の広がりを暗示しているかのようでもある。

中央集権がほころび第六王朝消滅へ

しかしながら、九四年というペピ二世の長い治世の間に、ゆるやかな変化が現れつつあった。エジプトは南北に細長い国土であり、貯溜式灌漑(かんがい)が地域ごとに運用されていたので、その影響が目立つようになる。地方の勢力が頭をもたげ、中央集権の体制にほころびが生じる。紅海沿岸で遠征のための船を建造していた役人が遊牧民に襲われて殺されたり、南方で隣接するヌビアで反乱がおこり鎮圧のための遠征隊が派遣されたりしていた。

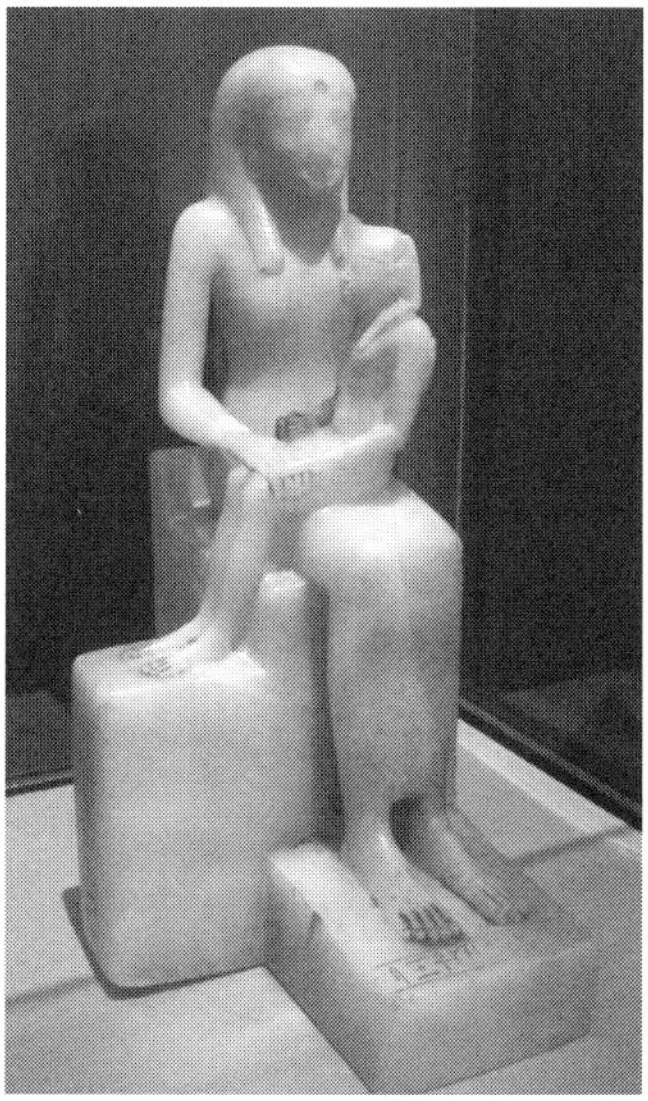

母の膝に座るペピ２世の像。ニューヨーク、ブルックリン美術館蔵。
©Keith Schengili-Roberts CC BY-SA 2.5

いわば対外的にもエジプトの威信がひどく揺らいでいた。

ペピ二世の死とともに、その後、王権は短命であった。古王国時代は第六王朝で終わったとも、第七王朝あるいは第八王朝までつづいたとも言うが、それを明らかにすることにたいした意味はない。この時期にナイル河の増水期の水位が急激に低下していたことを指摘する研究もあり、生態環境の悪化が大きな災いであったかもしれない。政情不安が重なり、やがて衰退の運命はまぬがれなかった。

エジプトの日常生活については、村落の指導者たちの下での農作業が中心であっただろう。そこでは大規模な灌漑組織というよりも地域ごとの溜池灌漑がなされていた。農作業は穀物耕作が主たる作業だったが、パンとビールがエジプト人の主食であり、階層をとわず食膳にのぼった。パン焼きの作業が浮き彫りされたり、ビールを造る女性が大麦をこしている場面を壁画にかたどったりするものもあった。そうしたビールを飲みながら、宴が催される様子も壁画に描かれている。ほかにも、野菜ではタマネギがニンニクとともにパンに添えられ、野外で働く農民や労働者にとって副食として欠かせないものだったという。牛肉は高価な食べ物であったが、ナイルの川魚は安価な栄養源として好まれていた。

農民や職人は農産物や工芸品を国家に貢納し、その国庫から食糧など必需品が分配されていた。このような公権力と働く民衆の結びつきは「再分配経済システム」とよばれることがある。この関係は社会のなかに深く入りこんでいたので、祭祀や儀礼が重要な役割を担っていた。このバランスが崩れると、社会不安が生まれるのだった。利潤追求が動機である現代の経済活動とは大きく異なることは心しておくべきだろう。

このようにして、古王国時代は巨大ピラミッドの建造に象徴されるような強大な王権に彩られていた。その絶大な力はなによりも王国と社会にまぎれもない恵みをもたらしたと仰ぎ見られた。巨大ピラミッド時代の庶民生活の実情がどうだったかはともかく、後の世代のエジプト人にとって、最初に華やかな繁栄ぶりを示した古王国時代は理想の時代として映ったにちがいない。この世を創造した神によって定められた宇宙の秩序(マアト)が地上に実現した時代と崇(あが)められたのである。

しかしながら、第六王朝末期には王権は衰えつつあった。したがって、前二二〇〇年頃には第六王朝が消滅し、これ以後を第一中間期（前二二〇〇〜前二〇四〇年頃）として時代区分しておくことにする。

3　古王国・中王国時代

神官が作成した三〇王朝の家系

ここで古代エジプト史について語る場合に、留意しておくべき点二つをあげておく。

一つは「王朝」という問題である。話は時代を前三世紀初頭まで下る。アレクサンドロス大王の死後、後継国家の一つプトレマイオス王朝のとき、アレクサンドリアの宮廷にマネトンという名の神官がよばれた。彼は王とその家系のリストを作成するように命じられたという。

マネトンは、一つの家系が絶え、次の家系が始まるときを基準として三〇の王朝に分けた。この考え方は、史実の正確さを詳細に検討すれば、いろいろ問題点があるが、大まかな王朝の枠組みとしては現代のエジプト学でも受け入れられている。

もう一つは「王」あるいは「国王」という呼称についてである。古代エジプトの最高権力者は「ファラオ」として知られている。もともとはエジプト語の「ペル・アア」であり、「大いなる家」を意味する。だが、じっさいに王の呼称として用いられるのは、新王国時代の第一八王朝期であり、トトメス三世（在位 前一四七九〜前一四二五年）治世下が初出である。このため本書でも古王国時代の歴史叙述にあっては、あえて「ファラオ」を用いないようにした。しかし、これ以後の叙述については「王」あるいは「ファラオ」を場合に応じて用いることにする。

二勢力並立のあやふやな時代――第一中間期（前二二〇〇〜前二〇四〇年頃）

その名称からしても明らかなように、あやふやで曖昧な時代である。古王国時代が終わった直後の第七王朝にいたっては、ほんとうにあったのかということすら疑問とされている。第六王朝につづいてメンフィスに都があったらしいが、第八王朝時代に造られた小さなピラミッドが残っており、じっさいに支配の体制があったことがわかる。

大きな王権の支配が揺らぎ、上エジプトの各地に独立した勢力がおこりはじめていた。それらは州侯とよばれることもあるが、まさしく群雄割拠の混沌（こんとん）とした時代であった。これらの地方勢力が台頭していた様は、私人墓に記された自伝・公職・称号などを手がかりとしてたどれるという。このようななかから強大な勢力が頭角を現し、第九・一〇王朝が成立する。彼らは、上エジプト北部のヘラクレオポリスを拠点としていたが、メンフィスの王統の後継者たることを自負していたらしい。やがて、上エジプト南部にあるテーベに拠点をおく第一一王朝が勢力をもたげた。北部にはヘラクレオポリスを都とする王朝があり、南部にはテーベに都をかまえる王朝があったのだ。二つの勢力が並立し、国土は二分されたのである。

このころ北部のヘラクレオポリスの王に父王が説き聞かせた「教訓」が残っている。

……南部と良い関係であれ。お前のところに、貢ぎ物を担いだ者たちがやって来る。私は先祖たちと同じように行動した。彼ら南部の者たちの穀物がない時、私が与えた。気前よくあれ。なぜなら彼らはお前に対して無力であり、お前のパンとビールとで満足しているからである。（「メリカラー王への教訓」吉成薫訳）

ここでは南部と友好関係をたもつように説かれているが、じっさいには衝突や略奪があり、両勢力の対立抗争はつづいた。やがて、テーベ勢力は北に向かって進撃し、前二一世紀中頃、ヘラクレオポリス勢力を打ち倒す。こうして国土はふたたび統合され、新しい統一国家が誕生した。これ以降は中王国時代とよばれる。

ところで、第一中間期を舞台とする文芸ものに『雄弁な農夫の物語』がある。この農夫はオアシスの住民であり、ロバの背に数多くの物品を積んで王都ヘラクレオポリスに商いに出た。近郊まで来るの、たちの悪い役人に荷物をロバごと奪われてしまう。農夫は上役の役人に自分の窮状を訴えたので、上役は王にとりついだ。農夫が弁の立つことを知り、王は農夫の訴えを長びかせて退屈しのぎにしたが、何の返答もしなかった。農夫の訴えは九回にもおよんだが、聞き届けられないとわかると、農夫は自殺しようとした。それを聞き知って、王は上役に指示して、奪われたもの以上の品々を褒美として贈ったという。

このような弁論物語は流行だったらしい。それは、強大な古王国の体制が崩壊し社会の正義が失われていく、と人々が感じていたからであろう。とはいえ、この雄弁物語にはゆったりした雰囲気があり、国家秩序の失墜はそれほどでもなかったのかもしれない。

混乱の回復——中王国時代（前二〇四〇〜前一七九三年頃）

上エジプト南部のテーベを拠点に勢力を拡大し再統一を果たした第一一王朝だったが、その支配を快く思わない州侯の末裔たちも少なくなかった。王朝最後の王には信任厚く有能な家臣アメンエムハトがいたが、この男こそ後にクーデタをおこし、王を退位に追いこんだ人物である。彼は王位簒奪者であり、新たに第一二王朝を開く。

当然のごとく、アメンエムハト一世はエジプトの再建にとりくみ、メンフィスの南に王宮を築いた。さらに州境を引きなおすとともに、南方の下ヌビアに遠征して併合したという。彼の治世と息子の王の治世には、全土におびただしい数の神殿が造営され、それらのわずかな痕跡はある。かくして、さまざまな建築事業が王によって実施されたが、それに劣らないほど地方の州侯たちも豪華な屋敷を建てたらしい。皮肉なことに、王の安っぽいピラミッドよりも州侯たちの豪華な墓の方が人目をひくほどである。

第一二王朝初期には、王朝内の争いがくりかえされていたので、その支配も安定したものではなかったらしい。創設者のアメンエムハト一世からして暗殺されたようである。自らの口で息子への「教訓」を語っているが、じっさいには後継者である息子が自分の正当化のために作らせたものだろう。

それは夕食の後、夜になってからのことだった。私はひと時の食休みをとった後で、疲れて寝台に横たわっていた。私はうとうとし始めていた。その時、私の護衛の武器がひらめいた。（中略）もし私が武器を急いで手にしていたら、卑怯者を退かせることができたであろう。しかし、夜、武勇を誇れる者はいないし、人は一人では戦えない。助太刀なくして成功は生まれない。お前がそばにいない時に殺人が起きたのだ。（「アメンエムハト一世の教訓」吉成薫訳）

この第一二王朝の創設者は、自らに降りかかってきた災難について語る。まるで「頼りになる息子である、お前さえ側にいてくれたら」とでも嘆いているかのようである。その陰には王位継承をめぐる混乱が暗示されている。というのも、治世三〇年が過ぎても、アメンエムハト一世がそもそもは簒奪者として即位したという疑念が止むことはなかったからである。露骨な野心によってのし上がった者には、同じような野心を燃やす王族や家臣たちが狙いすましていたとしても、おかしくないのだ。

じっさい中王国時代の作品『シヌへの物語』は、この創設王の死亡という出来事が遠征中の王子たちに報告される場面から始まっている。主人公のシヌヘは後継者と見なされていた王子に仕える役人だった。その王子に従事してリビアに遠征していたが、その帰途、王逝去の知らせが届いたことを聞く。
ほかの王子たちへもひそかに王の死亡が報じられていた。その場面を立ち聞きしたシヌヘは、王宮に帰ると争い事にまきこまれるにちがいないといち早く気づく。身の危険を感じ、逃亡してエジプトに戻らず、パレスティナ各地を放浪するのだった。その後、シヌヘは土地の豪族にもてなされ、その娘の婿になり、ほかの部族との戦いを重ねながら、大きな勢力を築くことになった。

老年になったシヌヘはなにかと望郷の念を抑えられなくなっていたが、そこにエジプト王センウスレト一世から帰国を命じる勅書（ちょくしょ）が届く。この王こそはかつてシヌヘが仕えた王子であり、いまやエジプト王として君臨していたのである。彼は父王の死を聞くと、軍隊にも知らせず、側近だけを連れて、王都に急行し、すばやく事態を収拾した。こうして王権を確保し、センウスレト一世として王位についたのである。

帰国したシヌヘは、逃亡した罪を問われず、許される。晩年は穏やかで幸福に生きながらえたのである。この物語はいささかなりと史実を反映していると見なされている。シヌヘのさまざまな体験が語られる反面で、センウスレト一世の有徳を讃（たた）える宣伝文学でもあるという。いかにして王として有能であったのか、また、どのように人間としての魅力があったのか、さらにまた、どれほど度量の広い人物であったのか、などが述べられているのだ。

王権を支える官吏集団を育成

しかしながら、そこにプロパガンダのような近現代人の観念をもちこむだけでは不十分である。なによりも誰がこれらの作品を読んだのかさえまったくわからないし、そもそもどれだけの人々が読み書きできたかという問題がある。それよりも、この第一二王朝の時期に誕生した宮廷の作品群がきわめてすぐれたものであることに注目すべきであろう。

とりわけ、『シヌへの物語』は、しばしば古代エジプトにおける文芸作品の最高傑作と言われている。この作品は弁論風の定型表現を用いて一人称で語られているが、それが物語の叙述に独特の快いリズムをもたらしているという。たとえば主人公の感情が高まると詩歌が口に出る。さらには、勅書、書簡、祭礼歌などがちりばめられて、華々しく麗（うるわ）しい雰囲気をかもしだしているのだ。

このような傑出した文芸作品が登場してきた背景には、旧来の貴族勢力に頼らずに、新しい勢力を育成しようとした王権側の思惑がひそんでいた。もともとは行政文書の類を処理する役人を集めて組織する必要があったのだろう。そのためには、読み書き能力があり、計算もできる人材を養成し、この新しいエリート集団によって王権を支えてもらうことだった。

こうして庶民階層に注目し、彼らを教育することにことさら力がそそがれるようになる。教育重視のために文字数を少なくし、綴りを一定に整えるような配慮がほどこされた。これらの文字教育のために、「教訓」話のようなテキストがしばしば用いられたらしい。とりわけ、庶民の父親が息子を王都の書記養成学校に連れていく旅の途中で語った「教訓」はお好みだったという。書記にならなければどんなに惨めな暮らしになるかが数多くあげられ、努力して書記になれば恵まれた生活が待っている、と父親は説くのだった。

そのような専業の書記にならずとも、読み書き能力をもつ庶民がぼつぼつ出て来たことは疑いがない。たとえば、ある富裕な農夫が家族宛に書き送った書簡が何通も残っている。書体はヒエログリフ（聖刻文字）を崩した行書体ヒエラティック（神官文字）で綴られている。そこには小規模地主が日々どのようなことに関心をもったかが浮かび上がっており、庶民の日常生活の片鱗（へんりん）を生き生きとのぞき見ることができるのだ。

郷土を離れた農夫は農場経営を家令の手に任せてきたことに、なにくれと不安をいだいていた。

よく気をつけなさい。私の種もみを守りなさい。私の財産のすべてに気を配りなさい。見てごらん。お前に責任があると私は思うのだ。私の財産のすべてによくよく注意するのだ。

この農夫には親族と従者が一八人いたという。とりわけ母親には恭（うやうや）しい態度をとっており、格別な挨拶を送っている。

私についてては心配いりません。ご覧のように、私は元気に暮らしています。

さらにまた、一族の多くは若者からなっていたので、競い合うような、ぴりぴりした雰囲気があったらしい。彼の新妻に対する周りの親族の態度にはことさら目を光らせていた。よくある新参者いじめなのだろうが、あばずれ女だったとか、玉の輿（こし）に乗ったとか見なされてなめられていたのかもしれない。ある小間使いの小娘が若妻にひどい仕打ちをしたと農夫は思いこんでしまい、その小間使いを解雇するように命じた。黙認していた家族に対しても憤懣やるかたなく「お前たちは私の新たな妻を敬わないのか」と怒りをぶつけるのだった。

余談だが、考古学者の夫から情報をもらったのか、この新妻と小間使いと周囲の家族との身内のもめ事は作家アガサ・クリスティーの関心をひどくかきたてたらしい。彼女のミステリー小説『死が最後にやってくる』の骨組みにして、尊属殺人の題材に用いたという。もちろん史実として家族間の敵意が殺人にいたったかどうか、は知る由もないのだが。

このような読み書き能力の教育に力を入れたせいで、王権を支える新しい官吏集団ができあがる。それまで各地に勢力をもつ州侯の末裔たちが幅をきかせていたが、彼らの特権にあれこれと制限が加えられたのである。

遠征のため運河を修復し要塞も

古王国時代末期以来、州侯とその子孫たちは実力をたくわえ、王権にとってなにかと目障りであった。だが、中王国時代の後半にあたる前一九世紀後半になると、新興の官僚組織に支えられた王権の秩序が広く認められるようになる。

とりわけ、第一二王朝の第五代国王センウスレト三世は傑出した足跡を残している。後世の伝承によれば、彼は二メートル近い並外れた大男であったという。治世がはじまるとともに、この威風堂々たる王はなによりも行政改革を断行し、王と側近の手中に権力を集中させている。領土を三つの大行政区に再編し、宰相直属の長老会に指導させたので、州侯と末裔たちが率いる地方自治は事実上息の根を止められることになる。

さらにピラミッドが建設され、その周りは宮廷墓地に囲まれていた。まるで側近官僚たちが王の死後も付き従うかのようであり、王の権威は否応なく高まるのだった。さらにまた、センウスレトは遠征軍を編制し、南方のヌビアへの進出をはかる。そのために運河を修復し、要塞を設置して、内地からの補給路を確保した。

陛下に万歳を、カカウラー、
われらがホルス、神々しき身なりのお方よ！
国境を広げし国土の守護者よ、
ご自分の王冠で幾多の異国を打ちのめすお方、
ご自分の腕で二つの国土を抱きかかえるお方よ。

このセンウスレト三世の彫像の前で謳(うた)われた讃歌は、州侯勢力が没落し王権が伸張していく様をまざまざと映し出しているかのようだ。

その後、一〇年にわたって断続的に行われた遠征はかなり情け容赦もない残忍なものだったらしい。王国軍の圧倒的な兵力の前に抵抗は無駄だった。

そもそも遠征の狙いは、交易路を確保し、ヌビア砂漠の貴重な鉱物資源をエジプトに安全に運ぶことにあったという。要塞は国境警備と税関の役割を果たすものになり、人々と物資の移動を管理する現実の力となった。それとともに、これらの要塞はエジプトの軍事力と政治力を誇示する心理的な効果ももったにちがいない。

王を讃えた最盛期から予期せぬ終末へ

このようにして、内政においても外征にあっても、センウスレト三世は新しい官僚エリート集団とその背後にいる庶民階層の支持を必要としていた。そう願いつつも、彼は自分の定めた国境が息子たちの時代に維持されるかどうかに危惧(きぐ)をいだいていた。そのせいか、自分の彫像をエジプト全土に設置させている。それは息子たちが「それによって鼓舞(こぶ)され、そのために戦えるように」するためだった。

センウスレト３世の像。大英博物館蔵。©Captmondo CC BY-SA 3.0

興味深いことに、センウスレト三世は自分の彫像を建立させながら、まるで強迫観念にとりつかれたかのようだった。というのも、この彫像というのが、これまでの慣例であった理想化された姿ではなく、かなり逸脱していたのである。重たげな瞼、突き出た目、皺のある額、くぼんだ頬、への字に結んだ口元など、どこか陰鬱(いんうつ)で不機嫌そうな表情なのだ。しかし、身体表現を見れば、若者のように活力に満ちているのだから、ある種の戸惑いをおぼえる。おそらく未来に対する漠然とした不安をかかえながら、それと毅然と戦うという決意を表明しているのではないだろうか。

じっさい、センウスレト三世のころから、臣下や民衆によびかける「教訓」文芸が目立つようになる。上流階層を読者層とする『忠臣の教訓』では、「心の底から王を敬え。……彼の名のために戦え。……民衆のために戦え」と説いている。民衆を読者とする『ある男の教訓』では、国王に忠誠を尽くすことを勧め、そうすれば富や地位が手に入ると説得する。王権が新しいエリート層に支えられていることを自覚したうえで、その秩序が広く守られるようにと宣伝しようとしたものだろう。

第一二王朝時代の二〇〇年間には、王位継承の混乱も少なく、世代から世代への移行にも中断は見られなかった。それというのも、徐々に官僚組織が整備され、行政制度の運用が円滑に進んだからであろう。前一九世紀半ば以降、センウスレト三世とその次の王の治世の期間がこの王朝の最盛期であった。このため、とりわけセンウスレト三世を称揚する讃歌が数多く残されている。王には、戦士として、神々に奉仕する人として、社会秩序の守護者として、讃える声が惜しみなくあげられたらしい。王を頂点とする支配体制が固まったことで、王にいだく人々の心情が神々しい彩りに染められたかのようだった。

エジプトの国内は安定し、南方のヌビア支配も揺るがず、繁栄し自信にあふれていたと言っても大袈裟ではない。しかし、その安らかな時代の陰で深刻な事態が待ちうけていたとは、誰も予見できなかったであろう。

前一九世紀末、王国の屋台骨にヒビが入る。突然のごとく女王が即位したのである。その背景には王位の正統な男子の継承者がいなかったことが暗示されている。おそらく王宮内部で内紛の火種となっていたにちがいない。この女王の死とともに、第一二王朝および中王国は終わる。

短命政権がつづき揺らぐ中央集権体制——第二中間期（前一七九三〜前一五五〇年頃）

その後、有力貴族たちが次々と自分に都合のいい者を後継者に仕立て上げようとした。なかには第一二王朝の諸王の家系に連なる者もいただろう。だが、いかなる王家の血を引くこともない王が登場する。それればかりか、自分が王族の出ではないことを公然と誇示する有り様だった。

このことは時代の雰囲気を感じさせるものがある。先行する王たちが、たとえ王家の血筋を引いていても、家臣団から見れば信頼するに値しないという風潮があったのだろう。家柄だけ高くても実力のともなわない王たちが浮沈をくりかえしているなら、指導力のある有能な人物に王権を託すという動きが出てきてもおかしくなかった。どこか違った何かをもつと期待されたのはソベクホテプ三世という男だった。

その治世はわずか四年という短いものだったが、彼の業績は目をみはるものがある。官僚の要職を増やして行政を安定させ、王による建築事業を国家活動の中心に置いて国土の繁栄を実現しようとした。だが、彼に残された年月はあまりにも短かった。しかも、男児の実子がいなかったせいで、彼の死後、その一族の勢力はまたたく間に衰えていくことになった。彼もまた、王位簒奪者であったことに変わりはないが、後世の人々はこの男に悪意をいだいてはいなかったらしい。あたかも、国家の威信が傷つけられたとき、その再建を担うのは王族ではない有能な人物もありうることが、明らかになったかのようである。

ふりかえれば、第一二王朝の衰退後、第一三王朝が興ったことになる。だが、この出来事はひとまず前一七八〇年頃としておくが、この区切りはきわめて曖昧である。もちろん、残存史料が僅少であり、不明なことがあまりにも多いからだ。

この第一三王朝の治世は、制度面では第一二王朝と連続していたが、諸王の在位期間は短く、ほとんど事績らしいことをなす時間の余裕はなかった。そこにも、ソベクホテプ三世のような例外的人物を除いて、この王朝の諸王の無力・無能ぶりが目につく。しかし、それは偶然というよりも、必然だったというべきところもある。

第一二王朝二〇〇〇年の安定した治世のなかで、王権を支える官僚組織が整えられ、国家行政がそれなりに円滑に進んだ。やがて新たな王朝になると、王侯貴族はそれらのエリート集団に国家運営を任せがちになり、自分たちの指導力・統率力を磨くことを怠りがちになった。そのせいで、王族の血を継ぐ優れた資質をもつ有能な者が出てこなくなったのではないだろうか。

歴史はくりかえし同様な事例を見せてくれる。すなわち、安定し繁栄した社会がつづけば、必ずや怠惰で無力な人々が生まれてくるのだ。われわれは、今もなお、この歴史の皮肉から逃れることができないでいるのではないだろうか。

異民族ヒクソスの勃興

ところで、かつては要塞網が築かれ、外敵の侵入を軍事力で撃退することで、国境が守られてきた。その国境の管理体制がどこかで甘くなり緩んできたことは隠せない。異民族の移住・流入が重なり、やがて手におえないほどになった。とりわけ、ナイル河のデルタ地帯東北部の集落のなかには西アジア系の人々も混在する集団によって占領された地域もある。おそらく中王国時代の戦争捕虜たちの子孫のなかに勢力をたくわえた一群があったのだろう。これらの征服者は覇権を築き、王朝（第一四王朝）を建てるほどだった。そのころ疫病と飢饉（ききん）のために、かなりの人口が失われたという。

しかしながら、これらの征服者の覇権は小さな範囲をなすにすぎなかった。前一六五〇年頃、デルタ地帯の勢力は外来の支配者にとって代わられた。「ヘカウ・カスウト」を語源とするヒクソス（異民族の支配者たち）の覇権である。彼らは王朝（第一五王朝）を築いたが、デルタ地帯西部にはアジア系の者も混在する王朝（第一六王朝）もあり、このために、前者を大ヒクソス、後者を小ヒクソスとして区別することもある。さらに南には、テーベを拠点とする上エジプト人の王朝（第一七王朝）があって、混乱した形が一〇〇年以上もつづくことになる。

ある後世の伝承では、ヒクソスの勢力はメンフィスを略奪して秩序を破壊したと述べられており、エジプト人の勢力は南のテーベに移動したという伝えもある。えてして、異民族の侵入は脅威であり、それだけで先住民は底知れない危機感を味わわされるものだった。だが、前一七世紀頃の同時代の史料には、ヒクソスが勃興（ぼっこう）するとともに、エジプト人勢力が上エジプト南部に撤退したことについて、言及するものはない。むしろ、ヒクソスの支配は意外にも圧政ではなく、かなり穏やかであったらしい。だが、先住のエジプト人からすれば、異民族の侵入は耐え難いものがあり、そこから脱却する試みがくりかえされるのだった。

ヒクソスについては不明な点も少なくないが、西アジア系の諸部族にシリア・パレスティナ系の人々が混入した集団と見なされている。テーベにある神殿に添えられた石碑にはエジプト王カメスが宮殿で語った内容を記した碑文があったという。

われわれの誰もエジプトの支配下にあるべきメンフィスまで渡ることはできない。ヒクソス王が州都ヘルモポリスをも占領している。さらに、アジア人によって税を搾(しぼ)り取られてしまうので、誰も安穏としてなどいられない。余は彼と対決し、その腹を切り裂くつもりだ。余の望むところは、エジプトを救ってアジア人たちを打ち砕くことなのだ。(「カーナヴォン銘板」前一六世紀中頃〜前一五世紀)

ここでヒクソスはひとまとめにアジア人ととらえられている。彼らがエジプト北部のデルタ地帯を制圧していたので、なんとしてもエジプトの王たちはその情況から脱却しなければならなかった。その実現のために、断固としてヒクソスを追放し、国土を再統一することに乗り出す。海と砂漠に囲まれたエジプト人にとって、侵入した異民族の王に支配されるのは前例のない出来事だった。だからこそ、思いもよらない衝撃であり、ことさら劇的な経験であったにちがいない。

「王名表」や後世の歴史家の伝承によれば、エジプト北部のヒクソス支配下の一〇八年の間に、六人の王が在位したという。もともとレバノンの沿岸地に住んでいた一族であったというが、彼らがまったく異質な文化をエジプトにもたらしたことは確かである。しかしながら、三世代のうちには、これら異民族の王侯たちはエジプトの為政者たる称号を採り入れるほどだった。それだけエジプトの慣習や文化によく適応していたのだろう。

戦いに倒れたエジプト王「勇者」タア

ヒクソスのエジプト支配については、中王国時代からの官僚組織を温存し、実務をエジプト人の官僚たちに任せていたらしい。デルタ東部よりシナイ半島北部、さらにシリア・パレスティナ南部にいたる地域を直轄領にして拠点をかまえたのだ。それ以外の地域は有力な諸侯の管轄に任せ、その代わりに貢納義務を課すのだった。要するに、内政と外交・軍事を監督する宗主権は第一五王朝にあり、一種の封建制のごとき体制であった。

外来者であったせいか、ヒクソスの王朝は謎めいたところが少なくない。それでもこれら異民族の「アジア人の諸王」のなかでも、かなりよく知られている人物がいる。五代目ヒクソス王アペピは四〇年の長きにわたる治世を誇り、異例の一時期を築きあげている。

アペピは、前王が実子を後継者に指名したとき、反乱をおこし、若くして王位の座についた。

アペピ王は、治世の早い時期には、エジプト人の覇権下にある上エジプトにまで触手を伸ばそうとしていたらしい。エジプト全土で建築事業をさせようとしていた形跡がある。上エジプトに侵攻したアペピ王は神殿や王墓の多くを略奪したり破壊したりしたらしい。だが、やがて戦術として退却せざるをえなくなる。このエジプトとの戦いはなかなか決着がつかず、ほどなく正式の国境を設けることで妥結したらしい。

彼の治世の後半になると、エジプトとヒクソスの二大国家はかなり平穏であった。だが、その後になると、ヒクソスの勢力がおよぶ範囲が小さくなりはじめる。このような事態に焦りを感じたのか、後世の物語では、第一七王朝のエジプト王タアに宛てて、アペピ王はなんとも挑発的な手紙を届けさせたという。

町の東の沼から、カバを追い払うようにさせよ。それが昼も夜も、余の眠りを妨げる。水音（あるいは鳴き声）が街の人びとの耳につく。（吉成薫訳）

ここでカバというのはヒクソスの支配に不快感をいだくエジプト人の不満分子を指しているらしい。言いたいことはエジプト王自身の手で、臣下の不満分子を退治しろという無理難題であるのだ。エジプト王タアは、もはや手をこまねいているばかりの弱腰ではなく、毅然としてヒクソス放逐(ほうちく)の戦いに立ち上がった。

だが、この戦争の途上、王は戦闘中に倒れたことが明らかになっている。この王のミイラが発見され、額や頭部に切り傷や陥没骨折があったが、骨に再生の跡が認められたことから、手当てを受け静養後に何者かに襲われ暗殺されたとも考えられている。テーベに持ち運ばれた王の遺体は棺(ひつぎ)に安置されたが、銘文には「勇者タア」と記され、祖国の解放のために命を捧げた英雄として後世の人々から崇められたのだった。

若きエジプト王タアは迅速に行動し、ヒクソスの領土を攻撃したが、不運にも戦果をあげる前に命を落としてしまった。敵の捕虜となり、処刑されたとも指摘されている。だが、エジプト解放軍はもりかえし、アペピ軍を北方まで押し戻してしまう。これはアペピ王にはかなり身にこたえる後退であり、敗北だった。表向きは「戦いの日に不屈である者、ほかのいかなる王よりも名高い者、彼を認めない異国のなんと惨めなことか」と豪語して威信を保とうとしたという。

だが、それが虚しい見栄にすぎないことは衆目に明らかだった。もはやヒクソスは国家として終わりない臨戦態勢に搦めとられていたのだ。アペピ王は、おそらく七〇歳にいたらず逝去したが、晩年、エジプトにおけるヒクソス支配の終焉が迫っていることを肌身に感じていたにちがいない。

海と砂漠に囲まれたエジプトはそれまで外来の異民族に制圧されることはなかった。それだけにヒクソスの支配はエジプトの人々に深い傷跡を残している。アペピ王は古代エジプト人にとって嫌悪感をもって語られつづけたという。しかも、「アペピ」という名前が神話上で混迷をよびさます「大蛇」と同名であったという不運もある。アペピは邪悪の典型であり、異民族支配下の悪しき屈辱や恥を体現するものだった。しかし、このアジア人の王が優れた為政者であったことまでが否定されるわけではないだろう。

とはいえ、アペピ王もまた王位を奪われ、その王位簒奪者の運命も一年足らずにすぎなかった。これらのアジア人はエジプト北部のデルタ地帯から追い出されて、ヒクソス支配は終焉したのである。

二人の王子によるヒクソス放逐

ところで、早世したエジプト王タアには二人の王子がいた。兄カメスは前述した銘文のなかで、

「エジプトを救ってアジア人を打ち砕く」と宣して対ヒクソス解放戦争に立ち上がった。ヒクソスの本拠地まで進軍し、その周辺での戦闘で勝利したという。だが、王都を陥落させるにはいたらず、業半ばで若くして世を去った。

前一六世紀半ば、カメス王の死後、弟イアフメスは幼くして王位についている。彼は成人すると、父王と兄王の遺志を肝(きも)に銘じたかのように対ヒクソス解放戦争を再開した。戦闘はいく度もくりかえされ、ヒクソス軍の抵抗にかなり手を焼いたらしい。その後、王都を陥落し、国土の再統一に成功する。しかしながら、ヒクソスの勢力範囲はエジプトにかぎらず、シナイ半島北部からシリア・パレスティナ南部まで広がっていた。その地域にもともと拠点があったから、そこも攻撃しなければならなかった。やがて、パレスティナにある拠点を包囲し、三年がかりで陥落させたのである。これとともに、ヒクソスの脅威は跡形もないほど拭い去られた。

前一八世紀初めの第一三王朝の成立から前一六世紀半ばのヒクソス放逐までの時期は、しばしばエジプト古代史における第二中間期とよばれる。およそ二五〇年におよぶ浮沈の激しい時代であった。その前半には、官僚組織が安定していた反面、王権はないがしろにされ信頼を欠いていた。その後半は、異民族ヒクソスの支配に脅かされつづけた。

第一七王朝の最後の王イアフメスの手で外来のヒクソスがエジプトから排除されて以降、第一八王朝がはじまる。それは古代エジプト史上における新王国時代の幕開けでもあった。それは第三の繁栄期でもあり、その頂点に立つ国王はまさしくファラオとよばれるにふさわしい絶対君主となるのだ。

エジプト人の生活風景と宗教——化粧、食事から死後の世界まで

　前五世紀のギリシア人の歴史家ヘロドトスは、エジプト人について「たしなみがいいし、清潔を心がける」と見なしている。しかも、きれいな身体へのこだわりは異常なほどだと思っていたらしい。暑いだけでなく乾ききった気候のせいで、エジプト人は埃まみれの暮らしだった。彼らにとって身体を清潔にしておくことはなによりも大切であり、健やかな日々を過ごす基本だった。もっとも浴室があるのは恵まれた貴族や富裕階層であり、大半の庶民は身体を洗うにはナイル河の土手か灌漑用の運河を使っていた。

　エジプト人にとって、男性も女性も、化粧品は大事なものだった。健康を保つためにも自分をきれいに見せるためにも、化粧は欠かせなかった。とりわけ眼を強調するどぎつい化粧が好まれた。美しさを引き立たせるための墨やペイントには、凄まじい太陽で傷んだ眼を癒し守ってくれる力があると信じられていた。

　衣服については、亜麻布がもっともよく使われた材料であり、軽くて肌ざわりもいいので、暑い気候にはぴったりだった。冬の冷えこむ時期には暖かいウールの肩掛けやマントも愛好された。衣類の洗濯は女性の大事な仕事だった。籠につめて川岸や運河へ運び、水に浸けて洗ってから、よく絞って陽にさらして乾かす。骨の折れる作業なので、洗濯で身を立てる人々もいたという。

　食事になると、人々は床の上にじかに座ったりしゃがんだりする。背もたれ付きの椅子は高級品であり、庶民には手が出なかった。皆が敷物の上で車座になり、めいめいが気にいった料理に手を伸ばす。食事の支度にはスプーンやナイフも使われたが、食べるには手づかみだった。それはいかなる階

層にも礼儀作法にかなっていたのだ。

庶民の台所は質素でつつましく、煮炊き用のかまどが一つ、オーブンが一つか二つ、粉ひき器具、陶器の壺、調理道具、たくわえられた食糧などがあるだけだった。調理の火は、家畜の糞を乾かして燃やしたが、臭くもなく火持ちもよかったという。薪は高価であり、庶民には手が届かなかった。

エジプトは自然の恵みにあずかり、植物も動物も国土にあふれており、毎年、膨大な量の穀物と食肉が生産された。毎年、ナイル河は定期的に氾濫し国土を潤したので、庶民階層が飢饉で苦しんだという記録はほとんどない。食材は新鮮で質がいいので、風味をかくす必要もなく、調理法は手軽に済ますことが多かったという。肉と野菜は煮て調理するのが伝統だった。ときには肉と魚は直火で焼くこともあり、鳥類は串刺しにして火で焙るのが通常だった。

パンは新鮮でなければならず、一日か二日くらいしかもたなかった。そのために、二、三日に一回ほど必要な分しか焼かなかったらしい。一日の食事のなかで大切なのは昼食であり、人々は家のなかでゆったりと食事を楽しんだ。ほかにも早朝の軽食と就寝前の軽食をとっていた。

死後の世界を信じていたエジプト人は、墓の中にも食べ物をおくことがあった。古王国時代にはフルコースの食事一式が遺体とともに埋められた事例も少なくない。ある女性の墓からの事例では、パン、大麦のオートミール、魚のロースト、鳩のシチュー、うずらのロースト、調理済みの腎臓、牛の脚とあばら、イチジクのシチュー、野いちご、蜂蜜ケーキ、チーズ、ワインが並べられていた。もちろん富裕な貴人の墓だから庶民の食事とは比べものにはならないが、ご馳走がどんなものだったかは目に浮かぶ。

狭い家から二階建て集合住宅まで

エジプト人は友人を招いて一緒に飲んで食べて騒ぐのが大好きだったという。高価な肉を腐らせないためにも、お互いに招き合う宴会の形で食糧を分けあい、食べ物を無駄にしない。一種の生活の知恵でもあったのだ。もちろんこのような宴会もある程度のゆとりがある人々しか楽しめなかったのだろうが。想像すれば、カフェもレストランもなく、まして劇場も映画館もナイトクラブもない時代だから、気晴らしの宴会ほど楽しめるものはなかったのである。

メンフィス、テーベのような王都があり、地方行政の中心となる四〇ほどの州都があり、大神殿を囲んで大きくなる集落もあった。だが、人口の圧倒的な多数を占めた人々は田舎で暮らす農民だった。彼らは小さな村に住み、辺りの大地を耕すのが人生だった。これらの村では、厚い壁のある家々が大小さまざまに立てこんでいたらしい。家屋の建材としては主として煉瓦（れんが）が使われている。炉で焼く方法も知られていたが、おおかたは日干し煉瓦で充分だった。ここには、おそらくメソポタミアの影響が認められる。

およそ村落に計画らしいものはなく、狭い路地と中庭が入り乱れていて、ひど過ぎるとしか言いようがなかった。村人は、大家族であっても部屋数が四つか五つしかなくつつましい家に住んでいたらしい。ここには家族だけでなく雇い人もペットもおり、食糧がたくわえられたり、食用の鳥が何羽も育てられたり、数匹の羊もいたりした。

とはいえ、人がひしめく家の中はせいぜい食事と就寝のときの場所にすぎなかった。寝室のために部屋を割くことなど裕福でなければできないぜいたくであり、床の上に亜麻布のシーツか敷物で充分だった。真夏をのぞけば気候はよかったので、仕事の大半は屋外でできた。家の前も中庭も平屋根も思いのまま動けたので、住民の健康には幸いだったかもしれない。

都市のような大集落には二階建ての集合住宅があり、ときには三階建てもあったという。だが、敷地が狭かったので、テラスを備えた家が軒を並べている程度だった。ぎっしり隙間なく立ち並び、狭い路地には明かりさえ射さないこともあったらしい。

来世信仰を表す「死者の書」

古代世界においてはいずこもそうだが、エジプト人にあっても彼らの心のなかにある自然と超自然への思いは決して無視できないものがある。言いかえれば、宗教観あるいは信仰心とでも言える心の動きである。彼らのなかにあって宗教儀礼がめばえると、そのめざすところは、なによりもまず宇宙を司(つかさど)る神々の秩序をとどこおりなく運行させ、混沌(こんとん)の力から生命と秩序を守ることであったという。

エジプト人にはなんとも太古からとりつかれていたかのごとき関心事があった。この世を去った後の世界がどうなっているのか、それはエジプト人にとってどうしようもなく気になる問題であった。

エジプトの民はなによりも太陽の光とナイルの水に恵まれた肥沃(ひよく)な緑地に生きる人々だった。しかし、ひとたびそこから離れると彼方には灼熱(しゃくねつ)と渇水(かっすい)の砂漠が広がっている。いかなるものも生息しえない不毛な砂漠は隔絶された死の世界をよびさます。この生と死の落差がエジプト人に死後の魂の行方にことさら心を向けさせたのだろう。

「死者の書」より、「オシリスの審判」。大英博物館蔵

前三千年紀の古王国時代には、後にファラオとよばれる国王のようにひときわ偉い人間だけに永遠の生命が与えられると考えられていた。王は神の化身であるから、この地位にある者だけがあの世で復活し、現世の人々にもさまざまな恩恵がほどこされるという。およそ普通の人々は永遠の生命にはあずかれないのだった。とはいえ、現実のなかで、人々がそう信じていたかはわからないのではないだろうか。

それはそうとして、前二千年紀の中王国時代が進むにつれ、凡俗の人間でもあの世にあって永遠の生命にあずかれると徐々に考えられるようになっていったという。このような来世信仰の観念がエジプト人の間で広くめばえてきたのだ。そのために「死者の書」とよばれる呪文(じゅもん)が棺などに記され、後世にはパピルス文書などの形で残されている。

この「死者の書」には、その人物の魂（心臓）が正義と秤(はかり)にかけられ、オシリス神が永遠の幸福にあずかれるかどうかを判断すると記されている。その裁判において、正しく善良な人間であるならば、来世の永遠の幸福を約束されるという考え方が生まれてきたのである。エジプト人の名高いミイラ作りもこの来世信仰と結びつく葬祭なのである。死後の世界を永遠と見なす人々は遺体の腐敗を防止するために心をくだいていたのだ。この慣習は古今東西の宗教のなかでもきわめて珍しいものだった。

4　新王国時代

エジプト人国家の再興——国防重視の新王国時代（前一五五〇〜前一〇六九年頃）

さて、このようなエジプト人の社会に異質なヒクソスとよばれる人々が現れたのである。その外来者であるヒクソスは、そもそも西アジア系の人々が中王国時代に傭兵（ようへい）としてエジプトに連れて来られた集団であり、そこにシリア・パレスティナに住む人々が流入して勢威（せいい）を増したのであった。ヒクソスは馬と戦車（戦闘用二輪馬車）、複合弓などの武器とともに新しい軍事技術をエジプトにもたらしている。もっともなことだが、それらはエジプト人の戦闘の仕方にも多大の影響をおよぼすことになった。しかし、ヒクソスそのものはエジプトの文化や風習に溶けこもうとしていたので、武器と軍事技術だけがヒクソス独自の文化として突出していたかもしれない。

だから、異民族ヒクソスを追い出し国土の再統一をなすためには、ヒクソスに対抗しうる軍事力の養成がなんとしても急がれた。ヒクソスの武器と軍事技術が採り入れられたにしても、それらを駆使できる職業軍人も訓練されなければならないのだ。さらにはそれらの軍事専門集団が整備されるにつれ、官僚組織も不測の有事に対応できる機動力が求められることになる。このようにして第二中間期の後半には、エジプト人の国家は軍事国家体制ともいえる形をとるのだった。

前一六世紀半ば、異民族のヒクソスを放逐し、エジプトはふたたび統一される。それは、新王国時代の幕開けでもあった。この地の民を率いた第一八王朝の王イアフメスはまさしくファラオとよばれるにふさわしい最高権力者であった。ファラオはもともと「大いなる家」を意味したが、このころから「エジプト王」を指す用語になったらしい。

ところで、異民族ヒクソスを追い出し、エジプトの再統一が実現されても、エジプト人にとってふたたびアジア系の人々が侵略するかもしれないという危機感は根強く残ったらしい。異民族による征服という脅威があれば、その危険な兆候はできるかぎり速やかに消し去っておくにかぎるだろう。危うそうな国境があれば、その防衛のために遠征軍を派遣する。国防がなによりも大事な時代だったから、そのために先制攻撃すら厭(いと)わない。そのころにはエジプトでも馬と戦車が重用され、遠隔地域に早く移動できるようになった。まさしく外に向かう拡張主義の段階が訪れたのである。それがヒクソス放逐後における第一八王朝の対アジア戦略の要であった。

そこでエジプト固有の領土にとどまらず、東北方にあるシリア・パレスティナ地域にも進軍する勢いだった。さらに、イアフメス一世はフェニキア海岸に目をつけ、そこに軍事活動のための海上補給基地を設けたという。これまでナイル河下流域の孤立した世界だけに目を向ければすんでいたが、いまやより広いオリエント世界を意識せざるをえなくなる。オリエント世界を舞台とするアジア経営がエジプト人の肩にのしかかってきたのだ。さらにまた、はるか南方にあっても国境を広げ、たび重なる激戦の末にヌビアの首長を捕らえている。これらの遠征軍には忠実な部下たちがいたという。彼らの勇敢な活躍のおかげで、新王国エジプトは強固な独立国家に鍛え上げられたと言ってもいいだろう。

この新しい王朝の創始者はもともと属国テーベの領主であり、ほどなくその地は王都になった。そこを拠点として、ファラオの後継者たちは、国境を越えて、北方のシリアと南方のヌビアへの遠征をくりかえした。前一五世紀初めには、進軍は北のユーフラテス河畔から南のヌビア南部にまでおよんでいる。北端部には境界碑を建て、南端部には戦勝碑を建立して、征服者エジプトの覇権を誇示した。

このころ、テーベ東岸にはカルナック神殿が拡張されている。この巨大神殿群の複合体は中王国時代にまでさかのぼるが、エジプト人の宗教生活の中心となる聖地であった。また、テーベ西岸の砂漠渓谷においては、岩盤を深く掘削して岩窟（がんくつ）墓が造営されはじめた。以後この墓地は数百年にわたってファラオ一族の埋葬地となり、今日では「王家の谷」として親しまれている。

先例なき女王ハトシェプスト

ところで、前近代世界は多かれ少なかれ男尊女卑の社会であった。しかしながら、古代エジプトはかなり女性が優遇されていた。禁忌タブーのせいで女性が社会生活から遠ざけられることもなかったという。顔を覆わねばならなかったり、家屋内で隔離された場所に閉じこめられたりすることもなかった。もちろん国政や公務の舞台に女性が登場するのは稀（まれ）だったが、それは禁じられていたからではなかった。そもそもイシス女神のように女神が重々しく崇（あが）められていたことからも、女性の立場が重んじられていたことがわかる。後世のローマ人の社会でも、アウグストゥス帝の愛妻リウィアやネロ帝の母アグリッピナのように、国政に介入しようとした事例もあるが、逆にギリシア人の社会では、表に出ることすら嫌われたほどである。

そのような雰囲気があったせいか、ファラオの王家にあっても、強い性格をもつ王妃や王女には慣れていたらしい。それでも、これだけ強くなると先例のない女性として歴史を彩ることになる。

三代目のファラオであるトトメス一世はエジプトの覇権を拡大し、偉大なる征服者と讃えられた。そのファラオを父として、正妃から女児が生まれ、ハトシェプストと名づけられた。この王女は後宮で王家の婦人たちに囲まれて成長しただろうが、父王の権力の世界にも好奇心をいだいていたらしい。兄弟婚が慣例だったエジプト王家であるから、彼女は異腹の兄弟と結婚した。

父王トトメス一世が逝去し、ハトシェプストの夫がトトメス二世としてファラオに即位する。だが、新王は数年という短い治世で世を去ってしまう。後継者となるのは側室の息子であり、トトメス三世として玉座にのぼったが、あまりにも幼すぎた。

はじめは摂政として実権をにぎったハトシェプストだったが、やがて仮面を脱ぎ捨てる。彼女の言い分は、偉大なる父王がすでに自分を後継者として正式に指名しているというのだ。エジプト社会が女性をないがしろにしないとはいえ、ファラオの女王となるとやはり驚きだった。だが、エジプトでは共同統治は異例ではなかったので、幼王の追放も内戦もなく、共治女王ハトシェプストが即位した。もちろん、権力をめざす彼女の先例のない試みが実現するには、彼女を支えた有能な家臣たちがいた。

エジプト、ルクソールの西岸にあるハトシェプスト女王葬祭殿。著者撮影

「アメンの愛娘」として君臨

また、国家神アメンを崇める信仰が高まり、それもハトシェプスト女王の王位継承を認めさせる力になった。国家神アメンは王の姿を借りて正妃と交わり、聖血を受け継ぐ次王が生まれる。彼女は建築事業に関心を向け、数多くの記念建築物を造りながら、それらに自分の正統性を示す神話物語を刻みつけている。なかでもテーベ（現ルクソール）西岸にあるハトシェプスト女王葬祭殿は、その規模と壮麗さで傑出しており、今日でも観る者を圧倒する。

女王は「アメンの愛娘」として君臨し、アメン神をこよなく尊崇し、カルナック神殿群の増築に情熱をそそぐ。ヒクソス支配を「神々を失った時代」と難じて、全土の荒廃した神殿の修復再建にも力を惜しまなかった。

さらにまた、ハトシェプスト女王の治世にきわだつのは、対外遠征を行わず、ほぼ平和外交に徹したことである。採掘、採石および交易のためには、遠征隊がおくられたが、西アジアよりもアフリカ東岸やアラビア半島南部が重視されたという。紅海を南に航行した船隊は、乳香（にゅうこう）、没薬（もつやく）、黒檀（こくたん）、象牙などを持ち帰った。地中海では北方にあるクレタ島とも交易している。平和のなかで国力が充実したので、典雅な表現の芸術が花開くのだった。

ところで、ハトシェプストはどのような晩年を過ごしたのか、それは謎のままである。共同統治者であったトトメス三世は成人となっており、野心をもつ年長の女王がいることはそれだけで疎ましかったにちがいない。だが、彼女は闇に葬られることもなく、五十代半ばで天寿を全うしたのではないだろうか。彼女の着工した神殿の多くは後にトトメス三世が完成させており、彼女の遺志まで消し去られることはなかった。

最大版図を築いたトトメス三世

ハトシェプストの存命中、トトメス三世は名ばかりの統治者にすぎなかった。女王が世を去ると、若きファラオは胸に潜ませていた願望を表に出し、一連のアジア遠征に手をそめる。それは祖父にあたるトトメス一世の軍事的業績を受け継ぐことであった。一人で力を握ったトトメス三世は祖父の偉業に肩を並べるのにはあきたらず、それを凌ぐことすら肝に銘じていたかのようだ。

単独統治の二年目、トトメスは最初の外征に着手する。最初の遠征は、なんとしても勝利して、戦略上の衝撃を与えねばならなかった。エジプト軍の侵入は思いがけないものがふさわしかった。常識のごとき進路をとらず、敵の裏をかくのがいいのだ。部下たちが進言する無難な道を進まず、危険な狭い隘路を通る道を選んで、ひるまず先頭に立って進んだという。不意をつかれたアジア同盟軍は拠点としていたメギドの町に逃げ帰るしかなかった。パレスティナ北部のメギドの町は要塞化されており、そこをエジプト軍は七ヵ月にわたって包囲し、その末に陥落させた。

治世二三年、…… 夜明けに王［トトメス三世］は姿を現した。…… 陛下は軍の先頭に立ち彼らを圧倒した。…… 陛下は彼の軍隊に命令の言葉を発した。「うまく捕らえよ、わが勝利の軍隊よ。見よ、この日ラー神の命令によってすべての外国がこの町の中に閉じ込められている、すべての北の国の諸侯たちがこの中に閉じ込められているために、メギッドの掌握は千の町を掌握することになる。捕らえよ、徹底的に」。…… 陛下の力のもとに捕らえられたすべての諸侯は、銀、金、ラピス・ラズリ、トルコ石の貢物を担(かつ)いで、陛下の軍隊のために穀物、ワイン、大小の家畜を運んだ。…… 陛下はすべての町の諸侯を新たに指名した。（『トトメス三世年代記』森際眞知子訳）

このエジプト軍の勝利は重大事件と見なされ、カルナックのアメン神殿の壁に記録されている。およそ二〇年間に遠征は一七回におよび、エジプト軍はユーフラテス河畔まで到達している。制圧した地域にある諸都市国家はエジプトの属国に格下げされていった。

六回目の遠征のときには、これら異国の諸侯の息子たちを人質にとりエジプトに連れ帰っている。これらの諸侯の誰かが亡くなると、故人の息子を後継者として送り返したという。エジプトでたっぷり教育されていたのだから、属州の施政者として役立つという狙いがあったのだろう。賢明なトトメス三世の姿が浮かんでくる。

トトメス三世の時代、西アジアには、エジプトのほかにも、ヒッタイト王国、アッシリア王国、カッシート朝バビロニア王国、ミタンニ王国が強国として勢いを伸ばしていた。とりわけ、エジプトにとって、アジア同盟軍の背後にいるミタンニは主要な敵国であった。シリアをがっちりと掌中におさめながら、トトメス三世はミタンニ軍とも戦いを交えることになる。

とはいえ、ミタンニ軍が決戦を避けて退いたために、前一五世紀半ば、共通の国境線を確認し合って協定が結ばれたらしい。一連の遠征はエジプト軍の勢威を示すことになったので、周辺の強国には大きな衝撃だった。ヒッタイトもアッシリアもバビロニアも使節を派遣し、シリアをめぐるエジプトの覇権を認めざるをえなかった。

トトメス三世の遠征は、北方戦線のみならず、南方戦線にもおよんだ。南方のヌビアにも定期的に出兵し、エジプトの勢力圏をナイル河上流域まで広げている。抵抗する土豪の勢力を斥（しりぞ）け、もはやヌビア全土がエジプト領となったのである。このヌビアから年間三〇〇キログラムほどの黄金がもたらされたというから、「塵のように」黄金をもつエジプトの栄華がことさらとどろいたのである。

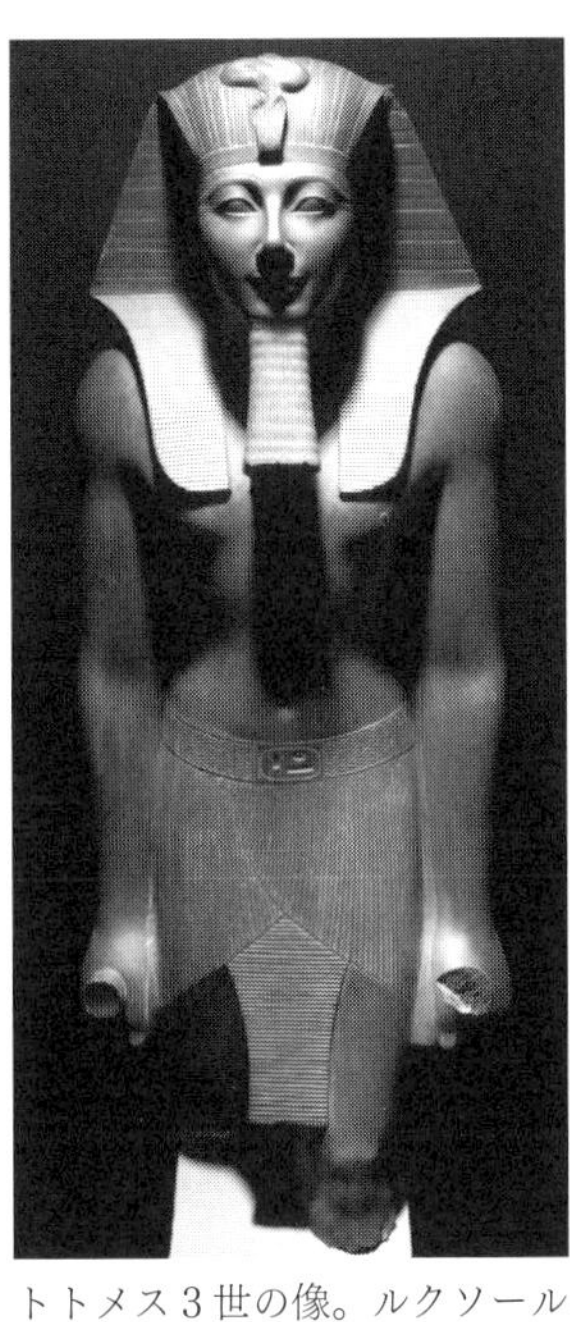

トトメス３世の像。ルクソール博物館蔵

トトメス三世が即位して五三年の歳月が過ぎる。この期間に、一人のファラオの治世下、北はユーフラテスの両岸から南はナイル上流のはるか彼方まで広大な帯状の領土がエジプト人の支配下に入ったのである。ファラオがこれほどの領土に心を向けることはなかったし、もはや「エジプト帝国」とよんでも過言ではなかった。じっさいにこの広大な「帝国」の姿は二度となかったのであり、このときエジプトの領土が最大になったのである。しかも、一人の人間の信念と活力が創り上げたのであるから、まさしく世界史のなかの偉業であった。古代エジプトにおいて、さらに一五〇〇年後のプトレマイオス朝のクレオパトラの時代まで、トトメス三世への崇拝はくりかえされたという。それは決して不思議なことではなかったのだ。

黄金時代を迎えたアメンヘテプ三世

ところで、太陽神信仰の根深かったエジプトではそれを主神ラーとして崇めていた。もともと下エジプト南部の古都ヘリオポリスを中心として築かれた信仰グループがいたという。この主神ラーへの古来の尊崇はファラオを頂点とする国家の信仰の土台でもあったのだ。だが、異民族ヒクソスを駆逐して生まれた第一八王朝では、祖地テーベの主神アメンが信仰されていたが、それは地方の神々の一つにすぎなかった。アメンは「隠れたもの」という意味をもつ、とらえどころのない神格だった。

新王国時代になり、エジプトが大国として勢いづくにつれ、ファラオの国家とアメン神の祭司団との対立は危険をはらんだものになる。このころにはアメン神殿は国内外に莫大な神殿領を所有し、自前の船舶で外国交易に従事するほどだった。また、戦利品や奴隷の大半がアメン神殿に奉献されたという。もはやアメンが国家神として崇められ、アメン祭司団が強大になっていたのだ。しかし、中央集権の頂点に立つファラオの力もますます増大していた。ファラオとその様態は、中世ヨーロッパにおける皇帝勢力と教皇庁との対立と比べてみれば、思い描きやすいのではないだろうか。

偉大なるトトメス三世の逝去後、シリアへの軍事遠征がくりかえされたり、ミタンニと同盟してヒッタイトの脅威に備えたりしている。ヌビア砂漠の支配は安定しており、そこから膨大な黄金が手に入り、交易が促進され、国富はさらに充実していくのだった。まさしくファラオの権力と威信は黄金時代をむかえたと言ってよかった。その絶頂期に立ったのが、トトメス三世の曽孫にあたるアメンヘテプ三世である。

彼は少年のころ、親愛なる兄を亡くすという悲哀を味わったという。だが、今や存命する父王の長子であり、まぎれもなくファラオの後継者となったのである。その浮き彫りでは、光輝なる太陽のごときぎらびやかな黄金の飾りを身にまとった姿で表現されており、ことさら太陽神との結びつきが強調されているかのようだ。

皇太子のころ、少年は父王に連れられて南方のヌビア遠征に参加し、軍人としての父王の役割を実地に見聞することができたらしい。彼は一二歳ほどの若さで父王の後を継いでいる。ファラオとしてのアメンヘテプ三世は軍隊生活になじむことはなく、三七年間の治世のなかで軍事遠征らしきものはほとんどなかった。

先立つファラオたちと異なり、目ぼしい武勲のなかったせいか、アメンヘテプ三世は戦車に乗って狩猟を試みている。そこで数多くの獣を仕留めた勇姿を誇示するのだった。さらに、民衆の安泰のためには、神々をなだめることが大切だった。そのわかりやすい表現が神殿の建設である。カルナックの神殿群の増改築をはじめとして、全土の各地に壮麗な神殿、神像、彫像を惜しみなく制作するのだった。こうしてその治世には美術と建築が華々しく開花する。まぎれもなくエジプトの最盛期であっ

王妃ティイの像。ベルリン、エジプト博物館蔵

た。まさしく時勢に恵まれたファラオだったが、平穏で豊かな時代にありがちな例にもれず、老いるにつれ安逸（あんいつ）な生活をむさぼるだけだったという。治世三七年、五〇歳前後で生涯を終えた。

　このアメンヘテプ三世には生涯寄りそった王妃ティイがいた。彫像から想像するかぎり、なんとも愛らしく魅力的な女性である。もちろんファラオには各地の王族出の側室が数多くいたが、寵妃（ちょうひ）は相も変わらず正妃ティイだったという。彼女はなにかとファラオの補佐役を務め、外交書簡のやりとりにもたずさわっていたらしい。献身的な妻、賢明な母、敬愛された祖母であり、後にファラオとなる孫のツタンカアメンの副葬品には祖母の頭髪一房などの彼女の名を記す品々がふくまれている。まさしく後世の人々をも魅了するほどの伝説となる女性であった。

至高の存在、マアト

　人間が樹木や草花あるいは動物たちを肌身に感じる自然状態に近い生活をするかぎり、いたるところに神々のような力を感じとる——これもまたまったく自然なことではないだろうか。巨大な樹木、美しい花々、恐ろしい力をもつ動物、空を飛ぶ鳥などを見て感嘆するとともに、その背後に超越的な力を感じ、それらを神々として畏怖するのは奇妙なことではない。自然科学の知識がある近現代人には、稲妻と雷は恐ろしいが、畏怖すべき存在ではない。だが、その知識のない前近代の人々にとって、いたるところに畏怖すべき力を感じることは自然であったにちがいない。

ところが、地中海世界の文明史をたどると、このような神々を感じるという経験が希薄になり、やがて失われていくという不思議な現象が生まれてくるのだ。もちろん長い歴史を経て形をなすのだが、これは人類史という視野からすれば驚くべきことではないだろうか。そこから、「神々」ならぬ「唯一神」が存在することに思い至り、それが絶大な力をもつことを信じることになれば、人々の魂の変身を考える心性史の面からみて、驚愕すべきことだったにちがいない。

神々をこよなく崇(あが)めたエジプト人にとって、神々は冒(おか)しがたい超人的な力であった。神々の加護にあずかることはなによりも望ましいことだから、人々は神々に巨大な神殿を捧げ、生贄(いけにえ)のような供物(くもつ)を怠らなかった。しかし、それらの神々すらも従わなければならない至高の存在がある、と人々は信じていた。それこそがマアトとよばれるものであった。

季節の変遷も天空の運行も、自然の森羅万象(しんらばんしょう)ことごとくが、この至高なるマアトに従って進行する。さらに、現世にあっては、ファラオはマアトの化身であると見なされていた。社会が混乱すれば、マアトを実現し、社会秩序を回復しなければならない。だから、それは真理であり正義であり秩序であり法則であるのだ。

マアトはきわめて抽象的な観念である。祭司や知識人にはそれでも理解できるだろうが、民衆が心に描くにはしばしば擬人化される。こうしたなかでマアトは女神の姿で崇められていた。仰ぎみる太陽神ラーの娘であり、知恵の神トトの妻でもあった。このような信仰ははるか昔にさかのぼり、すでに古王国時代において確かめることができる。

あの世で永遠の命をさずかることはエジプト人の願いであった。そのために生きている間にしてはならないことを神々が定めていた。マアトに従って、定めを守れば、人は必ずあの世で幸せに暮らせるという神々の約束があった。なんという恵みあふれる希望であり、救いであろうか。

神々はなによりも「我は汝(なんじ)の心にマアトを知らしめよう。汝が己にとって正義を行えるように」と寄りそっているかのごとく感じられていた。人々の気にする「死者の書」の呪文(じゅもん)のなかでもマアトがくりかえし唱えられ、「私をお守りください。……マアトの主のために、私はマアトを実践してきたのです。私は潔白です」などとある。

このような約束と希望は、エジプト社会の規範と倫理を実のあるものにしたにちがいない。このために国内の治安はかなり安定していたという。確かな来世観は人々の心の支えとなり、社会の安定という計り知れない恩恵をもたらしていたのかもしれない。

アクエンアテンの宗教改革

こうしてマアトを奉じることに余念がなかったエジプト人のなかでも、とりわけマアトを愛し、ひたすらマアトを求めた人物がいる。アメンヘテプ三世の息子である。だが、この息子の母こそは後世の人々にも誉れ高い正妃ティイであったが、結婚当初は血筋が不明の「賤(いや)しい女」と見なされていたという。エジプトでは母系が尊重されていただけに、この母と息子への反感はかなり根強かったらしい。

前一三六七年頃、父王の崩御の後、アメンヘテプ四世がファラオに即位した。治世当初は王都テーべにとどまっており、そこまではこれまでのファラオと異なることはない。しかし、治世五年目頃に、様相は一変する。彼は遷都を宣告し、宗教改革を断行したのである。それは徹底したものであり、新都アケトアテン（現アマルナ）を建設し、ひたすらアテン神に帰依することを宣言した。しかも、アテン神のみを唯一神として崇めるものであり、ほかの神々への信仰を禁止してしまう。広大で平坦な耕地が選ばれ、そこは北の古都メンフィスと南の古都テーベのほぼ中間にあった。そこであれば、大神殿や王宮をふくむ大規模な王都の都市計画が実現できそうであった。

いつしか組織的な迫害が始まり、旧来のアメン神を主神とする神々への祭祀は停止される。古来の神殿は荒れるにまかせ、あらゆる偶像崇拝が禁止された。古い神々の名は碑銘から削りとられ、とりわけアメンの名は父王アメンヘテプ三世の名からも消し去られた。神々の文字（複数形）は神の文字（単数形）に改められ、唯一神という観念をすみずみまで行き渡らせるかのようだった。

さらに、みずからの王名をも改める。アクエンアテンと称し、その意は「アテン神に有用なる者」であった。彼にとってアテン神とはいかなるものであったのか。王みずからが起草したとされる詩歌に「アテン讃歌」があるが、そこではこう唱えられている。

あなたは天の地平から美しく現れ出る。生きるアテン。生命を生み出した者よ。あなたは東の地平線から昇り、あなたの美しさで全土を充たした。……あなたが西の地平線に沈むと、大地は闇の中で、死んだようになる。……あなたの行うことの何と多いことよ。しかし、それは人々の視界から隠されている。唯一の神。それ以外存在しない者。あなたは一人で、あなたの心のまま

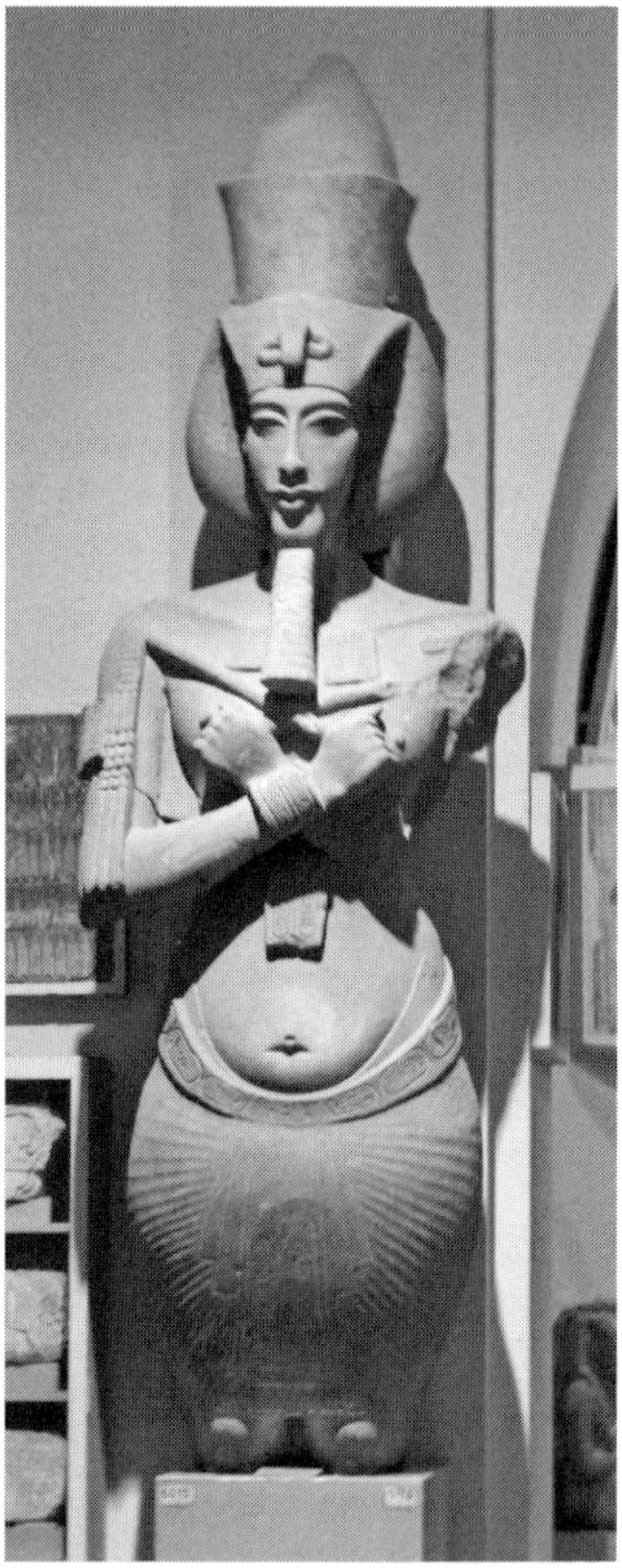

アクエンアテン（アメンヘテプ４世）の像。カイロ博物館蔵

に大地を創った。……（「アテン讃歌」吉成薫訳）

アテン神が現れると、地上の生きとし生けるものは歓喜にあふれる。ここからアテンは太陽神であることがわかる。太陽神ラーへの信仰は古来よりエジプトで広く認められる。多神教を廃棄した者とはいえ、この伝統までもふみにじることはなかった。太陽神ラーがアテンの姿で戻ってきたと思われたのかもしれない。奥深く「隠れたもの」であるアメン神に比べて光り輝くアテン神はなんとまばゆいものであっただろう。ラーを主神とする太陽神信仰がアテンという唯一神として一つにまとめられたのである。

それにしても、なんという激しい改革であろうか。アクエンアテンが断行したのは宗教改革だけではなかった。文化や芸術の活動にあっても、それまでの様式とはまったく異なるものが打ち出される。なによりも不気味なのは彼の姿である。そこには頭も顔も異様に長く、尖った顎(あご)がある。目は細く切れ長であり、唇は分厚くつき出ている。さらに、首はくねくねとしているのに、胸はふっくらしており、腹と太腿は丸々としている。そのくせ、足は細々としており、なんたることか男根の形跡がない。

このような不気味とも異様ともいえる彫像や壁画から、アクエンアテンはじつは女性あるいは宦官(かんがん)だったという説がくりかえされることになる。さらに彼が病的なホルモン異常であったという見解も出てくるのである。さらにまた、そもそもアテン神には性別がないので、男女の区別を明らかにしなかったのではないかという解釈もある。

しかしながら、注目すべきなのは、これらの形姿が誇張とか歪曲とかいうのではなく、現実をそのまま写しとったものだということである。ただし、それらしく様式をなすものであったとの理解もある。この創作活動は、今日、新都の現代名にちなんで「アマルナ芸術」とよばれている。そこには写実主義あるいは自然主義の精神がひそんでいると言えなくもないのである。こよなくマアトを愛したファラオにとって、真実をありのまま伝えることは、なによりもマアトそのものを実践することだったのだろうか。

革命を支えた正妃ネフェルティティ

ところで、アクエンアテンの正妃としてティという名の美しい女がいた。彼女もまた出自が曖昧

ネフェルティティの像。ベルリン、エジプト博物館蔵

で、どこか神秘のヴェールにつつまれている。彼女は、アメンヘテプ三世の正妃ティイとのつながりが考えられており、おそらく姪だったかもしれない。そうすれば夫とは従兄妹の間柄ということになる。彼女は夫がアクエンアテン（アテン神に有用なる者）と改名すると、みずからもネフェルティティ（アテン神の美は麗しい）とよぶようになった。彼女の彫像は女性の美の象徴としてベルリンのエジプト博物館の至宝となっており、知る人ぞ知る美人像である。外見のみならず、ネフェルティティは非凡なる女性であったという。彼女が玉座の背後で支えていなければ、アクエンアテンの革命は決して実現しなかったとファラオ自身が自覚していたかもしれないのだ。

人類史のなかの「一神教」改革

この一神教をめざす改革運動はあまりにも唐突であった。多くの人々は現状を変えることを厭うものであり、とりわけ保守的な支配層は改革など望まなかった。神々の世界を当然のごとく考えていたのだから、排他的な唯一神信仰は理解しがたいことだった。なかでも宮廷にまで大きな勢力をもっていたアメン祭司団には大打撃であった。

このために、昨今では、王権にまとわりつく旧勢力を排除するための政治改革ととらえる見方もある。たしかに、宗教改革という名目のもとに遷都するというやり方であれば、古い地盤に居すわる保守勢力を打破するにはもってこいであろう。すでに父王の時代には植民地体制も確立し、エジプトは「帝国」のごとき絶頂期を迎えていた。その王権を継承したのがアクエンアテンである。この新王にとって対抗する最大勢力のアメン祭司団はなんとしても斥（しりぞ）けたかったのだ。

たしかに、この改革には国家経営にからむ冷めた思惑が感じられないわけではない。一見すれば、現実的でわかりやすい説明ではあろう。だが、そのような王権の政治的駆け引きだけに目をうばわれすぎれば、大事なことを見過ごしてしまうのではないだろうか。

というのも、多神教から一神教へという変革は、人類史にとってはかりしれないほどの意味をもっているからである。その後の歴史をみれば、「唯一神への信仰」という精神のあり方が、政治・経済システムの成り立ちや、国家間の争いと協調に与えた影響は極めて大きく、しかも、文化・芸術においても劇的ともいえる新様式を生み出しているのだ。今日、われわれは、ユダヤ教、キリスト教、イスラム教などの一神教としてくくられる信徒世界があることに当然のごとくなじんでいる。だが、世界史あるいは人類史として冷静にながめれば、ここに見られる唯一神への心性の変化は、当時の人間たちにとって想像し難い大きな出来事であったのではないだろうか。

アクエンアテンは、在位一七年後に、この世を去る。おそらく三〇歳前後であったのではないだろうか。最後の数年はまったく公の前に姿を現していないという。狂信的な改革運動に心身ともに疲れはて、廃人のごとく王宮の床に横たわって死をむかえたのではないだろうか。

しかし、ほんとうにこの一神教は消え去ってしまったのだろうか。このような謎は深まるばかりであり、まさしくありえないことがおこった世界史上最大級ともいえる難問が残るのである。そのせいか、アクエンアテンをめぐって、さまざまな評価が出てくる。一方では、「武勲などには目もくれず、単純、正直、率直、真摯(しんし)を説きながら人間を愛した最初の平和主義者」、「伝統の惰性に勇敢に立ち向かい、時代の理解能力をはるかに超える思想を説いた理想主義者」などの讃嘆者がいる。他方では、「妻と子を愛しながらも、アメン祭司団との教義論争に熱狂し、自分の忠実な家臣たちの労苦をかえりみなかった大局観のない為政者」などの批判者もいる。しかしながら、人類の思想家のなかに並べれば、若き理想主義者アクエンアテンが個性ある人間として傑出していたことは誰もが認めるところではないだろうか。

後継者ツタンカアメンの早世

国内の宗教改革に熱意をそそいでいたので、アクエンアテンは西アジアに軍事遠征をする余裕はなかった。それに乗じて、シリア・パレスティナの都市国家の多くがエジプトから離反し、属領の多くが失われた。そもそも、アテン信仰の強行、伝来の神殿の荒廃、遷都の断行などが重なり、国内の混乱は半端ではなかったのだ。

アクエンアテンの後継者はかの名高いツタンカアメンである。正妃ネフェルティティの三女と結婚したツタンカアメンは、かつては、アクエンアテンの義息と見なされていた。しかし、ミイラをめぐる近年のＤＮＡ鑑定から、両人の血縁はきわめて強く、側室の息子であり実子だったのではないか、という有力説が浮上している。

たった九歳で即位したとき、新ファラオの名はツタンカアテンであった。宮廷はまだアマルナにあり、アテン信仰はかろうじて生きていた。だが、アクエンアテンの改革は全土ではあまりにも不人気であった。アテンの死後、アマルナを捨ててメンフィスに首都が移されたが、なにはともあれ、側近たちはアクエンアテンの死後、アメン信仰に復帰し、王宮を旧都テーベにも置くように決める。それとともに、新ファラオの名はツタンカアメンに改名した。

主たる伝来の国家神殿が再建され美化されたが、アテン神殿の数々は取り壊される運命にあった。幼いツタンカアメンとその後ろ楯の側近たちは、異端者アクエンアテン以前の正統なファラオ、偉大なるアメンヘテプ三世の黄金時代とのつながりを熱心に求めたのだ。それとともに、エジプト人の心に根強い来世信仰も陽の目をみるようになったのは、当然だった。

そのせいだろうか、この少年ファラオは自分の埋葬と葬祭のための準備にとりかかるのだった。「王家の谷」にある光輝なるアメンヘテプ三世の王墓の近くに自分の王墓をつくり始めたのだ。だが、成人に達するとすぐにツタンカアメンは前ぶれもなく突然に世を去る。おそらく二〇歳にはなっておらず、自然死か暗殺か、今日でも憶測をよぶ出来事である。それまで側近たちの操り人形にすぎなかったファラオが成人して意のままにならなくなる、それを怖れる権力亡者がいても奇妙ではない。ただし、早世したファラオのミイラには暴力の痕跡（こんせき）は見られないという。毒殺もありうるが、今日では暗殺説は否定されているという。

突然の早世だったために王墓は未完成のままだった。ほかの小さな墓が転用され、石棺すら中古品

ツタンカアメンの黄金のマスクを前後からみる。大エジプト博物館蔵

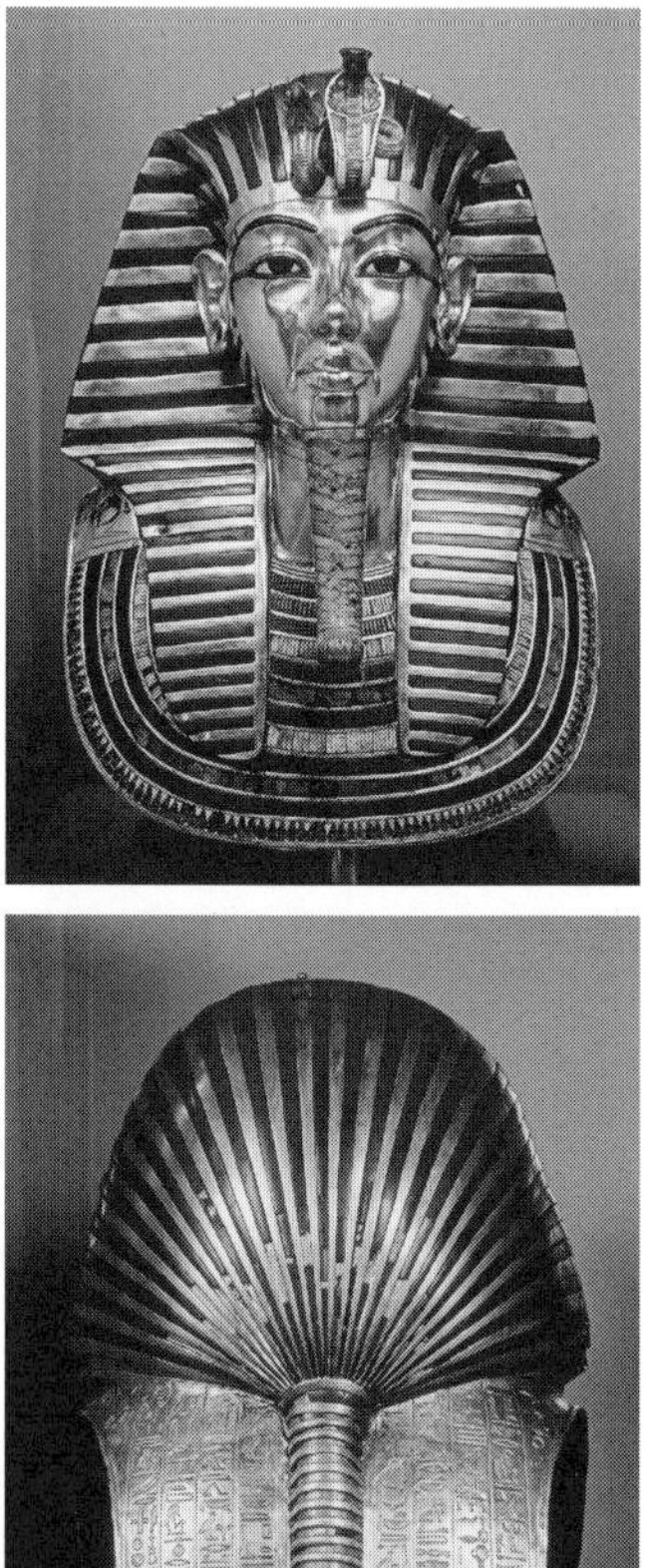

だったという。「王家の谷」でもあまりにも目立たなかった王墓だったので、三〇〇〇年以上もの間、忘れられていた。一九二二年、ツタンカアメンの王墓が発見され、「黄金マスク」に代表される壮麗な遺品の数々は一大センセーションをまき起こした。ほとんど無名の人物がまぎれもなくもっとも有名なファラオになったのだ。

ツタンカアメンの死後、残された子孫はいなかったから、実権をにぎったのは正妃の養祖父アイである。彼は、正妃の実母ネフェルティティの養父であったともいわれ、かつてはアクエンアテンの重臣であり、幼いツタンカアメンの摂政でもあった。また、異端者アクエンアテンの治世にはアテン信仰への忠誠を公然としていたが、ツタンカアメンの時代になると、それをきっぱりと拒否して手の平を返すような男だったという。

アマルナ文書の一例

アマルナのアテンの小神殿。この近辺でアマルナ文書群が発見された。著者撮影

まさしくプロパガンダの達人だったし、ここでも早世したファラオの正妃を自らの王妃に迎えて、そのファラオの地位を正統化しようとした。彼女はアイの養孫であったのだから、老人の祖父を夫にする幼妻の心境を思うと、心苦しくなる。仲睦まじかったという若い夫との生活が突然に途切れた後、ある種の悲劇が上塗りされたが、歴史のなかでかき消されていったかのようである。

さて、むき出しの野望と政治手腕をもつアイだったが、その老猾（ろうかい）さの裏も見透かされていたにちがいない。彼の勝利は長つづきせず、自分の王朝を創始するという野望も打ち砕かれてしまう。皇太子たる息子が実力者としてのし上がった軍人政治家の手で押しのけられたのだった。

軍人政治家ホルエムヘブの領土奪還

ところで、このころのエジプトと西アジア諸国の国際情勢をめぐって、「アマルナ文書」とよばれる粘土板文書群にふれておきたい。アメンヘテプ三世の末年からツタンカアメンの初年までの約三〇年間の外交書簡であり、おそらく聖都アマルナが放棄されたときに不要書類として破棄されたものだろう。ミタンニ、ヒッタイトなどの強国の君主からの書簡、あるいはシリア・パレスティナなどのエジプト属州あるいは従属国の首長からの書簡などであり、主としてアッカド語で書かれている。

トトメス三世のアジア遠征以降、シリア・パレスティナの植民地は、カナン州、ウピ州、アムル州の三つの属州に分けられていた。このうちアムル州が領域国家のごとく勢力を拡大し、ヒッタイトとも内通していた。ほどなく親エジプトの植民地にも覇権を伸ばしたが、背後にいたヒッタイトの宗主権を認めざるをえなくなる。このためにアムル州の大半がエジプト支配から失われてしまうのだった。

これらのいきさつが「国際書簡」や「属王書簡」として分類され、政治の動向や支配の実態がことのほか浮かび上がるのである。古代史にあっては、例外的なほど、当事者の思惑やかけひきがわかる貴重な文書群である。

老獪（ろうかい）なアイの狙いを斥（しりぞ）け、ファラオの座を手に入れたのは有能な武将ホルエムヘブであった。かなり低い身分の出だったらしく、それだけに自分の才覚でのし上がった人物であろう。異端の為政者アクエンアテンの下では目立たないようにしていたのか、国外で軍務に励んでいたという。

ツタンカアメンの即位後、ホルエムヘブは頭角を現し、「国王代理」などのさまざまな称号を与えられている。国政のなかで数々の責務を負っていたが、本務である軍人としての活動を軽んじることはなかった。それが自分の権力基盤であることを熟知していたのだろう。彼の王墓には、若きファラオにシリア人とヌビア人の捕虜を披瀝（ひれき）している図柄が描かれている。じっさいファラオになってからは、国外領土を奪還し、エジプトの権威を復興することを図った。

国内でも、個人財産を保護し、法制や軍制を改革し、アメン信仰の復興が進められたという。このような立法がもたらすのは「マアトが戻って、ふたたびその地位を占め……そして民は歓喜した」という希望だった。またしても、真・善・美をまとめるようなマアトへの信仰が根強く息づいているのだ。

秩序が保たれ国内が安定するには、まず王位継承が円滑に進むことだった。実子のいなかった彼は、軍人らしく信頼できる武人の同僚に目をつけ、王位継承者として指名したのである。この人物には、息子も孫もおり、後継者として申し分なかったのだ。

長寿の英王ラメセス二世の登場

賢王ホルエムヘブの死とともに、第一八王朝は幕を閉じる。後を継いだのは将軍パ・ラメセスであり、第一九王朝が始まる。だが、高齢のせいか、即位直後に息子を共同統治者に指名した。南方のヌビアに遠征しているが、目立つ治績はほとんどない。というよりも、ラメセス一世には、残された時はあまりにも短く、治世二年、業半ばで世を去った。

その後を継いだのが息子のセティ一世であったが、ただちに北方のカナンに遠征している。臣下たちがどれほど忠誠であるかを確認したかったのだろうし、なによりも失われた北シリアを回復しなければならなかった。今ではヒッタイトの覇権下にあるアムル州をとりもどすには、その要地カデシュはなんとしても攻略しておきたかったのだろう。

しかし、一時的な失地回復はなっても、アムル州はいぜんとしてヒッタイトの勢力下におかれたままだった。後には、南方のヌビアの領土拡張にも意欲をみせ、治世八年には砂漠地域にも軍勢を進め

アメン大神殿。著者撮影

たらしい。この地での金山の開発はますます重要であり、さらに傭兵（ようへい）の確保も必要であった。

国内においても、セティ一世は建築活動に励んでいる。アマルナ革命とともに各地で閉鎖され荒廃した神殿を復旧したり、壊された神像を修復したりしなければならなかった。とりわけ、アメン信仰の中心地としてのテーベには、なにはともあれ配慮すべきだった。アメン大神殿では大列柱室とよばれる建設プロジェクトに着手する。幅一〇〇メートル以上に奥行き五〇メートル以上もある空間に巨大な柱が一三四本も林立しているのだ。この大列柱室は天井石が失われただけであり、今日でもその偉容には驚かされるものがある。

とはいえ、ほかにも、冥界（めいかい）の神オシリス、その妻イシス女神、二神の息子にして王権の守護神ホルス、太陽神ラー、古都メンフィスの主神にして創造神プタハなどを祀（まつ）る神殿も建造されている。このような神殿の多様さから、アメン神だけを奉ることを避けようとする姿勢が見てとれる。アクエンアテンの唯一神であってはいけないし、あの二の舞をなすべきではない。それはアメン祭司団の横暴を牽制することでもあった。アメン神はあくまで神々のなかの頂点に立つものであるのだ。そこには多神教世界に生きる人々の健全な精神があるかのようである。

さらに、セティ一世の治世には、美術と文化が成熟し、かなり洗練されたものになる。とりわけ「王家の谷」に建造された王墓は、その規模のみならず内部装飾についても壮麗をきわめ、頂点をなしている。全長が約一四〇メートルもあり、内部の壁面全体が華麗な彩色レリーフや美しい壁画で飾られている。

セティ一世の晩年の数年間、実の息子が摂政として国政を補佐したという。この若者は、父王の死後、ファラオの地位を継ぎ、ラメセス二世とよばれる。短命の時代にもかかわらず、九〇歳を超えても生きており、在位六七年で没している。古代エジプト史上、トトメス三世と並んで、最大の英王と讃（たた）えられることになる。

「この世のかぎり麗しい君主」と讃えられ

王族の子供たちは「王の育児所」で生活し、教育された。宮廷の奥にある安全な場所であり、隔離されていたので特別な人々だけが出入りできたという。ここでは高官の子供たちも教育されることがあり、王子と一緒に育った者のなかには生涯にわたって権力者と深い結びつきをもつ人物もいた。

ファラオたちが読み書きできたことは異論がない。おそらく宮廷や神殿に付属する学校のなかで、書記が受けていた教育と似たような課程があったのだろう。最初は行書体のヒエラティックであり、日常の行政書簡などのほとんどで使用されていた。さらに正式書体としてのヒエログリフの学習に進む。ファラオは神官職をも兼ねており、その種の神秘的な能力をも身につけていなければならなかった。

若い王子たちは、弓を射たり、戦車を乗り回したり、野鳥狩りや野獣狩りに夢中になったりしただろう。祖父のラメセス一世が即位するより前に生まれていたので、若いラメセスは、王族ではない身分の家柄の者がエジプトの玉座にのぼりつめて行く様をも見聞したにちがいない。

エジプトでは古い時代はともかく、若い王子が国事の運営に積極的に加わることは稀だったという。一三歳ほどのラメセスは、父王セティ一世が遠征したときに同行しており、そこに幼いころの見聞の影響が考えられないでもない。名目上であっても、年少の彼には何らかの責務が与えられており、軍隊生活を楽しんでいたかのようである。さらにまた、一、二年後に、父王が強敵ヒッタイトと対決すべく遠征したとき、若いラメセスは父王のお供で参戦した。これらの体験はラメセス二世に大きな影響をおよぼし、その治世全体を左右するほどであっただろう。

ラメセスは、幼いころから王位継承者として期待されていたらしい。ある奉納碑文のなかで「幼い自分を腕に抱いて民衆の前に姿を見せるとき、父は『この子を王にすべし。余がこの世にあるうちに、それが成就されんことを』」と語ったとラメセス二世は回想している。

父王は一〇年余りで世を去り、ラメセスが王位についたとき、二五歳ほどだった。おそらく、ファラオとして、父王の為さんとしていた事業を引き継ぎ、拡大していくだけで充分だったにちがいない。ところで、パリのコンコルド広場にはエジプトから運ばれてきたオベリスクが立っている。その南面の碑文には、ラメセス二世を讃える文言が刻まれている。

ホルス名……マアトの愛する勝利の牡牛（おうし）、アトゥム神のごとく慕われる王、アメン神の息子、この世のかぎり麗しい君主、上下エジプト王にしてラー神のマアトの強き者。ラー神の息子にしてアメン神に愛されるラメセス。天があるかぎり、汝の建造物もあり、汝の名もあるだろう、天が揺るがぬように。上下エジプト王にしてラー神のマアトの強き者。ラー神の息子にしてアメン神に愛されるラメセス、永遠の生命に恵まれた者。

仰々しく回りくどい表現であるが、ラメセス二世の並々ならぬ自負心が見てとれる。なによりも、真・善・美の聖なる秩序であるマアトを招き入れて、国内の安定を図り、対外的に戦いに勝って国威を示さなければならない。そのような美名に隠れているにしても、彼は「天があるかぎり」野心家であったにちがいなく、今日でなら、まちがいなく帝国主義者とでもよばれる強烈な拡大主義者であっただろう。

ラメセス２世の巨大な胸像。大英博物館蔵

包囲する敵に突撃して撃破

とはいえ、ラメセス二世は自意識過剰なだけの絶対君主であったわけではない。神の子のファラオとして、つねに民衆が安泰に暮らせるように心がけていた。そもそも、古王国時代から、ナイルの恩恵にあずかるエジプト人の間では、ファラオと民衆との間には暗黙の了解があったという。国王は神々に加護を仰いで人々の生命と暮らしを守らなければならないが、民衆は国王の命令に従い、日々の仕事に勤しんで、収穫の一部を国王に献上することになっていた。神々に祈る為政者があってこそ、人々は労働に励み、安らかに生活することができるのである。

なにはともあれ、ファラオは神々に日々の満足を与えるべきだった。神々を崇める祭儀では、その神像を洗い清め、香油をぬり、衣を着せて飾り、飲食物を捧げるのが定めだった。神々の食事は、祭儀の後で、祭司たちに配り下げられていた。

ほかにも、祭暦に従って、各地で数々の祝祭が催される。そこでは、牛や羊や鵞鳥などが神々のために屠られ、収穫物が神前に奉じられた。これらの食料はすべて、祭儀の後で人々に分け与えるのが習わしだった。これらは勤労する人々に定期的に与えられる食糧や報酬とは異なる恵みであり、ある種の大盤振る舞いであった。このようにして、気前のよいファラオの寛大な施しは貧しい階層の人々にまで届けられ、民衆の勤労意欲をかき立てることにもなるのだ。

しかしながら、このような豊かさも戦争に勝利し国富を増やすことで成り立つというのが人々の通念であった。というより、平穏こそ民衆の願いであったにちがいないが、その平穏も戦勝がもたらすと信じこまされていたと言うべきかもしれない。

一握りの強者がいれば、大多数の弱者もいる。それが当然である時代であれば、最高権力者の威光というものは軍人としての輝かしい功績にあっただろう。ラメセスもまた二二歳で最初の軍事遠征を指揮してヌビアの反乱を鎮圧した。このとき一族の伝統にならって二人の幼い息子たちをお供に従えたという。

二十代半ばでファラオとなったラメセス二世は、就任の国家祭事を執り行い、いくつかの重大な神殿の増築改修を命じている。みずからアメン大祭司も任命し、テーベの祭司団に統制力を明らかにする。なにはともあれ、まぎれもない支配者は自分であることを強く示さなければならなかった。

このように国内における足場を固めると、ラメセス二世は軍事遠征の統率者として勇姿を現す。まずもってシリア北部のアムル地域を回復することであり、さらに父王時代に征服した地域のすべてをエジプトの支配下にとりもどすことであった。そのためには、西アジアで覇権をふるう強敵ヒッタイトを撃破しなければならないのだ。

なかでも治世五年目におこった「カデシュの戦い」はその経緯を詳細にたどることができる。戦いの記録は、ルクソール神殿、王自身の葬祭殿ラメセウム、アブ・シンベル神殿、カルナックのアメン大神殿などに刻まれており、またパピルス文書にもその記録の断片が残されている。

王都ペル・ラメセスを出発し、歩兵軍と戦車隊を率いて一路北上、およそ一ヵ月後にシリア中部の要衝地カデシュの南の山地に達し、そこに陣営を築く。ほどなくヒッタイト同盟軍のなかには動揺する部族も多いという情報を得て、ラメセス二世ははるか北方にいるヒッタイト勢力に先制攻撃をもくろんだという。ところが、これが偽情報だとわかるころには、ヒッタイト軍と同盟軍はカデシュからさほど離れていない背後にひそんで待機していたのである。

ヒッタイト王ムワタリの率いる軍勢はいち早く南に移動しており、一定間隔で進軍し四軍団からなるエジプト軍の中ほどを側面から攻撃した。不意をつかれて混乱した軍団は先頭を進むラメセス二世の率いる軍団に敗走してくる。彼は事態を知り武具をつけて救援に向かおうとしたが、敗走兵を追撃してきたヒッタイト軍にラメセス陣営は包囲されてしまうのだ。

しかしながら、四方を敵に囲まれ恐怖のどん底にあったエジプト軍のなかで、ラメセス二世は降りそそぐ矢の雨を浴びつつも決然と果敢に行動したという。彼は戦車に乗り、敵中へと突撃する。二五〇〇台もの敵の戦車に取り囲まれながら、アメン神の加護を実感したエジプト王は、誰一人の味方もなく荒ぶる戦いの神々であるかのように、敵軍を撃破する。その勢いに怖れをなし、ヒッタイト兵たちはなす術もなく打ち倒されたり、一目散に逃げ出したりするしかなかったという。

最古の和平条約

さらに碑文には、ヒッタイト王ムワタリからラメセス王を讃える書簡が届けられ、「ラメセスこそ太陽神ラーの実の息子であり、彼に仕えたい」との申し入れがあった、と伝えられた。「空前絶後の超人王」とでも言いたくなるが、史実としてはとても信じがたい。たしかに、ラメセス二世がそれなりの武勇を発揮したことはありうるだろう。彼の率いる軍団の介入によって、エジプト軍の壊滅が防がれたかもしれない。だが、神殿の浮き彫りや碑文に描かれたような華々しい勝利であったわけではないだろう。むしろ、ここには勇敢なるファラオの偉大さを宣伝したり、エジプト兵の忠誠心をあおったり、彼らの士気を鼓舞したりする権力者の意図がありありではないだろうか。

この前一二七四年という「カデシュの戦い」は、歴史研究者の間では、エジプトとヒッタイトの引き分け、あるいは、ヒッタイトがやや優勢のうちに終結したと見なされている。エジプトはカデシュの占領に失敗したし、一時奪回に成功していた北シリアのアムル地域も再び失うことになった。前世紀以来この地域をめぐって両国の抗争がつづいてきたが、じっさいにおいては、ヒッタイト側の勝利に終わったのだ。ヒッタイト王の書簡に見える「ラメセスに仕えたい」という表現は、戦争が終わったことを示すだけで、エジプト側の負け惜しみの虚勢であろう。

その後、数年をへだてて、さらなるシリア遠征が二度ほど行われている。だが、カデシュの戦いほどのドラマもどきの華々しさはなく、また、さしたる成果もなく、軍事活動の派手さだけが強調されるようだった。

そうとはいえ、ヒッタイトとの長期にわたる対立抗争のおかげで、ラメセス二世の治世二一年には、ヒッタイトとの講和条約が締結されている。だが、その背景には、ヒッタイトが東方で興隆するアッシリアに脅威を感じていたことがある。

講和条約そのものは外交上の妥協がほどよく成り立つ好例としてきわだっている。ヒッタイトには北シリアの支配権が譲られ、その代わりに、エジプトには地中海沿岸部の港を利用し自由に通行する権利が与えられた。また、領土不可侵条約や防衛協定が結ばれ、さらには、亡命者の引き渡しと免責をめぐる協定さえも交わされている。じつに手堅い内容をもつ和平条約であるために、世界史上最古の国際条約とも言われている。

王墓造営に注力

この和平条約のおかげで、ラメセス二世の治世後半は平穏な時代がつづいたという。もともと精力あふれる男であったので、軍事活動をあきらめたファラオは破壊よりも建設に全力を捧げる。平和であるから財源も豊かになり、それらが諸々の建築活動にあてられた。

なかでも、王墓造営は最大級の国家事業の一つであった。テーベ西岸の涸れ谷の奥には「王家の谷」とよばれる王墓造営地ができあがっている。新王国時代初期から王墓が次々と築かれ、信任の厚い高官に率いられた熟練工たちが作業に従事した。職人たちは一ヵ所に集められて集団生活を余儀なくされたが、あくまで彼らの働きぶりを管理するためだった。このような王墓建設のための職人たちの村落は古王国時代のピラミッド建設にさかのぼるという。これらの村落は王墓が完成すると、葬祭に勤しむ祭司や管理する役人の住居に用いられたらしい。

しかし、例外もある。何世代にもわたって職人たちが住みつづけたデル・エル・メディーナの集団には目をみはるものがある。彼らは「王家の谷」の王墓造営に従事したらしく、今日でも、ラメセス二世の頃に最大規模になった遺構として残っている。南北ほぼ一三〇メートル、東西ほぼ五〇メートルの周壁で囲まれた敷地には、通りをはさんで、およそ七〇戸が長屋のごとく並んでいた。それぞれの住居は、応接間、居間、寝室、台所の四室からなる簡素なものだった。ここでの生活は、女性を中心とする家族であり、男性勤労者は山を越えた作業現場の小屋に寝泊まりして働いていたらしい。数日ごとの休日には家族のいる村に戻ってくるのだった。

職人たちは国家事業に勤しむのだから、国から報酬をもらう。現物支給であり、パン作り用のエンマー小麦とビール造り用の大麦が基本であった。そのほかにも、魚、野菜、水、薪なども報酬にふくまれており、ときには、ナツメヤシ、菓子、ビール、衣服なども支給されている。

正妃八人、側室数十人、王子王女は一〇〇人以上

ところで、高齢まで生きたラメセス二世は、正妃だけでも八人、側室は数十人にのぼり、王子王女の数は一〇〇人をはるかに超えたともいう。二〇世紀末のイギリス考古学隊の発掘活動のなかで、ラメセス二世の王子たちの墓が確認されている。九五の墓室が発見され、さらに増加するらしい。名前の明らかな者だけでも五二人の王子がおり、彼らもふくめてラメセス二世の家族のために造成された墓所である。あまりにも家族が多いので、それぞれの墓所の建造は難しかったせいか、墓所の集合住宅とはいかにも偉大なるファラオにふさわしい豪勢な話である。

それにしても、ラメセス二世の建築活動はおびただしい数にのぼる。テーベでは、葬祭殿（ラメセウム）の造営、カルナック神殿の大列柱室の浮き彫り、ルクソール神殿の増築などのほか、ヌビア各地にも神殿を建立し、神々とともに自分を神格化して祀らせている。

なかでも、アブ・シンベル神殿の巨大さはきわだっている。岩山に掘られた岩窟神殿には、高さ約二〇メートルの王の椅座像四体が彫り出されている。その巨像が、アスワン・ハイダムの建設によって湖の下に沈むために、ユネスコの協力で崖上に移築されたことは戦後の大きなニュースであった。

ところで、ラメセス二世の名は現存する建物や彫像などの

アブ・シンベル神殿

遺構のほとんどすべてに刻まれているという。もっとも先人の作製したものに自分の名を刻んだだけの例も少なくない。それほどみずからの名声を歴史に記したがるところには何があるのだろうか。たんなる自己顕示欲というよりも、為政者としての「わが世」への並々ならぬ自負心があったのではないだろうか。底流にある古代という時代のなかで「偉人」であるとはいかなることか、あらためて考えさせる人物である。

ラメセスの治世後半は、さまざまな祝祭に彩られている。偉大なるファラオに敬意を表する祭典は国家財政の大きな負担であった。しかし、彼自身はそれらを心ゆくまで楽しんでいたにちがいない。九二歳で世を去ったとき、ミイラ上の顔の表情は威厳と誇りに満たされていたかのようである。

「海の民」の襲撃を撃退

ラメセス二世はあまりにも長寿であった。そのせいか、後継者たる王子たちのなかには早死にする者も多かったという。凡庸(ぼんよう)な支配者がつづき、国力の衰えが目立ってくる。国外にも不穏で不気味な勢力が出没し、エジプトの王権を脅かした。なかでも「海の民」とよばれる海洋遊民が勢いづき、東地中海世界全域を大いに荒らしまわっていた。なにしろ、エジプトと和平条約を結んでいたヒッタイト王国は、五〇年も経たないうちに、この「海の民」の侵入のために滅亡するほどだった。このヒッタイトの突然の崩壊は前一二世紀初めにおこったが、西アジア地域における諸勢力の安定はくつがえされてしまった。

このように国際情勢が深刻になれば、もはやエジプト側も安穏としていられなかった。ラメセス二世の死後、新たに第二〇王朝がおこっていたが、そのなかからラメセス三世が登場する。父親は軍隊を率いる将軍だったが、おそらく混迷期に王位に担ぎだされたのかもしれない。ことによると、ラメセス三世は偉大なる二世の曽孫だったかもしれないともいう。

ラメセス二世のラメセウムと同じように、ラメセス三世も「アメンの領土にて永遠と合体したラメセス王の数百万年の館」と公告される壮麗な葬祭殿を建造している。隣接して王宮があり、要塞化された周壁で囲まれていた。

しかしながら、国外に目を向けると、北方あるいは東西の諸勢力は混迷を深めていた。安んじない異国の支配者も亡命者も、ナイルの恵みにあずかる伝説のごときエジプトの豊かな国富を貪欲な目つきでながめていた。それでも、治世当初はまず穏やかであった。だが、五年ほど経つと、国外の不穏な動きが目立ってくる。

なかでも、「海の民」の襲撃は、エジプトにとっても大いなる脅威であった。彼らの詳細は不明であるが、エーゲ海周辺やアナトリア西方辺りから来た人々だったらしい。ヒッタイトやシリアを荒らし、南下して海陸両面からエジプトに来襲した。女子供を乗せた荷車もともなっていたので、移住のための民族移動であったにちがいない。

ラメセス三世は迫りくる敵にそなえて国境の要塞に伝令を派遣する。敵を食い止め、エジプト軍主力の到着まで持ちこたえるように命じたのである。両軍は国境で激突し、壮絶な戦いになり、数多くの犠牲者が出たという。エジプト軍は海岸に並んで矢を放つ弓兵に援護され、外海で交戦したという。大規模な遭遇戦が重なり、やがてエジプト軍の勝利で終幕をむかえた。敗北した敵の惨状について碑文は語っている。

海上を一緒に進出してきた者ども、河口では彼らの前に炎が満ち、海岸では長槍の防御柵が彼らを取り囲んだ。浜に引きずり込まれ、押し倒され、平伏させられ、そして殺され、真っ逆さまにされて山と積み上げられた。（藤井信之訳）

これらの戦いの有り様はラメセス三世の葬祭殿壁面に図像と碑文で刻まれている。なによりも、エジプトは東地中海一帯で恐れられていた「海の民」の侵略を撃退して、その覇権を守ったのだ。それはエジプト人の自信と誇りとなったかもしれない。だが、不安をかきたてる動きも生まれる。これらの「海の民」の流れをくむ移住者たちのなかには、シリア・パレスティナ沿岸部に定住する集団もおり、それにとどまらずナイル河谷（かこく）にまで入りこむ人々もいた。また、混乱のなかで、エジプトから離反する地域も少なくなかった。もはや、これらの東地中海沿岸地域一帯が大規模な地殻変動をおこし、とどまるところがなかったのだ。

新王国の終焉

ラメセス三世はしばしば所領地をさまざまな神殿に譲渡しており、後継者たちもそれにならいがちだった。しかしながら、これらの寄進がつづけば、ファラオ行政組織は財政的に弱くなるのは当然だった。とりわけ傭兵（ようへい）に充分な報酬を与える余裕がなくなるのは目に見えていた。

こうして、前一二世紀後半から前一一世紀前半にかけて、ファラオ国家は財政的困難をかかえ政治的危機がつづいたという。エジプトの領土は外敵に脅かされ、北方と南方の属州が放棄されて、ますます縮小していくしかなかった。西方からはリビア人もナイル河谷に入りこみ、ほとんど抵抗されることもなく、植民地を築くことができたらしい。

国家行政では賄賂（わいろ）や横領がはびこるようになり、社会生活は劣悪化するだけだった。もはやファラオ国家は事態を改善する手段を欠いていたのかもしれない。国家の農耕地は縮小し、諸神殿の所領地が増えて、豊かになる。とりわけ、カルナックのアメン神殿は巨大な富をかかえ、祭司権力は政治を動かすほどだった。ファラオの即位や退位をも左右し、軍隊をも従属させていく。もはやエジプトの支配者はアメン神であり、祭司団の首長は軍事指導者であり国家元首でもあったのだ。

一時期、異国のファラオ簒奪者が出たとはいえ、ほどなく土着のエジプト人王朝が復活した。だが、ラメセスという同名の王がつづいたというだけだった。もはやアジアをふくむような「帝国」を維持することはできなかった。かくして前一一世紀半ばまでに新王国時代はあえなく末路をむかえたのである。

エジプトは、四方を海と砂漠に囲まれた孤立しやすい地政学的位置にあった。陸上や海上における交流や交易の手段もまだ稚拙な時代であったから、メソポタミアをはじめとする周辺地域とのふれあいも、きわめて限られたものだった。だからこそ、個性的で独自な文化や宗教がめばえる素地があったといえる。その独創性の高いエジプト文明であるからこそ、それが、後世のギリシア人やローマ人の世界にも権力誇示と大建築に見られるように大きな影響をもたらすことになるのである。

第三章

両翼の狭間で

フェニキア人の海運を描いた浮き彫り。ルーヴル美術館蔵

1　シリア・パレスティナの馬と群雄

弱小勢力の興亡

茫漠(ぼうばく)とした自然のなかで時を刻むのは、なによりも日の出と日没ではないだろうか。西アジア一帯はオリエントともよばれるが、ラテン語の「陽が昇る」の意をもつ地域にあたる。まず、文明生誕地としてのメソポタミアとエジプトがあり、その周辺にはさまざまな部族民がたむろしていた。「アムル」とはアッカド語でメソポタミアの「西方」の意であり、いわゆるシリア地方の通称である。この地域には西セム語系部族民が移住や侵入をくりかえしてきたが、彼らは一般にアムル人とよばれていた。旧約聖書ではアモリ人(「民数記」一三・二九)と記され、山地に住む人々だったという。

アムル人は西アジアに早くから姿を見せていたが、前二千年紀初め頃に彼らの活動は絶頂期をむかえている。各地に族長の率いる小王国がひしめき、それらのなかからバビロン第一王朝が勢いづく。やがてハンムラビ王の君臨する古バビロニア王国が成立したことはあまりにも名高い。

もともとシリア砂漠やアラビア砂漠を故地としていたらしい。やがて、ユーフラテス河流域に都市が発展すると、アムル人はまるで吸い寄せられるかのように惹(ひ)きつけられ、侵入したり、潜入したりしていた。半遊牧生活と定住農耕をくりかえし、灌漑(かんがい)農耕文明の都市社会に溶けこんでいく。最初は居心地の悪い都市の共存生活であったが、数世代を経るうちに差別もされなくなり、方言の訛(なま)りぐらいが残っていたにすぎない。

前一六〇〇年前後にあって、メソポタミアの王都バビロンとエジプトの王都メンフィスが相ついで落城した。それぞれ別の勢力によって攻略されたのだが、その背景には共通する力が働いていた。なによりもオリエントの北方には人種としてまったく新しい一団が出現しており、歴史の舞台に脇役ではすまない姿で登場していたのだ。

彼らは非セム語系の人々であり、とりわけ印欧語系とおぼしき人々を中核とする諸民族が活発になりつつあった。それらは、ヒッタイト、カッシート、フリ、ミタンニなどとよばれる諸勢力であった。地中海沿岸地域に住むアムル人の小国家群も、これら一連の諸勢力がひきおこした変動に反応している。彼らはさまざまな方角に向かい、これまでと異なり南西方にあるエジプトに目を向ける勢力も現れる。それらのなかには下エジプトのデルタ東部に進出する人々もいた。やがて特権を得る場合もあり、支配者にのし上がる者も出てくる。

これらの支配勢力がヒクソスとよばれる「外来の支配者」であり、第一五王朝を樹立している。このヒクソスの出自をたどれば、その大半がアムル人であったらしい。初めは、シリア北部から傭兵としてエジプトに連れて来られたりしたが、やがてシリア・パレスティナ地域から移住してきた人々も目立つようになった。

前一五世紀半ばに、エジプトのトトメス三世はシリア・パレスティナの経営体制を築き、三つの属州を設けた。その北部はアムル州とよばれ、エジプト人長官が派遣されている。だが、前一四世紀中頃には域内のアムル人の豪族が勢いづいて領土を拡大し、アムル全域を征服した。このアムル王国も強国となったヒッタイトに服属せざるをえず、その後、前一二世紀初めまで、ほぼ忠実な属国として存続したらしい。

ところで、前二千年紀後半の西アジアには、かつての古バビロニア王国や後のアッシリア帝国のような強大な国家はおこっていない。メソポタミア南部のバビロニアにはカッシート王朝とそれにつづくイシン第二王朝が現れ、北部のアッシリアでは王都アッシュルを中心とするアッシリア王国が国力をたくわえ、その西部ではミタンニ王国が勢威をふるっていた。

さらに西方には、小アジア（アナトリア）を拠点とするヒッタイト王国が隣接地域を脅かしていた。また、はるか南西にはエジプト（新王国）がひかえており、シリア・パレスティナの宗主国たらんと狙いすましていた。ヒッタイト王国とエジプト王国の狭間では、地中海沿岸部にあるシリア・パレスティナの小国家群が独自の道を探っていた。つまるところ、これらの国々や勢力が興亡したり盛衰したり、それをくり返した混迷の時代であった。

前一六世紀初め、バビロン第一王朝は、かのハンムラビ王から数えて六代目の王の時代に、ヒッタイト王国の攻撃で潰え去った。だが、ヒッタイトは、バビロン征服のしるしに主神マルドゥクと配偶女神の像を奪い去っただけで、すぐに撤退したという。守護神たる主神像を持ち去ることは、なによりも戦勝の証となるのだった。

新ヒッタイト王国の誕生

古ヒッタイト王国の末期には王位争奪がくりかえされて混迷を深めていた。一時的に収拾されることもあったが、フリ人のミタンニ王国など近隣勢力と交戦したりして、国力がすっかり衰えてしまったらしい。

前一五世紀後半、ヒッタイト王国は大きな転機をむかえる。このころからフリ人の文化の影響が大きくなってきたらしい。王や王妃の名前にフリ語名が用いられるようになり、フリ人系の王朝に替わったとも言われている。

前一四世紀後半、覇権がゆらいだ混迷期を脱して王権が確立し、新ヒッタイト王国が誕生する。やがて、王権が安定して強大になり、絶頂期をむかえている。このころ、新王国エジプトの王ツタンカアメンが早世し、ほどなく王妃はヒッタイト王に書簡を届け、新しい婿（むこ）を懇請してきた。

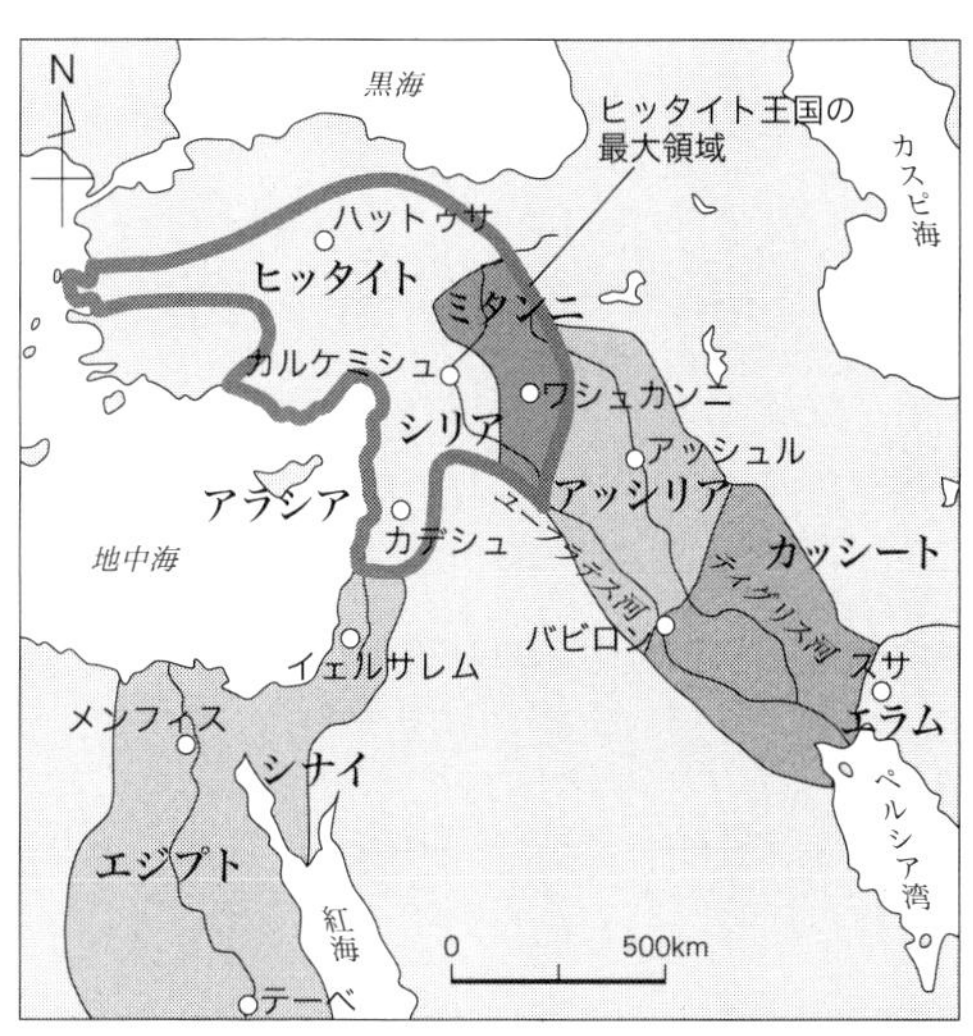

紀元前15世紀のオリエント世界。本村・高山『地中海世界の歴史』より作成

我が夫は亡くなりました。私には息子がおりません。決して我が家臣を夫にすることはありません。私は他のどの国にも書き送っていません。あなたのもとにのみ書き送りました。あなたにはたくさんの息子がいるそうです。その一人を私に与えてください。その者は私にとって夫であり、また

エジプトの王でもあります。（大城光正訳）

情け深かったというヒッタイト王は王妃の申し出を受け入れ、王子の一人をエジプトに派遣している。ここには強国にのし上がったヒッタイト王国の勢威が誇示されているかのようである。敵対していながらも、友好や婚姻を使いこなせば強大な国家体制を築きあげ、国際世界のなかで国威を示すことすらできるのだ。

だが、現実は望みどおりにやって来るわけではなかった。不運にも、このヒッタイト王子は途上で暗殺され、エジプトの土を踏むことはなかったらしい。おそらく、異国の王子がエジプトのファラオになるかもしれない、と怖れるエジプト人が数多（あまた）いたにちがいないのだ。

ヒッタイトの遺跡はあまり残存していないが、彼らは鉄器と馬にひかれた戦車を武力として覇権を立て拡大したことで名高い。だが、戦車を馬にひかせる機動戦術がヒッタイト人によって始められたわけではない。すぐれた軍事技術であったので、オリエントの各地で機動戦術が開発されたにちがいない。とはいえ、カフカス山脈南斜面の高地を占拠していた印欧語系のフリ人がこの戦術の創始者であったという。

バビロニアとカッシート人

ヒッタイト撤退後でも、バビロニアの地域では弱小勢力が細々と生き残っていたが、暗黒時代の空白期が一〇〇年つづいた。その間にカッシートとよばれる勢力が居住するようになり、覇権を築きつつあった。

カッシートの故地はザクロス山脈ともいうが定かではなく、その言語もほとんど不明だという。印欧語の人々とふれあう機会はあったようだが、その系統ではないらしい。だが、前一六世紀から、五〇〇年以上もの期間栄枯盛衰をしながらバビロニアを支配することになり、同地域に興亡した王朝のどれよりも長期間にわたって存続しているのだ。

カッシートは、居住規模を小さくして拡散し、騎馬隊や戦車隊を備えた独自な軍事組織によって防衛に努めている。これらの部隊を担う将校たちには貢租を免除するほどであり、さながら中世ヨーロッパの封建制に類似したところがあったという。

カッシート王朝の遺跡。クリガルズ１世のジッグラト

ほどなくカッシート王朝のバビロニア統治は西南アジアにおける主要な有力国家として認められるようになった。このころ覇権をにぎっていたエジプト、アッシリア、ヒッタイト王国などと高価な物品を贈り合ったり、王族の間で婚姻関係を結んだりしながら、カッシートも王権の強化に努めたのである。

エジプト出土の「アマルナ文書」によれば、カッシート支配下のバビロニアからラピスラズリ、馬、戦車、織物などが贈られ、エジプトから多量の金が得られたという。青金石あるいは瑠璃ともよばれるラピスラズリは東方のアフガニスタンを原産地としていたので、それを西方に中継し、エーゲ海諸島とも交渉するほどであり、バビロニアは国際交易の中心地となっていた。

バビロニアの宗教はカッシート王朝下にも継承され、古来の神々の神殿が建立されたり、再建されたりしている。また文芸活動を奨励したので、国際共通語となったアッカド語とともに、バビロニアの文学が中東全域に伝わるようになる。こうして、バビロニア周辺の地域では、こぞってバビロニアの多種多彩な文化遺産を採り入れ、模倣するようになったのである。

バビロニアは強国アッシリアとも接していたので、長い間、国境地域の争奪をくりかえしていた。だが、大きな戦いになることはなく、カッシート王朝にとって、アッシリアは潜在する脅威であり、姻戚関係などを通じて陰に陽に王朝内の勢力争いに介入するところもあったという。

しかし、前一二世紀になると、古くからイラン高原西南部に覇を唱えてメソポタミアに対抗していたエラムが強大となり、バビロニアを脅かした。エラム語は今なお言語系統が不明であり、エラムはその点で謎の民でもある。

同世紀半ばには、エラムは閃光(せんこう)のごとくバビロニアに侵攻し、相ついで諸都市を征服してしまう。カッシート王朝最後の王は、バビロンの主神マルドゥクの神像とともに、エラムに連れ去られる。それとともに「ハンムラビ法典」碑をふくむ多数の記念碑もまた戦利品として持ち去られた。今日、ルーヴル美術館で法典碑を拝観できるのも、不気味な敵国エラムが持ち帰って保管したせいだと言えば、これもまた歴史の皮肉になるかもしれない。

主神像を奪い返したネブカドネツァル一世

あえなくカッシート王朝が滅亡した後、統率者を失ったバビロニアは混迷のただ中にあった。しばらくはエラム勢力が影響力をもっていたらしい。やがて、かつての覇権都市イシンを拠点とする勢力が王朝（イシン第二王朝）をおこし、後には王都をバビロンに移して、一一代の王が百数十年にわたって支配したという。

だが、先行するカッシート王朝との社会的・文化的断絶はほとんど見られない。とりわけカッシート人がひきつづき新王朝の要職にとどまったので、新旧の王朝を合わせて、しばしばカッシート時代とよんでいる。

ふりかえれば、バビロンの主神マルドゥクはたびたび侵入した敵国の手で持ち去られている。最初の略奪は、前一六世紀初め、バビロン第一王朝がヒッタイトに滅ぼされたときだった。第二の略奪は、前一二二〇年、バビロニア王がアッシリアによって戦争捕虜とされたときだった。幸いにも、いずれも奪われた神像はバビロンにもどって来た。

カッシート王朝のクドゥル。土地の贈与を証明する公文書で、高さ65cmの石灰石。ルーヴル美術館蔵

第三のものが、エラムによるカッシート王朝倒壊のときである。マルドゥ

クの不在はバビロニアに荒廃をもたらすのだから、マルドゥクみずから「予言」せざるをえなかった。

…… 私は偉大なる主にして運命と決定の主、マルドゥクである。……
新たなバビロンの王が現れ、すばらしい神殿エクル・サギラを修復する。彼はエクル・サギラ内に天と地の図面を描き、その高さを二倍にする。彼は我が町バビロンに対し解放令を発布する。彼は我が手を取って、私を我が町バビロンとエクル・サギラへと永遠に入れる。
私ならびに全ての神は彼と和解する。彼はエラムを粉砕し、その町々を粉砕し、その要塞を取り除く。……（山田雅道訳）

マルドゥクは、「未来の王がエラムを排撃し、自分をバビロンに連れもどし、秩序と繁栄を回復する」と語っている。この予言はネブカドネツァル一世によって成就する。もちろん事後予言であり、前七世紀の粘土板写本として残っているにすぎない。同王がエラムを撃退し、マルドゥク神像を奪還したことを讃えるために創作されたのだ。

じっさい、前一二世紀後期のバビロニアにあって、ネブカドネツァル一世は傑出した人物であり、勇名をとどろかせている。なにはともあれ、戦車隊を率いてエラムに侵攻したのだ。戦場で巻き上がった砂埃は真夏の太陽を曇らすほどだったという。激戦の末に圧勝し、仇敵エラムの脅威はぬぐい去られた。誰もが望んでいたように、主神像を奪い返し、バビロンにおけるマルドゥク祭祀を復興する。

こうして勇敢にして敬虔なバビロニアの英雄が登場する。その勇姿は「ネブカドネツァル一世叙事詩」のなかで後世まで讃えられている。残念ながら、この英雄物語は前半の二〇行が残るにすぎない。

さらに、ネブカドネツァルは北方の仇敵アッシリアにも遠征したが、局地的な抗争にとどまったらしい。また、西方のアムル人の地にも侵攻し、「アムル人の征服者」と自讃するほどだったが、詳しいことは不明である。

彼みずからは「敬虔なる国王」を志し、神殿の改修や宝物寄進を心がけていたという。この意味でも、偉大なるハンムラビ王と並んで、「国家の太陽」あるいは「民衆の牧者」とよんでもいいバビロニア王であり、その数少ない英傑であったのだ。

フリ人とミタンニ王国

すでに前三千年紀末の北メソポタミアには、フリ語を話す人々がいた。言語系統は不明だが、後にアルメニア高地におこったウラルトゥ王国（前一千年紀前半）の言語と似ているという。

シリア周辺にはフリ人の住む都市が散在しており、多種多様な文書が出土している。ある文書の示唆するところでは、相続される農耕地の多くには王への軍役・賦役(ふえき)義務が課せられ、一種の「封建制」のようなものがあったらしい。また、別の地域の文書からは、地域共同体があり、長老会などを中心とする自治組織の存在がわかるという。さらに、ある都市では、奴隷を除き、少なくとも四つの社会層が区別されていた。城壁の外には「賤民」層が居住し、城壁内には、「貧民」層、「自由民」層、「戦士」層が住んでいたという。フリ語で社会層名が記されており、フリ人の社会の一面を見ることができる。

フリ人はメソポタミアではスバルトゥ（スビル）ともよばれており、北メソポタミアとその周辺山地を指しているという。もともとフリ人の祖先がその地に住んでいたのだろうが、やがてフリ人の部族のなかからミタンニ王国を形成する勢力が出て強大になるのだった。これらのことから、前二千年紀後半には、この地域にフリ語を話す人々の諸部族が住み、一様にはくくれない社会生活をおくっていたことが思い描かれるだろう。

非セム語系のフリ人は、前三千年紀末から歴史の背景に姿をみせるが、やがて北メソポタミアやシリア北部にも進出したらしい。フリ人の勢力がもっとも目立つのは、前一六世紀末から前一三世紀末までつづいたミタンニ王国においてであろう。

このミタンニ王国は、かつて印欧語系の人々が支配階層をなし、その下にフリ人などがいたと考えられていた。だが、昨今は、ほぼまちがいなくフリ人の国家であったと見なされている。

このミタンニもヒッタイトと並んで馬にひかせる戦車を駆使する能力に優れていたという。じっさい、ミタンニ王国の人物による馬に関する文書が残されており、そのなかで馬の調教法、馬の手入れの仕方、飼料や水の与え方などについて、詳細に語られている。

ふりかえれば、二〇世紀初頭まで、馬は交通手段としても軍事力としても多種多様に活用されてきた。これらの馬を最初に使いこなした勢力は、ヒッタイトやミタンニであっただろう。彼らは馬をあつかうことにおいて、抜きん出ていたのだ。

なかでも馬にひかれた戦車は最初に開発された複雑な武力であっただろう。その戦車が歴史の舞台に登場してきたことは、世界史を考えるとき、ことさら重要な出来事であった。

戦車が歴史の流れを加速

誰も見たことがない馬にひかれた戦車が戦場の舞台に登場する。そのときの敵側の衝撃は想像を絶するものであった。そのような戦車を操る武人は特別の技術を身につけていたはずだ。彼らを養成するために、どれほどの時間と費用を要しただろうか。

さらに、これらの戦車武人は軍団の先陣を切る人々であり、誇り高く勇敢な人物としてどんなにか期待されただろうか。いわば、これらの戦車武人たちは、大国を築くうえで指導的立場にある人々であっただろう。自分たちの国家が勢いづくことを誰よりも念じていたのではないだろうか。その意味では、「大国主義」の精神とでもいえる高邁な意識をもっていたにちがいない。これらの武人たちの登場とともに、オリエント世界には、今までにない大きな激動の時代が訪れることになった。

これらの諸勢力が乱立し、まさしく群雄割拠の状況だった。前二千年紀半ば以降のオリエント世界の歴史は、ほとんど概略すら描けないほど混乱していた。だが、逆にいうと、それまで緩慢に流れていた歴史が、ここで一気に加速され、急速に流れることになる。それには、なによりも、馬にひかれた戦車が登場したことが目につく。それによって遠隔地に早く移動できるようになったし、戦争の規模が大きくなっただろう。と同時に、それは破壊的で無秩序な事態をもたらすことにもなった。

そうとはいえ、馬と戦車をことさら重視するのは慎むべきだろう。印欧語系の別称アーリア人を強調したナチス・ドイツの議論に肩入れしているかのような趣もなきにしもあらず。だが、馬と戦車が戦争の舞台を大きくかきまわすようになったことは否定できないだろう。

ともあれ、このような混迷の数百年のなかで、大きな覇権をもっていたヒッタイト、ミタンニ、カッシートなどの勢力が国力を弱めつつあり、諸々の王国が乱立し錯綜していた。その有り様は、前二千年紀前半における諸勢力の乱立よりも、さらに拍車がかかったところがある。もはや歴史のあらすじを描くことすら容易ではないと言ってもいいほどであった。

そのようななかから、すでに北メソポタミアの一都市として姿を現していたアッシリアが、諸々の覇権国に対抗しながら、徐々に勢いづいていく。前一三世紀後期には、ヒッタイト人を国内に強制移住させたり、北方の山岳地方を越えて遠征したり、南方のバビロニアにも侵攻したりして、それまで以上の広大な領域に覇を唱えている。

だが、前一二世紀になると、国内が安定せず、長期にわたる停滞と混迷の時代がつづく。前一一〇〇年頃には新都ニネヴェが建設されたが、数度におよぶ大飢饉に襲われ、異民族の流入も重なり、国土の回復に苦しんだという。

とはいえ、前一千年紀が訪れると、アッシリアに復興の兆しが現れ、やがて史上初の「世界帝国」として大いなる勢力を誇ることになるのだ。

2　ヘブライ人の登場

オリエントは、大きくいうと二種類の地形に分けることができる。

ひとつは、メソポタミアとエジプトであり、古くから「肥沃な三日月地帯」とよばれる地域の両翼をなしている。それらの中央を大河が流れ、そのまわりの流域平野に恵まれた地域である。大河周辺の地域は洪水になるにしても、降雨量がきわめて少ない西アジアにあって、沃土に恵まれている。その豊かさのために早くから高度な一次文明がおのずから誕生している。

それに比べて、大河地域の両翼にはさまれた地域はシリアとよばれるが、古代のシリアは現在よりも広い範囲におよんでいる。西アジアの乾燥した地域のなかで、大河にも流域平野にも恵まれない地域である。そこでは、一次文明が生まれにくく、むしろ高度な一次文明が発生した周辺にあって、その余波をあびながら成立する二次文明の地域と言えよう。

カナン人の小都市国家（部族国家）群

古代のシリアを中心とする地域には、カナン人とよばれる人々が住んでいた。彼らは小さな都市国家をなしていたが、それはむしろ部族国家とよぶのがふさわしいものだった。そのような小さな都市国家が数多く群立していた。

旧約聖書「出エジプト記」には、エジプトに捕らわれ奴隷になっていたヘブライの民（ユダヤ人）がモーセに率いられて自分たちの安住の地を見出そうとする苦難の旅が描かれている。その安住の「約束の地」がカナンであった。そもそも、アッカド語で染料を指す「キナッフ」という言葉から、カナンという地名は生まれたという。現在のレバノンからパレスティナ南部までの地域の古代名ともいえるが、古代にあっても前二千年紀から前一千年紀前半くらいまでしか使われない地名だったらしい。そこにはどのような人々が住んでいたのだろうか。

前三千年紀後半には、すでにシュメールとアッカドが混ざり合う都市文明がメソポタミアの周辺地域にも広がっていた。その西部の末端にあたるのがカナンとよばれる地域である。もともと非セム語系の先住民がいたらしい。

前二千年紀になると、そこに西セム語系の人々も定住するようになり、また砂漠の遊牧民アムル人（アモリ人）も侵入してきた。セム語系の人々のなかにはバビロニアなどの都市文明になじめる人々がおり、アムル人のなかには部族集団としてまとまりながら小さな王国を築くものもあった。だが、そもそも遊牧民であるから、定住の地にとどまらない者も少なくなかった。必ずしも都市文明に溶けこめずに生活する人々もおり、彼らは山間地に小規模な集落を形成するのだった。

さらにまた、北方からは、馬をあつかう人々、とくに印欧語系の人々が南下し、この地域に定住する。彼らは、ヒッタイトやミタンニなどの流れをくんでいたらしい。やはり北方から移住したフリ人は、印欧語系にもセム語系にも属さない人々であった。

このように、シュメール・アッカド時代以後にやってきた人々の波は、いわば人種の坩堝（るつぼ）のごときであった。それぞれの都市の民族系統は流動してまちまちであり、小規模の都市国家が群立していたのである。カルケミシュ、アレッポ、エマル、ウガリト、カデシュなどが主要な都市であった。

乾燥した地域のために水源地が求められ、また、家畜の遊牧のために牧草地が必要とされた。水源地や牧草地をめぐって、諸勢力や都市国家の間の抗争がくりかえされるのであった。地域によっては肥沃な土地もあり、それらの農耕から主な生活の糧を得ていたらしい。このために、自然の豊穣を祈り、家畜の多産を願う性的祭儀がさかんであった。また、旧約聖書によれば、カナン人は海上交易にまで進出し、商才にたけていたせいで、「商人」の代名詞になるほどだったともいう。

しかしながら、旱魃や飢饉のときには、彼らは定住地にとどまることができず、転々と流浪することになる。都市国家の形にまとまることもできずにさまようか、あるいは都市国家を離脱して遊牧民にもどる人々もいた。人々が集住する場合にも、都市国家規模になるものもあったが、その規模にいたらない部族国家のままのものもあった。そのような小さな都市国家あるいは部族国家が、カナンの地に数多く出現していた。

ヒクソスという外来の支配者

この茫漠として人種の坩堝のような時代を特徴づけるのがヒクソスとよばれる勢力である。東方からエジプトに侵入した異民族をエジプト人は「ヒクソス」とよんだが、それは異民族をひとまとめにした総称であった。侵略されたエジプト人からすれば、これらは「外来の支配者」であったのだ。

ヒクソスは、セム語系の人々、アーリア人（印欧語系の人々の総称としても使われるが、ここではイランからインドにかけて住んでいた東方の印欧語系の人々を指す）、さらにはフリ人（印欧語系でもセム語系でもない人々）などからなり、いわば混成集団の典型とも言ってよかった。

ヒクソスは、馬にひかれた戦車を駆使しながら、とくにナイル河下流のデルタ地帯に勢力を伸ばした外来の敵であった。エジプト史においては、第一五・一六王朝の時期（前一七〜前一六世紀）に、征服者として君臨したのである。外来の「アジアによって税を搾り取られてしまうので、誰も安閑としていられない」のだ。

だが、よそ者の支配にいつまでも甘んじていたわけではなく、上エジプトを拠点とする第一七王朝の勢力がおこる。この新興勢力は、下エジプトにおけるヒクソスの覇権を耐えがたきものとして、毅然として立ち上がる。やがてよそ者を斥けて脅威を払拭し、エジプト人自身の手で上エジプトと下エジプトをまとめあげる勢力になった。それが第一八王朝であり、そこから新王国とよばれる時代が訪れるのだ。

底辺の集団ハビル（アピル）

カナンにはハビルあるいはアピルとよばれる人々もいた。前二千年紀には、オリエントの各地の文書のなかに、このハビルについて記した文書が数多く残っている。彼らは、人種というよりも、一つの社会階層あるいは身分、似かよった境遇にある人々であったとする見方がある。人種や民族のような共通点をもつのではなく、揺れ動く社会経済の動向のなかで生じた格差がもたらしたとした方がわかりやすい。彼らは移住者、寄留者、逃亡奴隷、被保護民など、同じような境遇下にある人々であった。いわば、歴史のなかで形をなした底辺ないし周縁をさまよう局外者の集団であったのだ。

ハビルは、しばしばエジプト（ここではアピルとよばれる）において言及されるが、必ずしもエジプトにかぎられるわけではなく、オリエント各地で出現している。さまざまな文書でたびたび記されるが、傭兵として集団でとりあげられることもある。傭兵のリストが残っており、南メソポタミア出土の人名表ではアッカド語の人名が大半であるが、北シリア出土の碑文ではフリ語の人名がきわめて多いという。ここにも人種や民族でくくれそうもないハビル集団の姿がある。

さらに、このような局外者の集団は多彩な名で記され、出自も定かでない人々がいた。前二千年紀半ばからの楔形文書には、ハバトゥやフプシュとよばれる社会集団も登場する。ハバトゥは軍事活動にたずさわっており、国家を脅かす武装集団であったり、国家間抗争に介入する傭兵集団であったりしたらしい。それとともに、国家という枠組みにさまざまな形で滑りこんで関わりをもつ人々であった。フプシュは一種の社会層をなしており、メソポタミア周辺地域に生きる下層民集団であった。彼らは兵卒や職人として社会の底辺部にもぐりこんでいたらしい。

さらにまた、これらの局外者集団のなかでもことさら興味深いのは、「ハビル」という言葉が、「ヘブライ」あるいは「ヘブル」という言葉と音声的に近いことである。そこでヘブライ人の祖先であると考える見解が唱えられ、根強いものがある。

たしかに、旧約聖書のなかでエジプト社会においてヘブライ人がおかれていた境遇とハビルが法的保護を持たない不安定な生活にあった情況とは、類似している。そこから両者を同一と見なすこともうなずけないわけではない。

「服従した人々」を指すヘブライ人

ハビルについてもふれたように、ヘブライ人もカナンの地にいた。『創世記』に登場する箱舟で救われたノアには三人の息子がおり、彼らから出た人々が世界中に広がったという。これら三人の息子の一人であるセムにも子供が生まれ、セムの曽孫にエベルが出てきた。このエベルは最初にあっては個人名であったが、やがてヘブル人あるいはヘブライ人という集団名になったという。それゆえ、セムはエベルのすべての子孫の先祖となる。

しかしながら、ヘブライ人という呼び名にはある種の蔑視がこめられていたらしい。この人々を率いる族長ヨセフは、若者のとき、エジプトに売り飛ばされ、獄に下された。家の女主人が「ヘブライ人などをわたしたちの所に連れて来たから、わたしたちはいたずらされる」と訴えたのだ。この女主人は美しい若者だったというヨセフにいく度となく言い寄ったが、ヨセフは耳を貸さなかった。それを恨んだ女主人が濡れ衣を着せたのである。そこで使われた「ヘブライ人」という呼称には侮蔑の匂いがあるようだ。特定の民族のなかで服従した人々あるいは不自由な人々を指していたらしい。

そもそも「創世記」中のヨセフ物語は文芸として仕上げられた伝説である。その底にどれほど核となる古い伝承があったかはほとんどわからないという。外からは「ヘブライ人」とよばれる人々は自分たちのことを「イスラエル人」と称していた。

だが、旧約聖書のなかでも、「ヘブライ人」はしばしば登場している。そこではもっぱら非イスラエル人との関係で用いられている。このとき、イスラエル人は外国人の立場で自分たちのことを紹介しようとしているのだ。諸民族あるいは諸部族が入り乱れた複雑な情勢のなかで、自己を見失わずに生存していくための工夫だったのかもしれない。

ところで、このイスラエル人の初期の姿が記されたヒエログリフ碑文がある。すでに前一五世紀の第一八王朝のトトメス三世のころから、シリア・パレスティナの地域は、エジプトの属州として統治下にあったが、支配者の影響力は揺れ動くところがあった。そのため第一九王朝のラメセス二世の息子であるメルエンプハタ王は遠征に乗り出し、その戦勝歌のなかに「イスラエル」の名が登場する。

首長たちはひれ伏して言う「平安を！」
九弓の民（＝エジプトの敵）の一人としてその頭を上げるものはない。
チェヘヌ（＝リビア）は略奪され、ケト（＝ヒッタイト）は平和だ。
カナンはあらゆる悪に囚われている。
アスカロンは征服され、ゲゼルは掌握された。
イェノアム（＝北パレスティナの都市）は消滅した、
イスラエルは荒廃し、種子（＝子孫）は枯れた。
カルウ（＝フリ＝シリア地方のこと）はエジプトのために寡婦となった。
不穏なものが動き回った土地は全て平和になった、（後略）（森際眞知子訳）

この詩文のなかで注目されるのは、イスラエルだけが人を指していて、ほかは土地を示していることだという。定冠詞のような決定詞があり、ほかの固有名詞には土地の決定詞が付されているのに、イスラエルだけが人の決定詞で記されているのだ。
おそらく、前一三世紀末頃に、山地にまばらに住んでいた人々がゆったりと結びつきながらイスラエルの部族連合をなしていく、その初期の姿が映し出されているのだろう。このイスラエルの部族連合とエジプトから脱出してきたイスラエル人という周知の伝承はどのように関わっているのだろうか。「出エジプト記」からも明らかなように、イスラエル人はすでに早い時期からエジプトにも住んでいたという。よそ者として他国で生活するのだから、ますますヘブライ人とよばれたことだろう。彼らが西アジア一帯に散在していた弱小な局外者集団のハビルの一部であったかどうか、その問題はきわめて興味深い。だが、誰もが納得できるような通説はないらしい。

それはともかく、ヘブライの民が指導者モーセのもとに結集し、唯一神ヤハウェを崇拝し、エジプトを脱出し、やがてシナイ山で十戒（じっかい）を授かり、シナイ半島を経てカナンの地に定住する。その経緯が「出エジプト記」のなかで語られている。

このエジプトにおける苦難、そこからの脱出、シナイ荒野での四〇年間の放浪生活などの体験があったからこそ、イスラエル人は民族としての自覚を深めることができたという。いずれの集団であれ、どこに自己の特殊性があるのか、あるいは、どこに独自な同類性（アイデンティティ）があるのか、それを求めるものである。

「出エジプト記」の真実

イスラエル人が民族としての自覚を確かなものにするにあたっては、なによりもエジプトにおける隷属生活とそこから脱出するという苦渋の共通体験があったことは否定できない。古来の歴史の実情がどこまで確証できるかはともかく、イスラエル人という集団が独自な民族としてまとまっていく、その記憶の伝承は彼らの心に刻みこまれたにちがいない。

その統率者モーセをめぐる伝承は、とりわけ「モーセ五書」（旧約聖書の冒頭に置かれた「創世記」以下五つの重要な文書）として知られている。あたかもモーセ自身の手で書かれたかのような感があり、古人はそう信じていたらしい。

しかしながら、現代の研究者は、それは史実とはかけ離れている、と考える。もちろん、その背景には、数多くの説話、伝説、逸話、詩歌などの形で別々に伝えられていたものがあっただろう。やがて、それらは数種類のテーマ群ごとに集められ、物語文書としてまとめられていったという。

それにもかかわらず、最古のイスラエル人とその宗教をめぐっては、とりわけモーセ像の問題として議論は錯綜（さくそう）している。極端な場合は、そもそもモーセの実在を疑う学者もいた。

さらには、モーセなる人物を否定せずとも、モーセは出エジプトの出来事にもシナイ山の出来事にも何ら関わっていないという主張もある。それとともに、最古のイスラエル人はパレスティナにおいて歴史の舞台に登場したのであり、そこにあってモーセなる有能な統率者が活躍したと考えられる。もしかしたら、パレスティナに侵入したという出来事だったのかもしれない。

これに対して、伝承のかなりの部分が前一〇世紀以前にさかのぼることができるという立場がある。そうすれば、細部はともかく、伝承は全体として筋が通っており、何らかの史実があったという見解も根強い。

それとともに、古代地中海世界の各地においては、諸部族が聖所、祭儀、法慣習などを共有しており、それを通じて宗教的部族連合が結ばれていったことが明らかになっている。

パレスティナの地でも、まだ王国という国家の形をとるより前の時代のことだが、中央聖所を核とするイスラエル人の部族連合がおこっていたとしても不思議ではない。その聖所には祭儀用具をおさめたという「契約の箱」が置かれていたらしい。この宗教的部族連合の内では、それぞれの部族が月ごとに輪番制で聖所を管理運営したという。

これらの部族のなかに出エジプトを体験した人々の子孫がいたのはありえないことではないのだ。その古事が祭儀の際に朗誦(ろうしょう)され、やがてイスラエル人の「救済体験」として共有されていったのだろう。そのように推測する学者に従えば、おのずから生まれた宗教的部族連合と出エジプト伝承とは必ずしも食い違っているわけではない。

歴史の舞台に登場した唯一神を崇める人々

このようにして、ヘブライ人あるいはイスラエル人は歴史の舞台に登場する。これらの人々の子孫が、数世紀後に一神教としてのユダヤ教を成立させるのである。

これと関連して思い出すのは、世界史のなかで初めて一神教を唱えたエジプト第一八王朝のアメンヘテプ四世のことである。彼は太陽神アテンを唯一神として崇拝し、自らアクエンアテン（アテン神に有用なるものの意）と改名し、古都テーベから新都アマルナに遷都さえ断行した。だが、その死後、このアマルナの一神教は廃(すた)れてしまったという。

この最初の唯一神信仰の試みが実を結ばなかったことは、もはや通説として広く受け入れられている。しかし、神々を奉(たてまつ)る多神教の世界から唯一神のみを崇める一神教の世界への移行とは、後世の結果からすれば、あまりにも大きな人類史の転換である。そのせいか、この変事を歴史の一時的な出来事として片づけたくない人もいる。おおかたは素人筋の推測だろうが、最近でも、はたして本当にそうだったのかという専門家側の問いかけもある。そのような疑念のなかには、この一神教崇拝者らは強制移住させられ、やがてモーセのような指導者に統率されて、ヘブライ人としてカナンの地に安住の地を求めていったのではないか、と唱える意見すらある。

ところで、カナンの地にヘブライ人の一部がどのようにして入ったにしても、それはあくまでも外来の侵入者になる。そのために、ヘブライ人あるいはイスラエル人はカナンの都市連合とそこにいた先住民と抗争しただろう。なかでも、カナン文化に同化しつつあったペリシテ人とよばれた部族民の戦士団と、長期にわたる戦争をくりかえさざるをえなかったという。

前一一世紀末にさしかかる頃、イスラエル人の部族連合のなかに王が現れている。サウルとよばれる男が「すべての民によって」油を注がれて王位についたという。おそらく諸部族の緩やかな連合体では隣接勢力の攻撃からイスラエルを防衛することができなくなってきたのだろう。

さらに、国土の充実のためにも、王を戴いた周辺諸民族の統治組織の姿は大きな影響をおよぼしていたはずだ。サウル王の支配はそれほど強力なものではなく、そのために国内も不安定になり、やがてサウル王もペリシテ人との戦いで戦死する。このような経緯を見ても、王政という新しい統治組織を採り入れるにあたって、イスラエル人がいかに緊張を強いられたかが浮かび上がってくる。

旧約聖書の伝承によれば、神によって二代目の王に選ばれたのはダヴィデである。すでに羊飼いの少年のころ、ペリシテ人の巨漢ゴリアテと戦い、石を投げつけて撃ち殺したという。ダヴィデは楽才の豊かな琴の演奏者でもあり、人々に愛されていた。このために、サウル王はダヴィデに敵意をいだき、彼を窮地に追いこんだ。しかし、神はサウルを見捨て、ほどなくダヴィデが王位についたという。

戦略思考にたけたダヴィデの統一

そもそもダヴィデ王が誕生するにあたっては、ペリシテ人をはじめとする隣接諸勢力の間の対立抗争が複雑で錯綜しており、史実として確たるものは多くはない。そのせいか、もともとダヴィデは隣接するペリシテ人の首領であって、むしろ寝返りを打ったのではないかと指摘する意見すらある。あるいはまた、ダヴィデ王によって抗争する諸部族がイスラエルという大きな一つの勢力としてまとめあげられたとも考えられている。

やがて彼の率いる軍隊によってイェルサレムを攻略し、そこに都を構え、一二部族がその地に定着するようになった、と聖書は語る。

かつてヘブライ人を率いたモーセは、荒野をさまよいながら、イスラエルの民の創始者となった。今やダヴィデは国力を充実し、それとともにイスラエル独立の気運が高まっていた。その高みに立ったとき、まさしく王政としての国家の創始者となったのだ。

このダヴィデ王が君臨した時代に、イェルサレムの都がイスラエルの政治と宗教の中心になった。それ以前のイェルサレムはカナンの部族民の一部によって占拠されていたにすぎなかったという。

前一〇世紀頃のシリア・パレスティナは、諸勢力が入り乱れ、変転きわまりない時世だった。エジプトの優勢は影をひそめ、ヒッタイトは没落し、アッシリアとバビロニアも国力に勢いがなく、もっぱら自衛に追われるだけだった。イスラエルに隣接する海岸平野のペリシテ人や北方のアラム人などはやっと独立し、新興勢力として形をなしつつあった。

このような時勢のなかで、ダヴィデはユダをはじめとする諸部族をまとめあげ、統一国家を実現する。徴兵軍とともに私兵のごとき傭兵隊を用いて、機動力のある軍事活動を行ったという。幾多の戦いで勝利をおさめ、隣邦諸部族を征服する。このイスラエル国家は空前絶後の規模を誇り、この地域に成立した最初の強国となったのである。

国内にあっては、新しく官僚機構を創設し、イェルサレムを中心とする宗教祭儀を整えている。さらに、王権を確固たるものにするために、自分の宮廷を設け、その勢威を示そうとした。

たしかに、ダヴィデは強烈な個性をもっており、カリスマ資質に恵まれた指導者であった。どこか気ままなところもあり、興奮しやすく気が変わりやすかったという。だが、内政においても外征にあっても、大局的に事態を見ながら、首尾一貫しており、やはり戦略思考にたけた人物であったらしい。自制すべきところは心得ていたのだろう。

ダヴィデ王は詩人としても傑出しており、一五〇編からなるユダヤ人の讃美歌「詩編」のなかでも、後代、その多くが彼の手で書かれたと言われている。

ダヴィデ王の治世はおよそ四〇年間であったが、そのうちでも手を焼いたのは重大なる後継者問題であったという。自分の息

ダヴィデ王の彫像。ローマ、サンタ・マリア・マジョーレ教会蔵

子たちの間を調停することができず、それぞれを後押しする廷臣たちの党派抗争に陥ってしまう。

知恵者ソロモン王の栄華

ダヴィデの息子たちの兄弟のうちで後から生まれたせいか、そもそもソロモンは王位継承権をもっていなかったらしい。しかし、ソロモンの母と養育者はダヴィデ王を説得してソロモンを王に指名させることに成功する。ソロモンは類稀(たぐいまれ)なる才能ある人物であったことからすれば、この指名は当然の結末だったかもしれない。そうとはいえ、ダヴィデ王の死後、ソロモンは敵対派の首領たちを粛清(しゅくせい)する。それはなによりも力が制する時代の宿命であった。

前一〇世紀後半、ソロモン王がイスラエルを率いたとき、王国は絶頂期にあった。考古学上の出土品からも、イスラエルが繁栄し、その文化が開花したことは明らかだという。なにはともあれ、王国を永続的なものにする礎(いしずえ)がなければならなかった。属領支配を安らかに保持しながら、近隣諸国との密接な外交関係を維持することである。

ソロモン王は、古来の大国エジプトを範として、行政機構の備わる官僚国家を打ち立てた。イスラエルは一二の行政区に分けられ、各行政区が宮廷にそれぞれ一ヵ月分の食糧を献上するのだ。軍事面でも戦車の導入によって機動力を高める。そのためには、徴兵軍のみならず常備軍が編制された。それとともに、馬と戦車のために「馬の町」と「戦車の町」が設置され、各地で建築作業が活発になっている。「列王記」によれば、「ソロモンは戦車用の馬の厩舎(きゅうしゃ)四万と騎兵一万二千を持っていた」(「列王記」上、五・六)という。この数字が事実であるなら、ソロモン王は史上最大の馬主ということになる。じっさいは、いささか誇張された数字であろう。しかし、イスラエル支配下の都市メギドの要塞遺跡に残る厩舎跡から、イスラエル人の王国はかなりの数の馬を所有していたことがわかる。厩舎の側廊の柱と柱の間には、石の飼葉桶(かいばおけ)も置いてあるという。もちろん、要塞と倉庫を備えた町が各地に建設されたことは言うまでもない。これらの要塞には常駐の守備隊が置かれるようになった。

なによりも注目されるのは、ダヴィデの町イェルサレムを拡張し、その姿を新たなものにしたことだ。さらに、防衛を強化するために、新しく城壁で囲んでいる。とりわけ後世にあっても印象深いのは、北方に隣接する丘上に神殿と宮殿が建設されたことである。これはヤハウェの神殿であり、そこで奉仕する人々が組織されたという。この神殿は「ソロモン神殿」あるいは「イェルサレム第一神殿」として知られている。

19世紀の画家、ギュスターヴ・ドレが描いた「知者ソロモンの裁き」

このような一連の活動によって、イスラエル王国は繁栄をきわめ、ソロモン王の栄華は後々まで讃えられている。これらの繁栄をもたらした建築工事と装備装飾のためには、並々ならぬ資金が必要であっただろう。ソロモン王の国家財政については、通商が拡大され、仲介貿易から大きな収益があったことが注目されている。そこでは、紅海における産物の積み出しがあり、馬、戦車、胡椒(こしょう)などを入手するエジプトやアラビアの隊商交易もふくまれていた。

さらにソロモン王は華美な生活をおくったり、強制労働を課したり、外国人妻を娶ったりしたことでしばしば非難される。ヤハウェ信仰から脱落する危険があり、そもそも女に弱かったと聖書は咎める。しかしながら、知恵者として並ぶ者がいないとの評判で知られ、後に「ソロモンのように賢い」などという表現ができるほどだった。とりわけ、アラビア半島の南端部にあるシェバの女王が訪問してきたという聖書のエピソードは名高い。彼女は最高の知恵者という名声を聞き、その評判を確かめようとしたのである。

ソロモンのところに来ると、彼女はあらかじめ考えておいたすべての質問を浴びせたが、ソロモンはそのすべてに解答を与えた。王にわからない事、答えられない事は何一つなかった。(「列王記」上、一〇・二―三)

このような記述がどこまで史実かどうかは疑わしいが、ソロモンが並外れた知力の持ち主だったことは確かであろう。

そのような知力と権力による統治をもって、イスラエルは王政国家として確立し、膨大な富をたくわえたという。とりわけ、イェルサレムは政治・宗教の権威として大きな求心力をもつようになった。だが、輝かしいばかりではなく、緊張をはらんだ場面もひそんでいた。なかでも、たび重なる重税と強制労働は人々の反感を買っていたという。ソロモン王が没すると、水面下にあった緊張があらわになる。部族間の対立が深まり、王国は二つの国に分裂する。北の一〇部族からなるイスラエル王国と南の二部族からなるユダ王国が姿を現したのである。しかし、その後の分裂王国の時代に、かつてのソロモン治世の統一王国の権勢と富がよみがえることはなかった。

3　「海の民」とフェニキア人

「海の民」は謎の民か

歴史のなかでは、時としてとらえどころのない茫漠（ぼうばく）とした出来事がおこる。渦中にある当事者が書き残したものなどどこにも見当たらず、周辺の人々の証言もほとんど断片的で曖昧（あいまい）でしかないのだ。

前二千年紀後半も時を経るうちに、そのような混迷を深めると形容するしかない時代が訪れている。とりわけ、前一三世紀末頃から、東地中海沿岸一帯に「海の民」とよばれる人々が姿を現す。彼らは、離合集散しながら東地中海沿岸地方に出没し、故郷を離脱した人々の集団であるという。いずれかの定住民が大挙して故地を出て「海の民」として移動し始めたというのではないらしい。何らかの原因で離合集散をくり返しながら、一つの軍事的な勢力をなす海洋の遊牧民のごとき集団として東地中海沿岸地方に出没したのだ。

「海の民」は総称としての歴史用語であり、古代の文書にはこのような総まとめの言葉があるわけではない。エジプト新王国のラメセス朝時代に刻まれた碑文や図像などにわずかに残されている。彼らはそれぞれの民族あるいは種族の名前でよばれることが多いが、その詳細は不明である。

「海の民」が東地中海に現れた時期に、さまざまな所で「海の民」の影響をこうむったかのような出来事がおこっている。西方のギリシアでは、ミュケナイ王国などに住む人々の社会が崩壊し、クレタ島にあった高度な文明は終末を迎えている。東地中海沿岸のシリア・パレスティナ地域の海岸平野においては、「海の民」らしき人々がペリシテ人勢力として定住するようになる。このペリシテから「パレスティナ」という呼び名も出てくる。

そもそも古代の伝承のなかに「ペリシテ人はカフトル島からやってきた」と語られているが、カフトル島とはクレタ島のことである。ミュケナイ王国に率いられたギリシアの勢力と争った小アジア西岸のトロイアも、前一二世紀に破壊されている。また、小アジアからシリア、メソポタミアにいたる地域に勢力をふるったヒッタイト王国もこの時期に滅亡し、カナン地方の北シリア諸国のなかにあるウガリトなどの都市国家群もこの時期に滅亡している。

このウガリト王国最後の王は父であるキプロス王に悲痛な声で書簡を届けている。

わが父よ、ご覧下さい。敵船が来襲しました。わたしの町々(?)は焼かれました。かれらはわたしの国に危害を加えました。わが父はわたしのすべての軍隊と戦車(?)とがヒッタイトの地に、わたしのすべての艦隊がリュキアの地にあるのをご存知ないでしょうか。……このようにして国は打ち捨てられました。わが父よ、当方に来襲した七隻の船がわたしどもに多大の損害を与えましたことをお知りおき下さい。(並木浩一訳)

ウガリトは、敵を迎撃するために、艦隊のすべてを海外に送り出し、全陸軍をヒッタイト領に派遣していたらしい。そのせいで裸同然の無防備にあったところに七隻の敵船が襲撃してきたのだ。被害は甚大（じんだい）きわまりなく、国を率いる王として狼狽（ろうばい）する姿には生々しいものがある。

これらの「海の民」の諸勢力はどこかの段階ではエジプトに侵入した形跡があり、エジプトのラメセス三世のときにこれが撃退された物語を描くレリーフが残っている。そこには、ペレセト（ペリシテ）人、シェルデン人、デネン人、シェケレシュ人、チェケル人、ウシェシュ人などからなる雑多な集団がデルタ地帯に侵入しようとしたことが記されている。

しかし、エジプトは「海の民」の諸勢力に侵入されることなく、それを食い止めることができたらしい。とはいえ、「海の民」が地中海沿岸の各地を荒らしまわっている情況のなかで、強国エジプトもシリアやパレスティナから撤退せざるをえなくなるのだった。

たしかに、「海の民」は上陸した地域に破壊をもたらす集団であり、兵士団が中心をなしていただろう。だが、そこには女性と子供も連れそっていたのであり、彼らがより安全な避難場所を探し求めていたことは否定できない。

「海の民」の出現と鉄器時代

「海の民」のなかには、地中海を西方に向かった人々もいたという。また、アナトリア高原に入ってフリュギア人などの先住民と合併してしまった人々もいる。

陸上の遊牧民さながら、さまざまな地域から集まった集団が一つの海洋勢力をなしつつ、それまで勢威のあった王国や都市国家を攻略し破壊してしまうのだった。このような激動する歴史の背後には、さまざまな原因が絡みあっていたことが想像できるのではないだろうか。

一つの大きな原因として、しばしば気候変動があげられる。不順な気候が長い間にわたってつづけば、人々の群れはより平穏な地域に移住するようになる。また別の原因としては、乾燥した気候がつづけば、旱魃（かんばつ）のために穀物が栽培できず、飢饉（ききん）になる。人々の群れは少しでも穀物の豊穣な地域をめざすことになるだろう。さらに人為的な原因としては、政治の混迷あるいは戦乱がある。そのような混乱が絶えなければ、生活物資の確保がおぼつかなくなり、人々の群れはそこから離れていくにちがいない。

これらの自然災害や社会不安とともに、青銅器時代から鉄器時代への移行期にあったことも注目される。その時代の転換期にあって、地中海地域でおこっていた諸民族の大移動があげられる。「海の民」が出現した時期には、ヒッタイトがほぼ独占していた製鉄技術が、広い地域で使われるようになったという。ヒッタイトの滅亡によって独占状態から解き放たれ、鉄器時代の幕が開いたのである。

しかし、「鉄器時代」とは歴史区分の大項目であるから、一口では片づけられない問題がある。そもそもヒッタイトが製鉄技術を独占していたかどうか、そのことすらも疑われており、それをめぐって諸説があるくらいなのだ。

ヒッタイトが滅亡して「海の民」が地中海の各地に製鉄技術をもたらしたと考える学者もいれば、もっと以前から製鉄技術の秘訣は知られていたと唱える学者もいる。さらに、仮にヒッタイトがいち早く製鉄技術を開発したとしても、それによって武器を作製することに広く活用することはなかったと指摘する研究者もいる。少なくとも昨今の発掘調査や合金分析などの示唆するところであるらしい。

別の考え方では、ひどい混乱が長くつづいたために、青銅の原料である錫(すず)が供給不足になり、それに代わるものとして鉄器の需要が高まったという。それと同時に製鉄技術が改良されて、良い鉄器を作ることができるようになったと考える学者もいる。いずれにしても、ヒッタイトが滅亡し、「海の民」が出現した時期に、西アジアにおける鉄器時代が始まっている。

しかし、鉄器は先進文明地域よりも、むしろしばしば、その周辺地域で試され、使われたとも指摘されている。前一〇世紀には、イランの西部からギリシアにいたる地域、いわば大文明の周辺部で使われた形跡がある。後の前九世紀にはメソポタミアでも使われるようになり、エジプトでは、もっとも遅れて前七世紀に鉄器の使用が広く行われるようになったという。

「海の民」を撃退するエジプト軍のレリーフ。Paul Collins, *From Egypt to Babylon,* The British Museum Press, 2008より

前一〇〇〇年を過ぎた頃のエジプトにあっては、新王国時代の栄華が翳(かげ)りだし、かつての勢力を盛り返すことができなかった。その理由の一つに、エジプトには鉄資源が不足していたことが取り沙汰

される。そのために全体としてはかつての国力を失っていくしかなかったという。

このようにして見ると、前二千年紀末におこった混乱の渦中に「海の民」があったように見える。だが、それらをすべて「海の民」に結びつけることができるのだろうか。あまりにも「海の民」の影響力を高く評価しすぎているのではないかという意見もある。

それにしても、たしかに、「海の民」が出現した時期に、さまざまな文明や国家が消滅している。このような出来事が広く東地中海全域に見られ、強烈な印象を与えていることは否めない。

東地中海沿岸のカナン地方――フェニキア人の出現

すでに述べたように、前一二〇〇年頃を境にして、東地中海沿岸地域のカナンとよばれる地は、ますます混乱の度合いを深めていく。ヒッタイトやエジプトのような大国の覇権にもほころびが見えはじめていた。それに加えて、シリア砂漠の隊商民である西セム語系のアラム人が侵入し、ヘブライ人とよばれる放浪集団もまた移住をくりかえす。

それとともに、海洋文化と生活をともなう「海の民」の人々とふれ合うことで、カナンの地に住む人々のなかには海洋の民と化し、みずから船を駆って海に出向く人々が姿を現す。それがフェニキア人とよばれる人々であった。彼らが登場する歴史的背景をめぐって、ここでふりかえっておくべきだろう。

カナンより北方にある北シリアの一部には豊かな水に恵まれた肥沃（ひよく）な平野がある。ユーフラテス河から地中海に向かう交易路の終着点にあたり、その港湾地域は要衝地であった。とりわけウガリト

（現ラス・シャムラ）とよばれる都市国家は古くから人々の集落があり、時を経るにつれ大規模になっていた。楔形文字で記されるウガリト語は北西セム語系に属していたという。

ここを拠点とする人々は、港を出入りする船を介して、キプロス島、エーゲ海沿岸都市、エジプトなどと海洋交易を行い、その仲介収益で潤っていた。さらに、内陸にあっても、エマル、マリ、バビロンなどとの通商もさかんに行っていたらしい。

ある発掘遺跡のなかには高級官吏の個人図書室があり、そこでは、シュメール語、アッカド語、フリ語、ウガリト語の四ヵ国語からなる対照語彙集が見つかっている。ウガリトの人々が、広い交流関係をもち、周辺文化の人々と接触をくりかえしていた様が手にとるようにわかる。

ウガリト人の勢力は王国をなし、王都の城塞には王宮があった。王室文書庫には粘土板が残っており、王印のある法律文書、数多くの行政文書のほかに、ヒッタイトをはじめとする周辺諸国の支配者とウガリト王の間で交わされた書簡もある。さらには、魔術、医療、文芸のテキストもあった。大部分はアッカド語で記されていたが、地元のウガリト語の文書も少なくなかった。

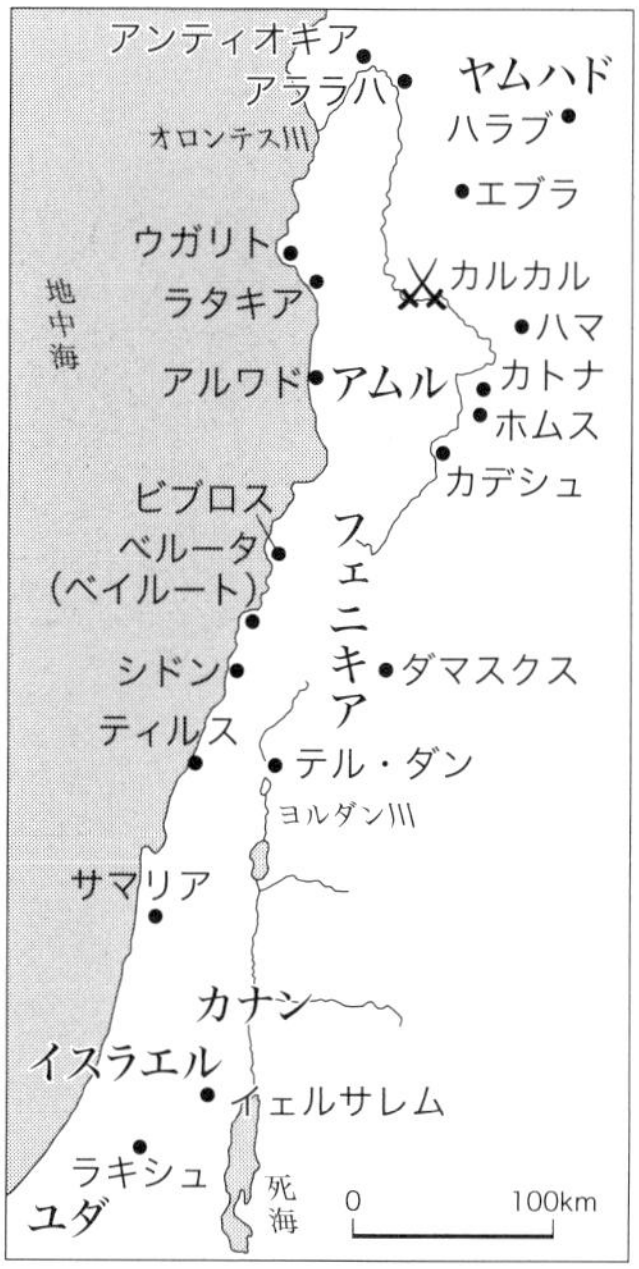

前1000年頃の東地中海地域。小林『古代オリエント全史』より作成

王宮は外壁で囲まれているが、その外側には貴人風の邸宅から庶民の質素な家屋まであり、千差万別であった。とりわけ、庶民の家屋は同じような建て方であり、狭く曲がりくねった通り沿いに並んでいた。この王都の周辺には多くの町や村が広がっており、前一四世紀の最盛期には、およそ五万人の住民がいたという。

このような古代遺跡の発掘調査からも、前一二世紀初め頃までの交易国家ウガリトの繁栄と富の大きさがしのばれる。海からも陸からも特産品が集まり、需要の高い地域に輸送され、膨大な収益が上がる。とどのつまり、その頃までの東地中海沿岸地域の港市国家のなかで、ウガリトが最大の勢力をふるっていたことは明らかだった。

ウガリト遺跡の王宮入り口付近。松川裕撮影

ところが、このウガリトが突然のごとく姿を消してしまったのだ。前一二世紀初め、ウガリトは得体の知れない「海の民」に襲撃され、王都はまたたく間に放棄されてしまう。北シリアのほかの都市にも「海の民」の襲撃があり、おそらくキプロス島を足場にして北シリアの諸都市に来襲したのであろう。それにしても、ウガリトでは大規模な破壊の跡が残されており、その後その地が捨て去られてしまうほどだったのだ。

このようにして勢威あるウガリトが東地中海沿岸地域の国際舞台から消え去ったことから、周辺地域における商業交易の勢力関係に大きな変化が見られるようになる。勢力バランスが崩れ、新しい交易関係を結ぶ機会が生まれたのである。この機会をものにするのに絶好の位置にいたのがカナンあるいはフェニキアの諸都市であった。

「海の民」から技術を吸収

フェニキアはギリシア語の地名であり、「深紅」を意味するギリシア語のフォイノス（phoinos）に由来する。この海岸地帯の住民たちが紫貝を加工する職人であったからという。旧約聖書ではカナンとよばれるが、この言葉も「深紅」を指すアッカド語のキナッフに由来するという。

もともとは、砂漠の遊牧民アムル人と海岸地帯の先住民が共存し合流して生まれた集団である。この海岸に住む人々は船舶建造に適した素材に恵まれていた。海岸線に並行して走るレバノン山脈の西側斜面は深い森林に覆われており、とりわけ杉の樹木はほかでは見られないほど良質な木材であった。レバノン杉として特筆され、船の建造には望むべくもない素材であった。

アムル人の侵入者たちは港湾都市ビブロスを制圧し、海岸周辺をも手の内に入れたらしい。ビブロスは早くからエジプトと通商関係が深く、とりわけ良質なレバノン杉をエジプトに運んでいた。新来の移住者たちも陸路より海路が容易であることをすぐに悟ったが、最初の段階は未熟な沿岸の航海だけだったらしい。船といっても巨大なカヌーの域を出ることはなかったから、外洋航海はなおさら難しかったにちがいない。

これらの人々を仮に原フェニキア人としておこう。もともとベドウィン風の遊牧民であったから、冒険心もあり商業交易の常識も身についていたらしい。だが、彼らには航海についての知識と技術が不足していたし、それがなければ外洋に出て行くことなどできなかった。

ところが、前一二〇〇年頃から、東地中海沿岸地域に侵入をくり返していた「海の民」の人々は外洋航海の技術をもっていたのだ。彼らのなかにはギリシア系の人々も少なくなかったし、ほかならぬギリシア人こそは竜骨船(りゅうこつせん)を操作して海の冒険に乗り出した最初の人々であった。彼らの船は帆(ほ)と櫂(かい)で航行し、竜骨によって波の衝撃に対して船体が強化され、船底が海中深く沈んで安定していたのである。

これらの略奪者「海の民」とふれあっていく間に、原フェニキア人はいわば「海洋遊牧民」の知識と技術を吸収し、人間集団としても融合したのであろう。もともと手に入れやすかった良質な杉材を使って竜骨船を建造し、さらなる海の冒険に乗り出すのだった。

このようにして、カナンの原フェニキア人は沿岸航海者にとどまらず、遠く外洋を自在に航海する人々となったのである。あえて人種として見なしてもよいなら、海洋民族フェニキア人はこのようにして歴史の舞台に登場したのである。彼らはやがて北アフリカ沿岸にカルタゴを建国し、ローマに敵対して地中海世界の覇権を争うことになるのだった。

地中海交易が目につくようになったのは前二千年紀末のことだろう。この初期のころ、フェニキア人はことさら巧(たく)みな航海者であっただけではなく、ひときわ優れた技術者であったという。この卓越(たくえつ)したフェニキア人像については、歴史家の多くが認めるところである。

しかしながら、そのような名声があったにしても、フェニキア人が才能や資質において著しく恵まれていたと見なすべきではない。ひときわ特殊であったのは、それらの才能や資質が開花する生存環境があったからだと言うべきではないだろうか。

近隣諸国の人々は、多数の住民がいたり、豊かな農耕地を生かしたりして、それを頼りにすれば、いささか余裕があったのである。これに比べれば、フェニキア海岸に住む人々には生存を脅かす厳しい環境が迫っていたのではないだろうか。

海岸に沿った細長い狭い領地しかなく、樹木以外の資源に恵まれたわけではない。杉材にしても、エジプトのような大国に勢いがあれば、ほとんどいつも貢納品の引き渡しを義務づけられた臣下のごとき立場でしかなかった。

このような過酷な生存環境のなかで、「フェニキア人の覚悟」とでもいうべき精神的土壌が生まれる。測量術にすぐれたエジプト人、また、来住した印欧語系の人々やクレタ人などから、フェニキア人は多くの知識や技術を学び、経験と能力の不足を補ったのだ。

とりわけ、常日頃から、フェニキアに住む人々は海とふれあう機会にだけは恵まれていた。海原を見渡せば、遠く広がる海の彼方に、どのような土地といかなる人々が住んでいるのだろうか。それを知るには、荒海を乗り切る船舶とそれを操る技術が必要だった。

「海の民」とその一翼を担ったギリシア人たちは、そのような海洋の知識や技術にいち早く目覚めていたのだろう。長年にわたる戦乱と混迷のなかで、祖国や故地を捨てた人々は、海上の遊牧民となり、造船術や航海術を磨（みが）いていったにちがいない。

交易の二大拠点、シドンとティルス

「海の民」ははじめから襲撃者あるいは侵略者であったわけではない。彼らは女や子供などの家族を伴っていたので、そもそもは移民であり、難民であった。だが、すんなりと受け入れられるはずもなく、ときには海賊なり、破壊者にもなった。そのような場合に、「海の民」が近隣に居すわり集落を維持しつづければ、いつの間にか共存共栄の環境が生ずることもある。

このような接触がくり返されるなかで、カナン人あるいは原フェニキア人は竜骨船の長所に気づき、風と波についての知識と経験を身につけていった。さらには、クレタ人からオールを使う漕ぎ船も学んだという。

とはいえ、フェニキア人は国家として覇権をふるったわけではない。あくまで個々の都市国家として独立しており、それぞれ独自の国内・国外の政策を実施している。そもそも沿岸部に平野があるだけで山地に囲まれた細長い地形であったので、都市国家の領土拡張や相互合併は実現しにくかった。北からアルワド、ビブロス、ベルータ、シドン、ティルスの五つが主要都市として覇をなしている。なかでも、シドンとティルスはことさら勢いがあった。「海の民」のもたらした外洋航海術が定着するにつれ、沿岸交易ルートが重要ではなくなっていく。遠く西方に向かう新しい交易路が開発され、その出入拠点となる港町がシドンとティルスであった。

まず、フェニキア海岸にあって主導的な地位にあったのはシドンであった。なによりも、「シドン人」という言葉が、旧約聖書のなかでも、しばしばカナン人あるいはフェニキア人の総称として使われている。

エジプトの新王国時代末期に造船用木材の買い付けのためシリアに派遣された神殿役人の報告書がある。それによれば、五〇隻の商船が停泊するシドンの港のことがとり上げられている。前一一世紀頃にこの都市の優勢さが抜きん出ており、その様が驚きをもって語られた。

シドンは、ティルスとちがって、中心市の外側にかなりの領土をもっていた。海岸平野は農耕に適していたし、内陸の渓谷地に入れる通行路を手にしていた。

そこはヨルダン川上流域に通じる内陸交易の重要なルートであった。

また、フェニキア海岸の最南端にあったティルスは、通商交易の相手として南方のエジプトと結びつくことが多かった。これに比べて、シドンはティルスの北方三五キロに位置していたので、北東方面のシリアと連合するのが得策だったという。

やがて、鉄器が重んじられる時代になってきたので、鉄資源の不足しがちなエジプトは前一二世紀頃から凋落（ちょうらく）が目立ってくる。これは、エジプトとの沿岸交易を頼りにしていたティルスにはたいそうな痛手であったにちがいない。前一一世紀末のエジプトでは、聖都テーベの神殿すら打ち捨てられて、見る影もないほどだったという。このような経済活動の低迷のために、ティルスの国力ははなはだ弱々しいものになっていた。これに対して、シドンは広大な後背地をもち、交通も便利であったので、さまざまな資源を集めることができたという。前一三世紀頃からのシドン郊外には墓地がかなり大規模に広がっており、周辺部にもかなりの数の住民がいたらしい。

このようにして見ると、フェニキア人の住む地域において、シドンの覇権が抜きん出ていたことは誰の目にも明らかだった。シドンは艦隊も戦車も歩兵も保有しており、シドンの軍事力の前でティルスは手も足もでないという有り様だった。

海洋交易網をティルスが拡大

前一〇〇〇年頃まで、シドンの優位はまぎれもないものだったが、このころから事態が変動していく。強いシドンと弱いティルスの勢力均衡が逆転しだすのである。このころティルスでは、古来の町を沿岸部から海上の島に移動させている。それはとてつもない妄想に見えたが、よく考えられた企画であった。海岸から六〇〇メートル離れた島は水に浸された平らな岩板といえるだけで、フェニキア人の海岸ではありふれた海草の生えた岩礁にすぎなかったのだ。およそ人の住む集落には似つかわしくない場所だったのだろう。

もともとあった岩板を土台として埋め立てるのだから、材料となる煉瓦を内陸海岸から運んでこなければならない。たぶん古い神殿などの建物が壊され、その煉瓦を資材にして、避難城塞が築かれたらしい。これらの作業には数千人の労働者が数年にわたって従事しなければならなかっただろう。大がかりな図面を作成して工事が進み、岩礁の上に人工的に堅固な町が作られたのである。

このようなティルスを典型とするフェニキア人の町作りには、陸を信用せずに、できるだけ海に逃げるという独特な精神が見られる。あたかも、ヨーロッパの中世初期に、ヴェネチア近辺の人々がラグーナ（潟）の諸島を整備して移住したときの拠点作りに似たものがあった。

ところで、海上の岩礁には泉はなく、井戸を掘ることなどできなかった。頼れるのは雨水だけであったから、それを溜めておかねばならなかった。そこで石灰の漆喰で塗り固めた貯水槽を開発したことで、漏水の不安がなくなり、雨水の保存が長期にわたってできるようになったらしい。水を確保するうえで、めざましい改善であったにちがいない。だが、春は雨に恵まれたが、暑い夏になれば保存された水も腐って飲めなくなる。水不足になると対岸から小船で必要な水を運んでくるしかなかっただろう。

しかしながら、やがて、フェニキア人は近代人も顔負けするような技術を思いついている。岩山には湧き水がなかったので、海底に湧く淡水を採取する方法を開発したのだ。漏斗を逆さにして、噴きあがる淡水の圧力を利用したらしい。おそらくティルス人もこの技術を知っており、活用していたにちがいない。その後いく度も数ヵ月にわたって攻囲される場合があったにもかかわらず、飲料水の欠乏に災いされることはなかったという。

地中海に面した交易都市ティルス。写真はローマ帝政期の遺跡

このような海上の島に港を築いたティルスは、ますます海上交易を活発に行っている。といっても、外洋に向けて出帆することは生やさしいことではなかった。海が荒れて悪天になれば、ひどい強風に長く耐えることはできなかったのである。一定の間隔で安全な拠点の港を確保しておかなければ、無事な航海は望めなかったのだ。

それにもかかわらず、ティルス人は外洋に乗り出し、まずキプロス島に向かったらしい。この頃からフェニキア製の土器がキプロス島の南西岸の地域に持ち込まれているのだ。この通商網はそれにとどまらず、遠く離れた地域との交流もあったことがわかっている。ギリシアの原幾何学様式初期の土器がキプロス島やティルスで発見されており、ギリシアのエウボイア島ではフェニキアからの輸出品が見つかっている。

おそらく次のような航海を思い描くことができる。まずティルスからキプロス島に行き、そこからアナトリア半島に向かい、その海岸沿いにロードス島に達する。同島の西側に回れば、その前にはエーゲ海が広がっている。そこから出帆すれば、苦もなく島々を伝ってギリシア本土にたどり着くことができる。

さらにまた、クレタ島南岸でもフェニキア製の土器が数多く出土しているというから、フェニキア人は早い時期にこの島を訪れていたらしい。なかでも、初期の地中海交易において、広範囲に冒険に乗り出すティルス商人はひときわ目立っていた。クレタ島は東地中海のほぼ中心にあり、エーゲ海交易のみならず、さらに西方に進出する拠点にもなる。ギリシア、イタリア、シチリア島、サルディニア島、イベリア、北アフリカなどに向かう西方ルートが開発されていくのだ。

このようにして、ティルスの主導するフェニキア人の長距離の海洋交易網はますます拡大していく。これらの外国との海外交易のために、前一〇世紀以降、冒険商人のティルスが台頭し、保守的なシドンが勢いをなくしつつあったと言える。

ガラス製品や紫染料の製造にも進出

旧約聖書の伝えるところでは、このころ、ティルスはイスラエルのダヴィデ王、ソロモン王と共同で貿易を営むこともあり、二人の王、とりわけソロモン王に木材ならびに熟練職人と船乗りを提供したという。しかも、多量の金と引き換えに、イスラエルの土地の一部を譲渡させたともいう。そこは小麦とオリーブ油に恵まれた農地だったので、ティルスは農産物を輸入に頼らずすむようになったらしい。イスラエルの側からしても、ティルスの商業経験と技術から学ぶところも少なくなかった。

さらに、後代のギリシア人やローマ人の伝承によれば、このころ、フェニキア人たちはイベリア半島南端のカディス、北アフリカのウティカ、モロッコ沿岸部のリクススなどに交易拠点を築いたという。これらの地域から前八世紀前半より以前にさかのぼる考古学遺構はほとんど出土していないが、伝承の背景にはなんらかの植民活動があったらしいと推察されている。

フェニキア人の海運を描いたアッシリアのレリーフ。ルーヴル美術館蔵

とはいえ、フェニキア人が中継交易の商人として卓越していたことは明らかだった。そればかりではなく、すぐれた技術能力は装飾品や調度品の金属加工にも生かされているらしい。それらの原料となる金、銀、銅、錫（すず）、鉛などの貴重な資材を獲得するために、地中海世界の各地を探検し、はるか西方の彼方まで進出したのである。これらの商品は奢侈（しゃし）品であり、在地の有力者には威信を誇示するのにふさわしい品々であった。

このようにして、フェニキア人が大商人として海を越えて地中海各地に立ち現れたとき、先住の人々は驚いたにちがいない。どこからやって来たかもしれない連中が、浜辺や港に上陸して、運んできた商品を市場で広げるのだ。まるで物珍しい見世物興行のように目に映っただろう。さらに、これら未知の商人たちは立ち寄った土地の産物を獲物のように手に入れようとしたにちがいない。それが物々交換の場合ならまだしも、略奪まがいの場合もあったらしい。とりわけ、美少女や美青年に目をつけた人さらいの拉致事件も後を絶たなかったという。

しかし、悪評ばかりでは長つづきはしない。取り引き交易が安定したものになるには、一方的な暴利や搾取(さくしゅ)は控えられねばならなかっただろう。双方が公正と感じられる原則が守られるようになるのが肝要だった。長い目で見れば、相手の立場も大切にし、公正に取り引きするにかぎる。その方がより利益にもなるのだ。そのことを人々はだんだんと悟るようになったにちがいない。

ところで、もっぱら船団を組んで商業交易するだけで、フェニキアはめざましく発展したわけではない。たしかに、ある産物をどこかで買い入れて、別の場所に運び、それを売って儲けることはできる。だが、仲介して売るだけでなく、原料を精製し加工すれば、さらに収益があがる。

そのような道理があれば、利に敏(さと)いフェニキア人が気づかないはずはない。すでにエジプト人は透明なガラスの製造方法を知っていたというが、いつのころからかフェニキア人はこれを模倣して、さらに優良なガラス製品の製造に成功した。そのガラス製品はぜいたく品として高価であったばかりか、販売網を整えれば量産することもできるほどだった。

さらに、フェニキア人はその名の語源ともいわれる深紅の紫染料の製造をもなしとげた。貴重な色であるために、古来、最高位の公職者だけが身に着けることができたし、最高権力のシンボルであった。決して大衆向けではなかったにしても、大富豪には何にもまして望ましいものだった。ガラス製品を上まわるぜいたく品の市場が開拓されたのである。

ガラス工業と紫染料工業にかぎられていたわけではないが、この二つの産業部門はフェニキア人の経済活動に精彩をもたらしている。少数民族だったにしても、彼らは商業交易だけに依存していたわけではないのだ。

画期的なアルファベットの開発

古代社会には市場経済があったとは言い難い。商業交易が充分ではなかっただけではなく、この当時には交換手段としての貨幣もまだ歴史の舞台に登場していないのである。公正な取り引きがあったにしても、それは物々交換の域を出るものではなかった。だが、市場の未熟な古代社会において、フェニキア人の海外交易活動は画期的であったのではないだろうか。彼らはガラスや紫染料のような高価な商品を製造して売り出すことで、ぜいたく品市場の素朴な形を生み出したとも言えるのだ。

ところで、フェニキア人は商業や工芸だけで目立っていたわけではない。彼らの好奇心は文化の根幹に関わる出来事にまで広がっていた。とりわけ、彼らの業績のなかで現代にまで影響をおよぼしているのが、アルファベットの開発である。

それまでのオリエント世界では、メソポタミアで楔形（くさびがた）文字が使われ、エジプトではヒエログリフが用いられていた。いずれも文字数は数百にとどまらず、数千にまで達する。これら多数の文字が表記のために必要であれば、それらを学んで駆使できるのはごく少数の人に限られるだろう。これらの読み書きのできる人々は書記とよばれる特殊な身分であり、おそらく人口の一パーセントにも満たない選ばれた人々であった。

そのような社会のなかで、わずか三〇足らずの文字しかないアルファベットで物事や事情を伝えることができるようになるのだ。しかも、文字を使えば、情報はより正確により広く遠くまで伝わる。じつのところ、混乱をきわめたカナンの地にあるウガリトのような都市でも、楔形文字から簡略化されたアルファベット文字の祖型が使用されていたという。しかし、この楔形文字系のアルファベットは、「海の民」の侵入とウガリトの破壊という出来事のなかで、消滅してしまう。そういう経験と軌を一にしていたのだろうか、エジプトのヒエログリフを簡略化しながら、アルファベットがフェニキア人によって作り出されたのである。

今では、アルファベットを読み書きするなど、世界中でありふれた行為である。だが、人類史をふり返れば、とてつもない出来事なのである。文字の使用自体が画期的なことであったが、そればかりか、わずかな数の文字だけであらゆる内容を伝えることができるのである。それが人間の意識や精神にどれほどの影響を与えたのだろうか、計り知れない変動があったかもしれない。

そのために、アルファベットの開発は「人類史上最大の発明」と唱える人々もいる。たしかに、少数の文字であるから、より多くの人々が読み書きできるようになる可能性はひとかたならず広がったにちがいない。それが人類の社会や文化にどのような影響を刻みこむのか、それをめぐってはさらに大きな歴史の文脈（コンテキスト）のなかで考えてみなければならない。これについては、稿をあらためて第二巻で語ることにしよう。

それにしても、アルファベットを開発することによって、人々の交流が広がる土壌が生まれたことは疑いない。そうであれば、フェニキア人は地中海一帯を交易活動によって結びつける潜在力をもっていたのではないか、と言いたくなる。たしかに、この類稀(たぐいまれ)なるフェニキア人の登場によって、地中海を舞台とした商業交易活動がより活発になり、人々の結びつきがますます広がっていったであろう。

さらにまた、フェニキア人は、シドンやティルスのような港市国家を築き、それらを拠点として地中海一帯の交易活動、やがて地中海を西に向かって進み、そこに植民活動をくりひろげる勢力も現れる。それらの植民国家のなかで最大のものが、北アフリカのカルタゴである。だが、それらの活動は前九世紀以降の時代であり、フェニキア人の興隆については、ひとまずここで筆を擱(お)いておきたい。

混迷を深める前二千年紀末のオリエント世界

それにしても、前一二〇〇年前後を境とするオリエント世界の混迷は、いったいどのように理解したらいいのだろうか。その混迷を象徴するのが、ヒッタイトの滅亡とエジプト新王国第二〇王朝の消滅である。

ヒッタイトの滅亡をめぐっては、しばしば「海の民」の活動が大きな災いとなったと指摘される。東地中海沿岸の全域で、この得体の知れない不法者集団が、侵入し、略奪し、ときには住みついたりもしたのだから、ヒッタイト王国にも混乱の嵐が吹き荒れたとしても不思議はない。しかし、「海の民」だけを強調しすぎるきらいがないでもない。この時期に大規模な地震があったとも言われ、また、大きな気候変動があったとも指摘されている。

このような混乱のせいで、難民の大きな波が生まれ、連鎖して広がっていたのだろう。ヒッタイトの難民はおそらく南東方面に流され、シリア北部に移住したらしい。その地域にもセム語系の諸民族がいたので、それらが流動化し、混ざり合っていっただろう。そこでは都市あるいは部族などの諸勢力が興亡をくりかえし、もはや歴史の大雑把な流れすら描けないような錯綜（さくそう）した時代だった。

それに加えて、かつてエジプトは、大きな帝国を築き、シリア・パレスティナ地域にも陰に陽に覇権をおよぼしていたが、徐々に国力が衰えながら、ついには第二〇王朝が断絶した。それは同時に、新王国時代が終末をむかえたのであり、長年にわたるエジプト人の帝国時代が幕を閉じたのである。

その後は、西からリビア人が、南からヌビア人が、北東からはアッシリア人が侵攻し、エジプトの地はほとんど異邦人に支配されたと言っていいだろう。文化面では、旧来の伝統に倣（なら）った鋳型のごときエジプト文化がつづいていたかもしれないが、およそ新しい発展とよべるものではなかった。ここでも、弱小諸勢力が分裂し割拠していたのであり、歴史の大通りがまったく見えにくい時代であった。

しかしながら、そのような混迷が深まればこそ、それらを収拾し結集しながら、さらに大きな覇権国家が生まれてくる。そのように予感させる時代であったとも言えるのではないだろうか。

第四章

神々の声が聞こえる

ハンムラビ法典碑の頭頂部。ルーヴル美術館蔵

1　叙事詩のなかの神

怖れとおののき

人間がほかの動物と異なるのは、脳が肥大化したところにある。そのためにまず、身近にいる獰猛な動物への怖れに苛まれただろう。現生人類につながるホモ・サピエンスが出現したころ、人類は惨めな生物だった。ライオンが食べ残した肉にハイエナやジャッカルが喰らいつき、その残り物をあさることしかできないのだ。恐る恐る死骸に近づき、骨を割って骨髄をすする。

初期の石器はそのために使ったらしい。あまりにも長い間、草原のサバンナにあって恐怖と不安でいっぱいだったせいで、今なお人類の心には残忍で危険な逆情がひそんでいるという。やがて、火を手なずけた人類は、光と暖、猛獣への武器、調理を手に入れ、ささやかなりとも物事を制御できるようになった。

それとともに、人間には、いつのころからか畏怖という感情がめばえていた。おそらく、自然の天変地異と人間の死は、この畏怖という感情の萌芽に大いに力があっただろう。太陽がかがやき、月に照らされ、星がまたたく。風がふき、雨が降る。雷鳴と雷光とともに嵐がくる。陽が翳り、大地がゆらぐ。自然界が激しく変わるとき、目に見える世界の向こう側に何か得体の知れない力のあることが感じられる。

さらにまた、生命ある人間の死、とりわけ慣れ親しんだ身近な者の死は、その生命の死滅を認めないという気持ちをおこさせるのではないだろうか。肉体を離脱した霊魂は目に見える世界の向こう側に今も生きつづける、という思いがしてならないのだ。

この目に見える世界の向こう側にある超自然的な世界に、人々は怖れおののくのである。目に見ることも手でふれることもできないが、たしかに人間を脅かす力というものがある。それを感じるとき、「恐ろしい」という思いをいだかざるをえない。

世界最古の叙事詩である『ギルガメシュ叙事詩』のなかにも、この怖れを語る場面がある。ウルクの王ギルガメシュは盟友エンキドゥとともに森の怪物フンババの退治に出かける。その途中で天地が火焔に燃えあがる夢を見る。彼は飛び起きると恐怖にとりつかれてしまう。そしてまだ眠っていなかった友に尋ねるのである。

> 友よ、わたしを呼ばなかったか。なぜ、わたしは目覚めてしまったのだ。わたしに触れなかったか。なぜ、わたしは当惑しているのだ。一人の神が通り過ぎなかったか。なぜ、わたしの筋肉は萎えているのだ。（月本昭男訳　第四の三・一〇－一二）

ギルガメシュのいう「神」なる言葉には「幽霊」の意味も重なっているという。そこには自然を超越した恐るべき存在が闇にひそんでいる。そのような超自然的な力は、ギルガメシュのような勇者をさえ筋力を萎えさせるほどに、恐ろしいものなのである。

このような神は人間の世界を超越しているが、なんら神秘的なものではなかった。メソポタミアの

ギルガメシュの像。ルーヴル美術館蔵

神々は人間どもの世界のはるか高みにあり、とてつもなく絶大なる権力者であった。人々はこの権力者の前にひたすらひれ伏すほかはないのである。へりくだって服従し、ただただ奉仕するだけである。神々は奉(たてまつ)られ、畏(おそ)れられ、震えられるだけだった。

われわれはシュメール人の心性についてはほとんど知りえない。やがて、前三千年紀後半に、アッカド人をはじめとするセム語系の人々がメソポタミアに住み着くようになったが、彼らは超越した神々への感覚をもっていたらしい。おそらくシュメール人の心の底にも、すでにこれら超越する存在への想念がしみこんでいたにちがいない。

神々に思いをはせる

先史時代の太古までさかのぼれば、神なる観念はまず天空の神であった。新石器時代になると、狩猟採集のみの生活から農耕を中心とする生活が訪れ、やがて牧畜も始まる。

シュメール人の最古の神々のなかにあって、最高位に座するのはアン神であり、天空神であった。だが、天界の至上神は農耕社会の発展にともなって影が薄くなるという。神々の序列も変化し、太陽と雷雨の恩恵を願いながら、豊穣を司る神々が徐々に主役に浮上していく。

シュメールでは農耕に関わるものとしてエンリル神が登場する。エンリルは風の神であり、大気の神であった。大気の風は嵐になり、猛威をふるう権力にもなる。やがて、エンリルは地上の力である王権を授与する神ともなるが、古来のアンは権威を象徴するものとして尊重された。

シュメール人は大いなる神々として七つの神格を崇めている。「天」を意味するアン（アッカド語ではアヌ）は天空神として神々の世界の権威であった。「風の主」を意味するエンリルは大気の神として人間の世界に権力をもつ。「地の主」を意味するエンキ（エア）は地下にある深淵の神として知恵を司る。天体には、ナンナ（シーン）、ウトゥ（シャマシュ）、イナンナ（イシュタル）の三つの星辰神がいた。ナンナの語義は不明だが月の神であり、「日」を意味するウトゥは太陽神であり、「天の女主人」であるイナンナは金星の女神であった。このほかに大地母神ニンフルサグがおり、人間世界の繁栄を見守るのであった。

これらの七つの神格の下に、さまざまな神々がいた。たとえば、一つの事例をあげておこう。前三千年紀末の都市国家ラガシュにグデアという王様がいた。その人物はある円筒印章の図柄に登場する。このなかで王位にあるとはいえ人間にすぎないグデアはなんの冠もかぶっていない。彼は下位の女神に付きそわれ、やがて上位の神に連れられ、さらに玉座にある最高位の神に紹介されている。ここで最高位の神とは、玉座に「湧き水の壺」が描かれていることから、この壺を象徴とするエンキ神と見なされている。

ここではなによりも、神々のなかに階層があることが注目される。神々はその序列に従いながら万神殿の共同体をなしていた。もっとも初期のシュメール人には一〇〇〇を超える神々の数があったが、しだいに減少する傾向にあった。セム語系のアッカド人との出会いのなかで習合されたり融合されたりした。シュメール人の勢威が衰えるころには、神々の吸収合併が進み、数十の神々が崇められたにすぎない。

この神々の棲む万神殿の共同体ではそれぞれの神格にさまざまな役割が与えられている。自然は摩訶不思議な現象にあふれていたので、それらには説明が必要だった。見上げれば果てしない天空が広がり、足の下には地下世界の深淵がのぞく。天空と地下にはさまれた空間に海が広がり、その中心に大地が浮かんでいた。いつもは穏やかに流れる川がときには大洪水となって人間を脅かす。平原の彼方には高くそびえる山々が連なり、さらなる彼方は想像を絶する。太陽も月も星々も驚くほど規則正しく天空をめぐる。生命を宿す草花や樹木が芽をふき、一面に繁茂する。種々の動物が誕生し成長しながら繁殖をくりかえす。このうえなく恩恵をもたらしながら、火焔の力はときとして大きな災いとなる。人間自身のなかを見つめれば、心の底にひそむ愛欲の衝動はみずからを翻弄してやまない。勝者にも敗者にも悲惨しかもたらさないのに、戦争がくりかえされる。

これらの現象をどのように理解するのか。人間の力ではどうすることもできないのだ。このような出来事を目の前にして人々は思案にくれる。ただこれらの背後に自分たちの目にふれることのない大きな力が働いていると思うしかなかった。それらの大きな力をもつのが神々であった。これらの現象はどれも神々によって操られている。そう考えるとき、目の前にくりかえされる現象と厳しい現実を受け入れる気になるのであった。

　これらの神々がどこに棲んでいるのか、どこから来たのか。このような疑問についてメソポタミアの人々は明確な観念をもっていたわけではない。それらは漠然としており、人知を超えることであった。しかし、宇宙も世界も神々によって創造され突き動かされていることは誰も疑わなかった。その神意を知ろうとして、メソポタミアの人々は卜占をひどく気にかけており、その実践に余念がなかったのだ。

　宇宙創生や神々の起源のごとき神学問題であれば、学者や祭司には重要な課題であっただろう。しかし、庶民大衆にはほとんど興味のないことだったにちがいない。民衆には人生の意味や人間の運命なら関心深いところであり、なによりも日々の安泰こそが気がかりであった。そこに神々の力があずかっているのなら、そこでこそ人々は神々に思いをはせることになる。

不死なる神々と死すべき人間

　古バビロニア時代のハンムラビ王（前一八世紀）のころに「最高賢者叙事詩」が作られている。民衆は誰もが「なぜ人間がいるのか」また「なぜ人間には老病死があるか」と問わざるをえない。その疑問に答えて「叙事詩」は語る。

人間が出現する前には不死なる神々だけがいた。これらの神々は上層身分と下層身分に分かれていた。下層の神々は上層の神々のために農耕地で働かなければならない。はかりしれないほど長い間これらの労役に従事したあげく、彼らは疲れ果て自分たちの労役に嫌気がさした。ついに、職務放棄のストライキをおこし、さらには身分の平等までも神々の王エンリルに要求した。神々の世界は大混乱になり、飢饉と貧困が目前に迫る。

知恵者エンキ（エア）神は、労働する神々の身代わりに人間をつくるという妙案を思いつく。人間は土でつくられ、やがて土に戻る。神々との平等など言い出さないように死を運命づけておかねばならない。こうして人間は初めから神々の下僕としてつくられたのだ。

人間の創造は成功する。死ぬことを運命づけられていたとはいえ、まだ病気も災害も知らず、寿命はとほうもなく長かった。人類は繁栄をきわめ、地上にあふれた。労働に勤しみ、活発に動きまわる。その喧騒が神々の王エンリルの眠りを妨げてしまう。いきりたったエンリルは人類の大量殺戮を決意する。最初に疫病をしのばせ、次に旱魃と飢饉を送りこんだ。だが、知恵ある大地の神エンキは人間の王アトラ・ハシース（最高賢者）に災厄祓いの儀礼を教え、危機はまぬがれた。人類はふたたび増え始め、またしても喧騒が高まる。

怒り狂ったエンリルは人類の絶滅をめざし、大洪水をおこすことに決めた。しかし、人間の創造によって救われたのに、これでは神々だけの世界に戻るという愚劣な計画だった。神々にとってなくてはならない人間がいるなら、それを守らなければならない。賢明なるエンキ神はせめてアトラ・ハシースだけでも救い出そうと決意する。箱舟を造り、彼とその家族およびつがいの動物をのせて、水面に漂っているように忠告した。大洪水がおこり、一家族をのぞいて人類は絶滅した。

大洪水がおさまると、アトラ・ハシースは箱舟を降り、人間に課された勤めとして神々に犠牲を捧げた。神々の王エンリルは生きのびた人間がいることを知って激怒した。しかし、賢明なるエンキ神は、人類が増えすぎて短気なエンリル神の安眠を妨害しないように、新しい予防策を持ち出す。人間の寿命をひどく縮め、子供でも死ぬことがあり、不妊の女性もいるように提案した。こうしてこの世ができあがったという。

ここで「最高賢者叙事詩」は終わる。この物語については、とくに洪水伝説の挿話が旧約聖書「創世記」に採り入れられていることで名高い。この叙事詩の物語は前二千年紀のオリエント世界の人々に広く受け入れられていたらしい。なぜ人間は病気に苦しみ老いながら、やがて死ぬべき運命にあるのか。なぜ妊娠すらできない女性がいるのか、さらに、せっかく生まれたのに幼子のままで命を奪われるのか。このような身の回りにおこる不条理な出来事を目にするにつれ、人々はその説明を望んだはずである。誰もが納得したわけではないだろうが、人々は、神々に奉仕する人間の姿をみずからに重ねながら、あきらめにも似た安らぎを見出していたにちがいない。

それにしても、この物語はそもそも神々の存在は疑いえない自明のものとしている。そうであればこそ、これら不死なる神々を思うにつれ、なぜ人間は死すべき運命にあるのかという疑念はつきない。それはもはや理知ではとらえがたい心の底にある呻(うめ)きでもあった。

死を自覚した人間の不幸

ふたたび『ギルガメシュ叙事詩』をとりあげてみよう。盟友エンキドゥの死を目のあたりにして、悲しみにひたりながら、ギルガメシュは死の恐怖にとりつかれる。そして、生と死の秘密を聞きだすべく果てしない旅にでる。やがて不死を許された唯一の人物ウトナピシュティムに出会う。彼は最高賢者（アトラ・ハシース）であり、ギルガメシュに答える。神々に列して永遠の生命を得た自分の例外は二度とおこることはない。永遠の生命にあずかりたいと望むギルガメシュの願いは決してかなえられないのである。

いかなる努力を重ねても、人間は死すべき運命を避けることはできない。この苛酷な運命を自覚するべきなのだ。というのも、永遠の生命にあずかる最高賢者ウトナピシュティムを探し求めて荒野をさまよう旅の途中、ギルガメシュは不思議な酌婦（しゃくふ）に出会っていた。彼女は彼に忠告する。

ギルガメシュよ、お前はどこにさまよい行くのか。お前が探し求める生命を、お前は見出せないであろう。神々が人間を造ったとき、彼らは人間に死をあてがい、生命は彼ら自身の手におさめてしまったのだ。ギルガメシュよ、自分の腹を満たすがよい。昼夜、あなた自身を喜ばせよ。日毎、喜びの宴を繰り広げよ。昼夜、踊って楽しむがよい。あなたの衣を清く保つがよい。あなたの頭髪を洗い、水を浴びよ。あなたの手にすがる子供に眼をかけよ。あなたの膝で妻が歓ぶようにするがよい。これが人間のなすべき業なのだ。（月本昭男訳［ベルリン所蔵版］三・一―一四）

人間の生命は永遠ではない。このことは何も人間にかぎったことではなく、生命あるものはすべて死す。といっても、ほかの生物はかぎりある命を自覚していないから、死すべき運命について思い悩むことはない。人間にもっとも近いとされるチンパンジーですら、このことで不安におびえたなどとは聞いたこともない。しかし、人間ばかりが死すべき運命にあることを自覚している。そこに、人間の不幸あるいは悲劇があるとも言える。

このことについて、だからこそ人間は笑うことを覚えたと説くこともできる。死を自覚しない動物は笑うこともない。避けがたい運命への不安あるいは死の恐怖を忘れるために、人間は喜ばしき笑いのなかに生きる。不幸や悲劇は降りかからないにこしたことはない。でも、不運にもわが身におこったにしても、それを思いわずらったとてどうしようもないのだ。それよりも、日々を楽しく、また身の回りの人々のために快く気を配ることである。それが人間としての勤めなのだ。永遠の生命の不可能なことを悟ったギルガメシュは、そこから生きるための指針を学ぶのである。故国ウルクに帰ったギルガメシュはひたすらこの教訓を口にするようになる。

『ギルガメシュ叙事詩』の示唆する結末では、願わしき人生とは生活を楽しむことであり、首尾よく行動することにある。この点について、ある宗教学者は、メソポタミアの宗教のなかには「快楽主義」がひそんでいる、と指摘する。

この世にあるかぎり、人々は必ずしも幸運に恵まれるだけではない。不条理な不幸に出会い、心をさいなむ。自分の身にも周囲にも、病気、不和、損害などのさまざまな不幸が降りかかる。このような不幸に見舞われるのは、なによりも正しい生き方をしていないからだと考えられていた。ここでいう正しい生き方とは、神々を敬い祈禱することであった。具体的には、食べ物や飲み物などの供物を奉納し、祭礼の儀式を怠らないことであった。

メソポタミアの人々はことさら都市国家の意識が強い。文明は都市とともに生まれたのであるから、都市にあって保護されているという感じ方があったのかもしれない。このために都市の守護神への忠誠心がひときわ目立っている。天地を結ぶかのような壮麗なジッグラトや豪奢な神殿が市街地の中心部に建立され、華やかな祭礼が執り行われた。

このような公の祭礼はもちろんのこと、個人の守護神への奉納も忘れてはならなかった。というよりも、ひとりひとりの個人にとっては、自分の守護神をなだめることこそ大切であった。そのために個人の守護神を祀り、奉納し、祈ることに怠りがあってはならなかった。

それにしても不幸はやってくる。それには何かが神々の意思に反しているからだと意識された。神々の意思に反することは罪であり、罪に対しては罰が宣告される。これらの罰を執行するのが悪魔であった。それらの罰が下されないように、さまざまな前兆があり、そこに悪魔の執行を回避する術が示唆されていたという。このために「悪魔祓い」がどこもかしこも日常生活のなかにあふれていた。

豊穣の女神イシュタル

ところで、国家でも親族でも個人でもどうにもならない不運が降りかかることもある。なかでも、実り豊かな収穫を確保できないときには、人々は神々に祈るほかはなかった。

太古の昔から、世界中の各地で豊満な裸婦の象徴する地母神への信仰が広く認められている。多産と豊穣を願う人々にとって、それはなによりも素朴な信仰の形であった。まして西アジアでは農耕が最初に始まったのであるから、実り豊かな収穫への期待は並々ならぬものがあった。先史時代の遺跡から出土するものにも豊穣女神像は枚挙にいとまがないが、文字が登場するとその名前も知られるようになる。

シュメールでは、女性器を意味するニンがつく女神の多くが豊穣と多産を司っていたという。たとえば、ニンフルサギ、ニンガル、ニンマフなど数多くあげられるが、とりわけイナンナは最高女神として崇め奉られている。イナンナはもともとニン・アンナ（天の女主人）の意であり、セム語系の人々が主流の時代になるとイシュタルとよばれている。

灌漑農業によって生産力が飛躍したにしても、洪水や旱魃などの自然の脅威の前に人間の力はとるに足らないものだった。農耕生産にはたえず不安がつきまとい、収穫の豊かさを願う気持ちはひとかたならないものになる。豊穣女神への祭礼がくりかえされたが、なぜかこの種の女神たちはしだいに片隅に追いやられ影をひそめるようになった。それとともにイシュタル女神の存在はますます大きくなり、やがてほかの女神たちはイシュタルの神格のなかに吸収されてしまうのだった。

イシュタルは、豊穣、愛、戦争を司る大いなる女神であり、暁と宵にきらめく金星の女神と見なされていた。メソポタミア全域で広く崇められただけでなく、やがてシリア、アナトリア方面へも広がり、それぞれ地方色豊かなイシュタル信仰が生まれている。なぜイシュタルは豊穣をもたらしながら戦争にも口出しするのだろうか。イシュタル信仰の核心には、愛があるからではないだろうか。それも愛欲であり自由恋愛といえるようなものだ。愛欲には二面性がある。実り豊かな新しい生命の誕生にいたる場合もあり、憎しみに変じて不和になり戦争にいたる場合もある。人間というものは理知的であるより本来は感情的であるのだ。だからこそ、豊穣の女神たちの役割が人間の根幹にふれる愛欲の女神イシュタルのなかに吸収されていくほかはなかった。

メソポタミアの人々はあの世の冥府（めいふ）について思いをはせなかったわけではない。しかし、しょせん死後の世界など人知を超えたことであるという意識が強かった。だから、生あるうちに楽しむことが大切であった。そのためには、ひとりひとりの個人としては先人の教訓を学び世俗的に成功することであり、自分の住む社会はいつも豊饒で活気にあふれてもらいたいと祈願せざるをえないのだ。

いずれにあっても、メソポタミアには、なにより現世の幸福を求める人々がいた。彼らは、人生を楽しむために愛ある生活を求めながら、愛にふりまわされてはならないと願うしかなかった。その願いは人一倍強かったように思えてならない。それが愛欲の女神イシュタルへの信仰としてこの地を越えて広く人々の心をとらえることになったのだろう。

このイシュタル信仰が、フェニキア人のアシュタルテ女神、ギリシア人のアフロディテ女神、ローマ人のウェヌス（ヴィーナス）女神への祭礼と系譜上で連なることは予告しておくべきだろう。

2　神々の声を聞く人々

熱心に耳を傾けるハンムラビ

絶大なる力をもつ神々に慈悲を期待するのは人間の自然な感情である。だからといって神々はやさしい心遣いばかりを示すだけではない。神々はその本来の姿においてやはり威厳に満ちており、はるか隔絶した世界にいる超越者であり、畏(おそ)れ多い存在であった。人々はまずなによりも威厳あふれる超越者として神々を思い描き、崇(あが)めるのである。

ところで、「神々を崇める古代の人々」と一口に言うが、そこにはどこか近現代人にははかりしれない関わりがあったのではないだろうか。その関わりを象徴するような場面が名高い浮き彫りにある。ほかならぬ「ハンムラビ法典」であり、崇める神が裁定を下し、それらを列記した石柱の頭頂部に図像が刻まれている（本章扉写真）。

ここで崇める神とは太陽神シャマシュ（都市バビロンの守護神マルドゥクと見る解釈もある）であり、その従僕としてのハンムラビ王が神の前にいる。シャマシュ神はどっしりと座しており、ハンムラビは一段低い位置に立っている。ハンムラビは熱心に耳を傾け、何かを理解しようとしている。神の右手には杖(つえ)と輪が握られており、いずれも力の象徴とされるものである。シャマシュ神は手にした象徴でハンムラビの左肘にふれているかのようである。

この場面で心を打たれるのは、シャマシュ神とハンムラビ王が一心にお互いを見つめ合っている姿である。どこかとりつかれたかのような確固たる表情であり、神も人も平静で威厳がある。

しかしながら、ハンムラビは自分の思うところを乞い願っているわけではない。彼はひたすら服従しているのである。シャマシュは具体的な個々の事例についての裁定を告げている。

これらの裁定の前には序文があり、末尾には後文が添えられている。ハンムラビ本人によって記されており、もったいぶった口調で自分の功績や権能を語り、シャマシュとの親交を誇る。さらには、神のために成した征服について語り、この石碑を刻んだ理由を述べ、自分の名を抹消する者がいれば災いが降りかかるだろうと結んでいる。

ところが、このような序文と後文にある好戦気味の大言壮語とはまったく異なるのが「法典」である。客観的で無駄なく綴られた文章であり、穏やかなシャマシュ神の声が響くかのようである。

この二八二条におよぶ神の裁定は冷静で理路整然としており、そこには沈着な神の判断が刻まれている。物資の割り当てについて規定し、家内奴隷、放蕩息子、盗人などの処罰の仕方、贈答、相続、養子縁組みをめぐる判断、あるいは婚姻、使用者、奴隷に関する判断などにまでおよんでいる。とりわけ、「目には目を、歯には歯を」の同害報復原則の賠償法は名高い。

この碑文のなかで注目されるのは、ハンムラビの声とシャマシュの声とに二分されていることだ。メソポタミアにあっては、前三千年紀末頃までには、管財人としての王を媒介して神々の裁きが記録されるようになったという。それとともに、法という観念が萌芽したのである。古来、メソポタミアでは社会正義の確立と弱者の保護は比類なく大切なものと期待されていたという。そのためだろうか、「法典」の編纂作業はくりかえし重ねられ、ついには「ハンムラビ法典」において頂点をきわめたのだ。

ところで、これらの法規や罰則はどれくらい実行され実現されたのだろうか。まだ公権力は警察などを有しておらず、強制できる権力などほとんどなかったはずである。このように判定されているからといって、その処罰を被告に誰が執行できるのだろうか。現代人の目からする立場では理解しがたい面がある。現代人としての偏向を自覚しうるなら、こうした疑問はできるだけ斥けておくのが歴史の実態に迫ることではないだろうか。

おそらく、法文はこの地域の慣習法に形を与えたものであろうが、シャマシュ神の声で語られているということが大切であるのだ。それがなによりも強制力をもつのである。この石碑に刻まれているというだけで信頼に値するのであり、人々の心を動かすのである。少なくとも古代の人々には神々の声は絵空事ではなく、肌身に感じられることだったのだ。

絶大な強制力をもつ神々の命令

そもそも石碑のそばにはハンムラビ王本人の彫像が立っていたという。石碑の下部に記された「ハンムラビの言葉を聞く」ために、原告は彫像の前にやって来る。それから、ハンムラビの神がすでに下していた裁定の記された石碑の前に立ったらしい。そこで神が判断する声に耳を傾ける。

このような神々の声は古代社会にはさまざまな形でその痕跡を残している。たとえば、最古の叙事詩のなかで、ウルクの王ギルガメシュは盟友とともに森の怪物フンババの退治に出かけた。そのとき、旅の途中で天地が火焔に燃えあがる夢を見たギルガメシュは飛び起きると恐怖にとりつかれてしまう。そして「なぜ、わたしの筋肉は萎えているのだ」と盟友に問いただす。それを聞いた太陽神シャマシュは天から警告を発したが、その声はギルガメシュの耳元に響いた。

急いでフンババに立ち向かえ。奴が森に入らぬようにせよ。奴が森に下っていかぬようにせよ。隠れぬようにせよ。奴はまだ七枚の鎧着を身につけてはいない。一枚だけ身につけ、六枚は脱いでいる。

命ずる神の声ははっきりしており、明確な行為を指示している。杉の森に棲みついた怪物フンババが森に入るのを「妨げろ」と命令し、恐れずに進んで戦えと励ました。その声に促されて、ギルガメシュと盟友は奮然とフンババに立ち向かい、怪物を打ち倒して打ち首にした。

これらの事例をみると、神々の命令は絶大な強制力をもち、王者ギルガメシュのごとき人間ですら逆らえない。ひたすら神々の命ずる声に従って、人間は行動するしかないかのようである。

このような話はほかにも数えきれないほど残されている。いくつかの事例をあげておこう。

月の神ナンナルは都市国家ウルの主神であったが、この神への祈禱文が伝えられ後世（前一千年紀前半）の粘土板のなかに残っている。

天においては誰が気高いだろうか。あなたただ一人だけが気高い。
地においては誰が気高いだろうか。あなたただ一人だけが気高い。
……（中略）……
もしあなたの言葉が天で風のようにあちらこちらを歩むならば、それは食物と飲物とを国土に豊かにする。
もしあなたの言葉が地上に在るならば、草々が繁茂する。

あなたの言葉は牛小屋と羊小屋と（で家畜）を肥えさせ、生き物を数多く殖やす。
あなたの言葉は法と正義を作り出し、（そのおかげで）人々は真実を語る。
あなたの言葉は天上ではきわめて広遠にあり、地上ではかくれ、（従って）誰ひとりそれを見ることができない。
あなたの言葉を誰が知っていようか。誰がそれに匹敵できようか。……（後略）……
（ナンナル神に対する「手をあげる」祈禱文『シュメール神話集成』）

この祈禱文に目をやれば、月の神ナンナルは姿を見せずとも、まるで言葉として人々の耳に響いているかのようである。神々の声がささやきかけると、そこには物事が生じる。あたかも、神々の言葉が口から出て来るとともに、自然が形をなし、人間が動かされるかのようである。

なにはともあれ、神殿には日々の儀式があり、神像を洗い、衣服を着せ、食べ物と飲み物を供えていた。神像は、神そのものとして見なされているかのように、一人で食事を楽しんだという。

シュメール南部の都市ラガシュの円筒碑文から、敬虔（けいけん）なグデア王の治世にニンギルス神の神殿で女司祭たちが女神たちに配慮する様子がうかがわれる。

……女神たちの名は、ザザル、イムパエ、ウエヌンタエア、ヘギルヌンナ、ヘシャガ、グルム、ザルム。ニンギルス神がババとの間にもうけし七人の子。ニンギルス神のそばにて、好ましき判断を述べてもらうためなり。（グデアの円筒碑文B　前二一〇〇年頃）

ここでは、なによりも神々に「判断を述べてもらう」という表現が注目される。神々の声はその判断を語り、それは命令として下されるのである。それらの判断を考慮しながら、人間が決定するわけではない。あくまで神々が決定し、その神々の言葉に人間は従うしかないのだ。

さらにまた、シュメール南部の都市ラルサの円錐形粘土板や碑文にも、偉大なる女主人としての女神ニンガルが讃美されている。

ニンガル女神は……相談役、このうえなく賢明な指導者、すべての偉大な神々の女君主、堂々たる語り手、発言は比類なきなり。(ラルサ王朝の円錐形粘土板　前一七〇〇年頃)

女神ニンガルは相談役であり、語り手であり、その発言はこよなく重視されている。ここでも神々がささやきかけ、人々はその声に耳を傾け、その指示に従って行動する。

石柱の碑文を読み神の声を聞く

さらに、最高神エンリルに次ぐエンキ神を讃(たた)える祈禱文にも、次のように記されている。

エンリルは全世界におけるもっとも偉大な神、だがその弟は御身なり！
エンリルは御身に、天と地とにおいて運命を定めることを任された！

御身の口から下される正しい決定に逆らうことはできない！
地上のあらゆる場所に住むすべての人類に対する神々しい判事よ！
……（中略）……
嗚呼、偉大なるエンキよ、神秘の閃光で輝くお方よ！　御身が言葉を発するとき、……　御身の前で喜びに輝く！

（ジャン・ボテロ『最古の宗教』松島英子訳）

なんという神々の声の力強さであろうか。その口から下される決定に人間は逆らうことはできない。それは「神々しい判事」の下した「正しい」決定であるから、もはや命令以外のなにものでもないのだ。

命令する支配者は人間ではなく、神々しい声なのだ。やはりラガシュ出土の円錐形粘土板には神々の言葉が刻みこまれている。

キシュのメシリム王は、キシュの耕地についてカディ神の命令を受け、そこに石柱を建てた。ウンマのエンシ（総督）ウシュは、石柱を奪えるよう呪文を唱え、石柱を粉々にし、ラガシュの平野に進んだ。エンリルの勇士ニンギルスは、エンリルの正当な命令により、ウンマに対し戦争を起こした。エンリルの命令で、大きな罠を仕掛けた。ニンギルスは、そこの平野に埋葬塚を建てた。（ジュリアン・ジェインズ『神々の沈黙』柴田裕之訳、「シュメール・アッカドの王宮碑文」より）

ここでは、カディ女神、エンリル神、ニンギルス神などの神々の声が人々に「命令」する。神々の言葉が石柱に刻まれると、そこには神々が現れているかのごとく畏怖される。だから、外敵の手で石柱が奪われたり、粉砕されたりすることもあった。

そのような時代にあって、神々の声を記した石柱を「読む」ことは、そこで何かを「聞く」ことだったかもしれない。ある王宮碑銘のなかには夜間に石柱を読む場面が描かれている。

> 石柱の側面の磨かれた表面を、聞くことで知る。石柱に彫り刻まれた文面を、聞くことで知る。
> 松明の明かりが、聞くことの助けとなる。（『神々の沈黙』「シュメール・アッカドの王宮碑文」より）

われわれ現代人は視覚を通じて綴りを読む。だが、つい三、四世代以前の人々はほとんど音読していたのであり、黙読できる者は少なかったという。まして、さらに数千年をさかのぼれば、絵による記号を見て神の声を聞いていたとしても不思議ではない。それが幻聴であったにしても、古代人には真に迫るものがあったにちがいない。

このような言葉を伝えるにあたって、神々の像が幻聴を助けていたことを示唆する出来事があった。楔形文字の粘土板のなかには、神像が設置される前に行われる儀式について記した文書がある。そこには「口を洗う」という意味や「口を開ける」という意味をもつ言葉が記されているという。また、神像が作られたり設置されたりしたときだけでなく、定期的に「口を清める」ための儀式も行われていたらしい。

ここでは、神々の言葉や神々の声をことさら強調してきた。この「神々のささやく世界」は、前二千年紀までのメソポタミア社会にあって数多くの事例をもっている。だが、あくまで一つの解釈あるいは仮説にすぎない。そのことはよく弁(わきま)えながら、ほかの地域では神々への接近はどのような形をとっているのか、さらに歩を進めてみよう。

3　自然信仰とマアト

動物を神の化身と考え太陽を崇める自然崇拝

エジプトでは空から雨が降ることはほとんどない。水はナイル河の流れだけが頼みである。国土のほとんどが不毛の砂漠におおわれているにもかかわらず、肥沃(ひよく)な農業国である。このために古来「エジプトはナイルの賜物(たまもの)」といわれている。

ティグリス・ユーフラテス両河の辺にやや遅れて、今から五〇〇〇年ほど前にこのナイル河の流域にも都市文明が誕生した。もともと、エジプトの宗教もさかのぼれば、先史時代の彼方にかすんでしまう。自然史ともいえる人間生活の営みのなかで自ずとめばえたものであった。なにか歴史上の出来事があり、開祖にあたるような人物がいたわけではない。あくまでも民衆の間で素朴な形で生まれたのだ。

ところで、都市文明の成立とほぼ同時期にヒエログリフ（聖刻文字）が成立している。このヒエログリフは美しい絵文字風の記号であるために、文字そのものがなにか神聖な力をそなえているかのようであった。これらの文字は神の言葉のごとく受けとめられたかもしれない。それとともに、ここでも文字が出現したことで、人間の心のあり方がぼんやりと見えてくる。

太陽の光がさんさんと輝き、灼熱の世界がどこまでも広がる。夏になるとナイル河は増水し、辺り一帯に大氾濫をおこす。このような大自然の圧倒的な力の前で、人間はまったくなす術もなく無力であった。犯しがたい自然環境に住むためだろうか、エジプトの人々には人間の無力さがことのほか身にしみていた。人間の運命というものはほとんど自然の恵みや災いに左右されるしかない。それらの背後には、もはや人知では推しはかることなどできない大いなる力が働く。そのような偉大な力をおよぼす者、それらをエジプト人は神として崇めるのだった。

自然の森羅万象に神々は宿る。信仰心の自然なめばえからすればありふれたことだが、エジプト人の間にあっては動物信仰といえるものが目立っている。彼らは動物のなかに神のもつ力を感じるのである。天空や地上の自然現象にあっても、ある動物がその力をそなえていると思われていた。

動物を神そのものあるいは神の化身と考えるのは先史時代の古い形の信仰である。やがて神を人間の形になぞらえるようになり、それとともに身体は人間であるが頭は動物であるという奇怪な姿をとるようになる。たとえば、天の神ホルスはハヤブサの頭であり、死者の神アヌビスは山犬の頭であり、水神ソベクはワニの頭であった。

諸部族の土俗信仰にまで立ち入れば、エジプトでは二〇〇〇もの神々が崇められていたという。だが、これらの神々がいつまでも雑然と共存しているわけにはいかなかった。ファラオの覇権による統合が進み社会が大きくなるにつれて、神々の世界にも秩序を求める動きが生まれてくる。親子や夫婦などの家族関係になぞらえて理解したり、性格の似た神々がそのなかの最強の神に習合（しゅうごう）したりしていった。たとえば、ハヤブサの頭をした天の神はいたるところで崇められていたが、すべて王権の守護神としてのホルスに習合してしまったのである。

このような神々の統合化のなかで、太陽神を宇宙の創造神とする観念が明確な形をとるようになってくる。日々ぎらぎらと輝く太陽の光を浴びていたのだから、ナイル河流域地方の人々がなによりも太陽神ラーを崇める気になったとしても不思議ではない。この信仰はそれぞれの地域の守護神信仰とも結びつきを深めることにもなった。たとえば、テーベの守護神アメンはテーベの興隆とともに太陽神アメン・ラーとして礼拝されている。

来世信仰からミイラをつくる

エジプトの宗教できわだっているのは強烈な来世信仰であるという。巨大なピラミッドを建設した古王国の栄華は創造神の定める宇宙の秩序がもたらしたものと信じられていた。このために、古王国が衰退する時期になると、人々はこの世に安らぎを見出せなくなり、来世に期待する思いが強くなったかもしれない。

永遠の生命を得るためにこそ、この世の生がある。そうであれば、現世ではより正しく生きなければならない。というよりも、来世にこよなく期待するという生き方において、エジプト人はひときわ抜きん出ていた。このような来世信仰が生まれるというのも、エジプト人は太古から死の問題にとりつかれていたとしか思えない。それにもナイル河が大きく関わっているのかもしれない。

ひとつには、この大河の辺にある肥沃な緑地に人は生きるのだが、その彼方にはもはやなにものも生息することのない不毛の砂漠がはてしなく広がっていたことである。そこには生の世界と死の世界とのいかんともし難い隔絶を日々ほうふつとさせるものがあった。もう一つは、ナイル河は毎年決まった季節に増水し氾濫しつつ流域周辺をうるおし、また元の姿に戻ることである。この一年周期のくり返しは生と死と再生を演じる自然の律動そのものと重なり、現世と来世を思いおこさせるのであった。

エジプト人の来世信仰はなんとも不思議としか言いようがない。彼らの信じるところでは、人間が死ぬとその人の霊魂は肉体を離れるのだが、いつの日かふたたび肉体を必要とするという。自分の亡骸(なきがら)が土にもどってしまえば、霊魂はどこへ行ったらいいのか、わからなくなってしまうと考えていたのである。

そこで亡骸を保存する方法が開発されるわけである。心臓以外の内臓を取り去った遺体に香油と植物汁をすりこみ、長い包帯でぐるぐる巻いてしまうのだ。内臓は別の壺に納められた。こうして亡骸は腐らないまま保存され、それはミイラとよばれている。このミイラはまず木製の棺(ひつぎ)に横たえられ、その棺は石の棺に納められ、それから墓室に入れられた。

ふたたび神々の声——黄泉の神オシリスの助言

下エジプト南部にあるエジプト最古の王都メンフィスには、太古の朽ちかけた皮の巻物から書き写された石碑がある。そこには堂々たる神殿が建立されたという記述があり、最後は、あらゆる神々は

「創造主」プタハ神の声あるいは「舌」のさまざまな現れであると結ばれている。

この「舌」は、しばしば「プタハ神の心を具象化した概念」のようなものと解釈されてきた。だが、この解釈はあまりにも現代的であり、われわれの観念を押しつけているのではないだろうか。われわれ現代人は、心や精神が具象化されたり顕在化したりとする考え方でしか理解できないのではないだろうか。

衆目の一致するところでは、太古の言語は、シュメール語にしろエジプト語にしろ、あくまでも具体的だったという。もし抽象的な概念を表すというなら、古代人も現代人も同じように考えており、人間はほとんど変わらないということになる。はたしてそうだろうか。

むしろ、古代の人々は、太古にさかのぼればさかのぼるほど、具体的に表現していたのではないだろうか。だから、石碑の示唆するところでは、「舌」や「声」からすべての物事が形をなしたということになる。つまり「舌」や「声」を通じて人々は「命じられていた」とか「操られていた」とかいうことにならないだろうか。

ところで、来世信仰心の根強いエジプト人の間で、黄泉(よみ)の神オシリスはことさら崇められていたという。もともと、この世の王であり絶大な人気があったオシリスは、これを妬(ねた)む弟神セトに謀られて殺害され、死体がバラバラになったが、妻イシスの手で寄せ集められ包帯を巻かれてミイラになり、あの世の王としてよみがえるという神話であった。これに由来して、ミイラを包帯でぐるぐる巻きにする慣習が生まれたらしい。

さて、ここでオシリスはわが子にしてこの世の王であるホルスに助言を与える。王の声はその死後も聞かれ、後継の王を導くのだ。オシリスは訓戒を与える神として生きており、あくまで権威の声として厳然としていた。ミイラが納められた墓には、生活に必要な食べ物、飲み物、奴隷、女性などがすべて入れられていたという事実があり、王を知る人々は記憶に残る王の声が死後もまだ耳に届くと信じていたにちがいない。

神であるオシリスすらもこの世においてよみがえることはできなかった。まして人間ならなおさら死すべき運命をまぬがれえない。この厳粛な事実をエジプト人は真っ向から受けとめることになる。死は永遠の暗闇を想像させ、それは耐えがたいほどの宿命であった。彼らはそれを克服するためにあれやこれやと模索する。遺体をミイラにして保存し、副葬品をそなえ、もろもろの冥界(めいかい)復活の手続きが整えられた。この冥界復活の手続きというのが名高い「死者の書」に記された呪文(じゅもん)集である。

これらの呪文集をふりかえれば、古王国時代のピラミッドにまでさかのぼることができる。このころ王の権力は絶大なものがあり、王が死ねば来世で復活し、神々の世界にあって現世の民衆にもさまざまな恩恵をほどこしてくれると考えられていた。王が冥界で復活するための呪文は重要であり、それらはピラミッドの内壁に書き記されたのでピラミッド・テキストとよばれている。

あの世で復活するための呪文

その後、高価な棺のなかにも呪文集が書き記されるようになり、冥界入りの手続きが広く受け入れられるようになったらしい。棺(コフィン)に書かれているので、その呪文集はコフィン・テキストとよばれている。

これらの葬祭文書の流れにそって「死者の書」が成立することになる。この呪文集を古代エジプトの人々は「日の下に現れ出るための書」とよんでいた。前二千年紀半ばころから、必須の呪文を選んでパピルスの巻物に書き写し、副葬するようになった。やがて、パピルスだけではなく、ミイラの包帯、彫像、調度品などにも書き記すようになった。こうして「死者の書」が広く知られるにつれ、誰もがあの世に復活する資格をもてるようになる。しかし、そのためには「死者の裁判」という関門をくぐらなければならない。その儀礼が故人に求められるようになっていく。

そもそもこれらの呪文とはどんなものであるのだろうか。それは死とともに失われた人間の能力をとりもどすために必要とされる魔法の文言である。埋葬からあの世における復活にいたるまで、死者はさまざまな危険に遭遇（そうぐう）する。それらを克服するためにそれぞれふさわしい呪文を唱えなければならない。たとえば来世でふたたび口を使えるように「私が話せるようにしてください」という呪文を唱えて開口の儀式をするのである。このようにして一連の生命能力が回復すると考えられていた。

不死なる神々の秩序のなかで、人間は死をまぬがれないにしても、さまざまな霊のごとき要素をもっていた。それはエジプト人にとって自明のことだったらしい。現世と同様に来世でも幸福に生きるには、これらの要素を調和させることが大切であった。

なかでも「バー」と「カー」とよばれる霊性はひときわ大きな力をもっていたという。この二つの霊性がひとつに合体することによって「アク」という真正の霊魂となる、とエジプト人は考えていたらしい。

死者の肉体はミイラとなって動けないので、自由に飛び回って変幻自在な形をとる霊性が「バー」

である。ふつうは、人間の頭をもつ鳥として表現され、「力の表象」という意味合いであった。「カー」については「生命力」や「自我」などの訳語があてられている。一種のエネルギーのような霊性であり、視覚ではとらえられない力であった。それだけにつかみどころのない面があるが、「個人の神」にあたるという解釈もある。この解釈によれば、メソポタミアにおいて「命令する神」として自覚されていた霊性と似たものではないだろうか。個人の頭のなかでは「カー」の声がはっきりと聞こえるのであり、その人物を導く力であったという。

このように解釈する場合には、その前提として現代人の意識とは異なる時代があったことを想定しなければならない。それというのも、古代人の見聞を見渡せば、神々の声や姿があまりにも当然のごとく記されているのに驚かされる。それはもはや非合理的な妄想にとらわれた人々の意識として片づけられる疑問ではない。この問題は、メソポタミアやエジプトにかぎらず、少なくとも地中海世界の規模で考えてみなければならない。それだけ多様な論点をふくんでいる。本書のタイトル「神々のささやく世界」にも関わることでもあり、本章の結末において詳しく語ることにしよう。

至高の存在「マアト」につつまれた生と死

ところで、来世を信じるエジプト人にとって、なによりも気がかりなことがあった。たび重なる試練を呪文の力で乗り越えながらも、故人に立ちはだかる最大の難関が「死者の裁判」である。冥界にたどり着いた死者は「二つの真理の広間」に進み出る。そこは冥界の王オシリス神を裁判長として四二柱の神々を裁判官とする法廷であった。死者の生前の行いが真理に従ったものであったかどうか、それが裁かれるのである。死者は罪となるかれこれの行為を犯さなかったと神々の前でつぎつぎと否定して告白する。盗みや殺人のような犯罪はもちろん、「嘘をついたことがありません」「立ち聞きしたことがありません」というような倫理道徳に関わるものまである。これらの誓言は決まり文句の呪文として「死者の書」に納められている。第一二五章「否定告白」の呪文がそれである。これらの審問の後、それらの誓言が正しいかどうかが問われることになる。天秤がすえられ、一方の皿には死者の心臓が、もう一方には真理を象徴する羽毛がのせられる。それは現世を生きてきた心臓の証言であった。山犬の頭をしたアヌビス神は微妙な傾きも見逃すまいとして天秤のバランスを見つめる。天秤がつりあえば、誓言は真実であると認められた。

罪なき者はオシリス神から護符をたまわり、太陽の船に乗ってあの世の楽園イアルの野にたどり着くのである。そこでは、衣食住に満たされており、対人関係に悩むこともなく、決められた日にはこの世の家族と交わることもできるのである。エジプトの人々はそのように考えて死を前にみずからを慰めたという。

さて、この裁判が開かれる広場の名前からも、羽毛の象徴するものからもわかるように、エジプト人はことさら真理を愛したという。ここでは真理と訳したが、ヒエログリフの言語では「マアト」とよばれる。それは真理であるとともに、正義でもあり、秩序でもあり、法則でもある。

第二章でも述べたように、エジプト人にとって、神々は冒しがたい絶対的なものであったが、その神々でさえ従わなければならない至高の存在が「マアト」であった。至高なるマアトは、この世の創造とともに生まれたという抽象的な観念であったが、民衆が心に描くにはしばしば擬人化され、太陽神ラーの娘や、知恵の神トトの妻などの女神の姿で崇められていた。

そして、あの世で永遠の命を得るにあたって、羽毛が象徴する「マアト」は決定的な役割を担っていた。真理であり正義であり秩序であり法則である「マアト」のために、生きている間にしてはならないことを神々が定めており、それらを守れば、人は必ずあの世で幸せに暮らせるという神々との約束があった。そこに人々は希望を抱いたのである。

母親を慕う幼児のように「マアト」が刷り込まれて

このような約束と希望は、エジプト社会の規範と倫理を実のあるものにしたにちがいない。このために国内の治安はかなり安定していたという。確かな来世観は人々の心の支えとなり、社会の安定というはかりしれない恩恵をもたらしていたことになる。

この治安の安定あるいは秩序の維持という点にあって、エジプトはことのほか特異である。それはメソポタミアと比べることできわだってくる。メソポタミアには、古バビロニア王国の「ハンムラビ法典」に代表されるように、さまざまな法令が出されている。それらによって、殺人、強姦、傷害、窃盗、姦通、過失などが犯罪とみなされ、それらに刑罰が規定されていた。そこには信賞必罰(しんしょうひつばつ)の精神があり、これらの法によって治安の安定がはかられ、秩序が維持されていたといえるだろう。

エジプトにも法がなかったわけではない。そういうものの、メソポタミアに比較すれば、法体系が整備されていたとはいえない。だが、エジプトではいつのころからか罪は自分の良心に照らして自分で考えるという意識が強かったのではないだろうか。「マアト」は宇宙と生の根底そのものであり、個人個人が心のなかに認めることができる。いろいろな時代を通じて、さまざまな文書のなかに、以下のように表明されている。


「汝の心にマアトを知らしめよ」

「我は汝の心にマアトを知らしめよう。汝が己にとって正義を行えるように」

「我はマアトを愛し、罪を憎む。罪が神を冒瀆（ぼうとく）すると知っているからだ」

「マアトを知り、神が教える者よ」

「神よ、我が心にマアトを与えたまえ」


これらの言明がくりかえされるのも、いわく言い難い「マアト」という観念がエジプト人の心にしみついていたからである。その「マアト」を身につけるとき、おのずから良き秩序が生まれる。それは法令や暴力によって実現されるものではない。たとえば、親が子を愛し、子は親を敬うなどという気持ちは法令や罰則で規制しがたいものである。しかし、家族、友人、隣人などの間で互いに配慮しあうという気持ちはきわめて肝要であり、それらの大切さは時代も地域も超えている。このようにしてみれば、エジプト人が「マアト」に奉じる心をいだきつづけていたことはことさら注目されるだろう。

だからこそ、「死者の書」の呪文のなかでも「マアト」がくりかえし唱えられることになる。


「宇宙の支配者たる神の御前にて、私にはマアトが与えられるべきだとおっしゃってください。

私はエジプトでマアトを実践してきたのですから」
「私をお守りください。……マアトの主のために、私はマアトを実践してきたのです。私は潔白です」

これらはもはや絶叫でもあり、「マアト」は大いなる言霊のような存在であった。それだけに、ひときわエジプト人の生きる姿勢とも心構えともいえるもののなかに深く刻みこまれていたにちがいない。母親を慕う幼児のように、彼らの心のなかには「マアト」がしっかりと刷り込まれていた。この刷り込み（imprinting）とは動物行動学の概念であるが、あえてこれをもちだしておきたい。エジプト人には親子の親密感にも比せられるほど「マアト」が身近なものであり、それにもとづく規範があったからである。このような「マアト」に根づく規範に従って生きるかぎり、エジプト人の心はなにかにつつみこまれるように安らかだったのである。

唯一神アテンへの信仰

ギリシア人の価値観の根本には、真、善、美があるという。それに倣え（なら）ば、エジプト人の「マアト」とはこれらを一つに合わせたようなものだろう。このような「マアト」を奉じることに余念がなかったエジプト人のなかでも、とりわけ「マアト」を愛し、ひたすら「マアト」を求めた人物が、新王国第一八王朝のアメンヘテプ四世だった。

前一三六七年頃にファラオに即位したアメンヘテプ四世は、治世五年目頃に、徹底した宗教改革を断行した。それまでのアメン神を主神とする神々への祭祀（さいし）を禁止し、アテン神のみを唯一神として崇めることとしたのである。

組織的な迫害によって、旧来の神殿は荒れるにまかせ、あらゆる偶像崇拝が禁止される。みずからの名を「アテン神に有用なる者」の意でアクエンアテンと称し、複数形で用いられていた神々という文字は、単数形の「神」に改められた。一神教の観念をすみずみまで行きわたらせようとしたのだ。

アクエンアテンが断行したのは宗教改革だけではなかった。文化や芸術の活動にあっても、それまでの様式とはまったく異なるものが打ち出された。現実をそのまま写しとり、写実主義あるいは自然主義の精神がひそんでいると言えなくもないこの創作活動は、「アマルナ芸術」とよばれている。

もちろん、多くの人々、とりわけ保守的な支配層は改革など望んでおらず、「神々」のいる世界を当然のごとく考えていたのだから、排他的な唯一神信仰など理解しがたいことだった。なかでも宮廷にまで大きな勢力をもっていたアメン神官団には大打撃であっただろう。

帝国として絶頂期を迎えていたエジプトの王権を継承したアクエンアテンにとって、対抗する最大勢力のアメン神官団は目障（めざわ）りだった。したがって、この改革には政治的な権力闘争もからんでいただろう。しかし、この王の徹底した宗教改革には、そうした政治上の駆け引きを超えた強い意志を感じさせられるのだ。

一神教改革がもたらしたもの

さりとて、この王の死後、唯一神アテンの信仰はすぐに廃（すた）れ、エジプト社会は伝統の宗教にもどってしまうという。しかし、ほんとうにこの一神教は消滅してしまったのだろうか。これらのことを考慮するとき、謎はますます深まるばかりである。

史料が少ないうえに事実が混乱していることからすれば、足踏みしたくなる気分もわからないではない。しかし、事はあまりにも重大ではないだろうか。このために、アクエンアテンの改革運動は狭い古代史家の枠を超えてさまざまな人々の想像力を刺激することになった。

精神分析学の草分けであるフロイトは、このアクエンアテン王に異常に興味をいだき、アマルナの発掘作業に参加するほどだった。やがて彼はだいたんにもエジプトからイスラエルの民を脱出させた預言者モーセはエジプト人だったという想念にとりつかれてしまう。そして、モーセは唯一神への信仰をイスラエルの民に伝えたのであり、それはアクエンアテンの信仰にほかならないと述べている。さらには、自分が百万長者なら、この発掘の続行に出資するとまで言い切っているのだ。ただし、このフロイトの希望的観測は歴史叙述の域を超えており、これ以上ここで論じるわけにはいかないのだ。

文字史料にだけ拘泥(こうでい)すれば、アクエンアテンの一神教改革は反対勢力を排除するための政治改革という色合いをもたされがちである。宗教改革はこのファラオ一代にかぎられたものであり、唯一神信仰は皮相であり根づくことはなかったという結論で片づけられてしまう。

たしかに、政治改革の思惑がなかったわけではない。だが、その面だけに目をそそぐのなら、そこに生きていた人々の心のあり方というものがあまりにも無視されていることにならないだろうか。古代社会を見つめるまなざしというものがあれば、そこでは宗教という力の要素は現代人にははかりしれないほど大きいのだ。信仰の心性に注目するという立場からすれば、唯一神信仰への心性の変貌は世界史のなかで最大級の関心をもって然るべき大事件であったと言うべきだろう。

アクエンアテンの一神教がその後どのような経過をたどったにしても、エジプト社会に根づくことはなかった。しかし、旧来の多神教世界にも大きな影響をおよぼしたにちがいない。新王ツタンカアメンは旧勢力のはびこる旧都テーベにはもどらず、古都メンフィスに遷都している。神々を崇める人々にもあらたな覚悟をよびおこすものがあったのだろう。

アクエンアテンの宗教者としての姿勢はかぎりなく真理（マアト）を求めるところにあった。その声はあまりにも激しく、そのために斥けられてしまったが、彼の真摯（しんし）な叫びは人々の心にとどろくものがあったのかもしれない。

それを暗示するかのように、個人信仰のめばえがある。半世紀を超えた後のラメセス二世の頃に明らかな形をとるようになるのだが、個人が直接に神に語りかけるという信仰者の姿勢がきざしているのだ。それまでの祭式の主宰者が神々によびかけるような形ではない。たとえば「……神を心におき、保護者に願う」という形で私人の祈願の言葉として記録に残されている。そこにはひとり個人として敬虔（けいけん）な気持ちで神に祈るという心性が感じられるのである。

その個人の敬虔がどれだけ民衆のなかに広がっていたか、それはもとより知ることができないだろう。しかし、来世信仰の広がりとともに、敬虔なる信仰という心の姿勢が人々のなかにめばえていたかもしれない。それは想像できないことではないのだ。

4　心性の考古学

カナン地方の人々と信仰

前二千年紀後半、楔形文字を生み出したメソポタミアとヒエログリフを考案したエジプトとの狭間にある地域は混沌としていた。そこでは、バビロニア王国、ヒッタイト王国、アッシリア王国、エジプト王国などが興亡をくりかえし、さらに、これらの大国の圧迫にあえぎながら弱小勢力がひしめきあっていた。

彼らは小さな都市国家をなし、というよりも部族国家というほどの規模であった。そこはセム語系の人々、印欧語系の人々、系統不明の人々が入り乱れて、流動的であり、まさに人種の坩堝であった。これらの群立する小都市国家のなかでも、カルケミシュ、アレッポ、エマル、ウガリト、アムルなどが目立っていたが、しかし、大国の覇権のもとでは虐げられ抑圧されていたのである。

旧約聖書のなかでは「約束の地」といわれるカナン地方は、メソポタミアやエジプトのような大河に恵まれているわけではない。たしかに乾燥した地域ではあるが、幸いにも寒帯前線が移動する区域にある。そのために、冬季には雨が降り、完全に乾燥するわけではない。そこでは雨水こそが万物に潤いをもたらす源であった。だが、その雨水はありあまるほどあるわけではなかった。ただひたすら乞い願わなければ得られないものであった。

このためにカナン地方では、なによりも嵐の神バアルが崇められるようになる。嵐は雲、雷、稲妻をもたらし、雨を恵むものであるからだ。神話のなかのバアルは、父神から妻を奪い、兄弟の海神と死神（モート）と争いながら、至高なる神にのぼりつめる。雨のもたらす最大の恵みはなによりも豊穣にほかならない。植物が豊穣になれば、やがて家畜も多産になる。このために豊穣と多産を願う性技にまつわる祭儀がさかんであり、カナン人の宗教活動はしばしば恍惚（オルギー）をもたらすことに注がれていたという。そこには聖なる生命への信仰があふれんばかりであったのだ。

もちろん、カナンの地にある人々がことさらバアル神を奉じたからといって、ほかの神々が疎（うと）んじられたわけではない。劣格の神々もそれなりに崇められた。しかし、そこは諸々（もろもろ）の民がひしめきあう世界であった。みずからの危うさを感知すればするほど、自分たちの結束を確かなものにしようと自覚するようになる。いずれの民もみずからの主神に思いをよせ、その神をひたすら祀（まつ）り上げる気になったにちがいない。

フェニキアのバアル神像。ルーヴル美術館蔵

すでにメソポタミアにあっても、前二千年紀後半になると、神々の吸収合併がすすみ、数少ない神々だけが崇められていたらしい。とはいえ、カナンの地では、その動きがなおさら目立っている。

このようなカナンの人々のなかでも、おくれてこの地にやってきたのがヘブライ人である。ヘブライ人とは彼らが他者の目を意識するときの名称である。日本人がみずからをジャパニーズとよぶようなもの。彼らみずからはイスラエル人とよんでいる。

旧約聖書の伝承によれば、アブラハムの一族は何世代も遍歴しつづけ、ヤコブの世代にエジプトのゴセンの地に寄留を許される。やがてその地で子孫をふやし、このヘブライあるいはイスラエルとよばれる人々はおびただしい数になった。この脅威となった民にエジプト人は重労働を課して酷使した。長年にわたる過酷な労働と虐待に耐えかね、ヘブライ人は指導者モーセにひきいられてエジプトをのがれる。彼らは四〇年間さまよいながら、やがて次の世代に「約束の地」カナンにたどり着く。だが、そこには諸勢力がひしめきあっており、新来のヘブライ人が定着することを快く受け入れる人々だけではなかったし、敵対する勢力も少なくなかった。どこにあっても彼らは砂漠のなかの寄留者にすぎないのである。

しかしながら、砂漠をさまよったヘブライ人はやがて沃地カナンに住みつく。農耕定住生活は魅力的なものであったにちがいない。遍歴の民はモーセ以来の唯一神信仰になじみつつあったが、今や定住し、そこはまさしくイスラエル人の地になった。

豊穣と多産を約束する神バアルは定住したイスラエルの民にとっても心地よく受け入れやすいものになる。ヤハウェは唯一無二の神であるはずだったが、主を意味するバアルはヤハウェの形容詞と見なされたり、別名として崇められたりした。つまるところ、ヤハウェとバアルが混同されるようになったのである。

カナン人の供犠は、聖所に供物を捧げたり、油や水を注いだりする。供物は神々の食べ物と見なされていたのだ。農耕定住生活のなかでイスラエルの地でも家畜を生贄にする燔祭が行われるようになっている。このようなカナン人の供犠は踏襲され、イスラエルの民はそれらをヤハウェへの奉納物として意識した。さらには、カナン人のほかの農耕儀礼も採り入れられ、恍惚（こうこつ）狂乱の儀礼さえもとり行われる場合もあった。

このような農耕社会の神々の祭儀にそまることは、唯一神との誓約に殉じる人々にはイスラエルの民の堕落であった。バアルをはじめとするカナンの神々の祭祀をとりこもうとする動きはなんとしても食い止めなければならないのだ。だからこそ、預言者たちはヤハウェこそイスラエルの民に君臨する唯一の神であると主張する。雨を降らせ、国土の実りを約束するのはバアルではなくヤハウェなのだという叫びがくりかえされる。

「声」や「言葉」として登場する神

前一〇世紀頃から長年にわたって文書化された旧約聖書のなかには、太古の人々が「神々」あるいは「神」についてどのように思い描いていたか、その痕跡（こんせき）があるのではないだろうか。まず、「創世記」の冒頭からして示唆するところがある。


神は言われた。

「光あれ。」

……（中略）……　神は言われた。

「水の中に大空あれ。水と水とを分けよ。」

……（中略）……　神は言われた。

「天の下の水は一つ所に集まれ。乾いた所が現れよ。」

……（中略）……　神は言われた。

「地は草を芽生えさせよ。種を持つ草と、それぞれの種を持つ実をつける果樹を、地に芽生えさせよ。」

……（中略）……　神は言われた。

「天の大空に光る物があって、昼と夜を分け、季節のしるし、日や年のしるしとなれ。天の大空に光る物があって、地を照らせ。」

……（中略）……　神は言われた。

「生き物が水の中に群がれ。鳥は地の上、天の大空の面（おもて）を飛べ。」

……（中略）……　神は言われた。

「地は、それぞれの生き物を産み出せ。家畜、這（は）うもの、地の獣（けもの）をそれぞれに産み出せ。」


ここで「神は言われた」とくりかえされるように、神は「音としての言葉」あるいは「声」として登場している。天地創造の由来が描かれているわけだが、それにしても、神がまずもって言葉や声としてとらえられていることはもっと注目されるべきではないだろうか。

ここで「神」と訳される「エロヒム」（あるいは「エル」）だが、その場合には集合名詞としての単数形と見なされているらしい。だが、通常は単数形ではなく複数形としてあつかうべきだという意見もある。その場合も、もっともふさわしいのは「偉大な者たち」や「傑出した者たち」などの訳語であるという。

すでに指摘したことであるが、メソポタミアにおいてもエジプトにあっても、「神々」あるいは「神」は「声」として感じられていたのではないだろうか。その両地域に挟まれたシリア・パレスティナにおいてもまた、神あるいは神々が人間に命じたりささやいたりする「声」として現れているのは意外でもなんでもないだろう。おそらく太古の古代人にとって、神のごとき存在はなによりも「声」や「言葉」として感知されていたのではないだろうか。残された伝承を広く醒めた気分で読みこめば、そのように考えるのが理に適っているのではないだろうか。

このような神の声は、それを自分が聞いたことに疑いをいだいているとき、ことさら心に残るのではないだろうか。旧約の預言者エレミヤの告白にはその痕跡がくっきりと刻まれている。

主よ、あなたがわたしを惑わし
わたしは惑わされて
　あなたに捕らえられました。
あなたの勝ちです。
わたしは一日中、笑い者にされ
人が皆、わたしを嘲ります。
わたしが語ろうとすれば、それは嘆きとなり

「不法だ、暴力だ」と叫ばずにはいられません。
主の言葉のゆえに、わたしは一日中
恥とそしりを受けねばなりません。
主の名を口にすまい
もうその名によって語るまい、と思っても
主の言葉は、わたしの心の中
　骨の中に閉じ込められて
火のように燃え上がります。
押さえつけておこうとして
　わたしは疲れ果てました。
わたしの負けです。（「エレミヤ書」二〇・七－九）

主たる神は惑わし、人は惑わされるという。主の言葉を人の口で語ろうとしても、それは聴衆にはただの嘆きにしか聞こえない。それでも主の言葉は人の身体の中にあって「火のように燃え上がる」というのだ。

ここでいう言葉とはまさしく声であり、その音声が人の心のなかで響いている様を思い描くことができる。もっとも素朴な形では、このような声が、たんなる牧夫（ぼくふ）アモスの内にも、なんの疑いもなくとどろいている。

主はシオンからほえたけり
エルサレムから声をとどろかされる。（「アモス書」一・二）

この叫びはしばしば威嚇（いかく）のための導入としてあつかわれているが、そこには述べ伝える者の心はないのだろう。なんらかの伝承があったとすれば、その核には残り香があったのではないだろうか。たしかに、旧約聖書のほとんどは、異なる時代にさかのぼるさまざまな素材を寄り合わせて編集されている。しかし、「ユダの王ウジヤとイスラエルの王ヨアシュの子ヤロブアムの時代、あの地震の二年前に」と特定できる前八世紀半ばに成立したという「アモス書」は、最古期のほとんど混ざりもののない純粋な書である、と言える。それゆえ、太古の古代人の心をのぞきみようとする立場からすれば、なによりも古い痕跡を残しているはずだということもありえる。

アモスは預言者でも預言者の弟子でもないと述懐する。「家畜を飼い、いちじく桑を栽培する者」にすぎない。それにつづいて彼は語る。

主は家畜の群れを追っているところから、わたしを取り、『行って、わが民イスラエルに預言せよ』と言われた。（「アモス書」七・一五）

アモスは、後の預言者のように、疑いをもったり思い悩んだりするわけではない。主の声が命じるところに従って素直に反応して行動する。主が幻(まぼろし)の光景を示したとき、アモスは「主なる神よ、どうぞ赦(ゆる)してください」(七・二)あるいは「主なる神よ、どうぞやめてください」(七・五)と訴えるだけであり、主の言葉はこの牧夫のなかで圧倒的な重みをもっているのだ。そこには人の「意志」「思考」「理知」などの類が入りこむ余地はない。

「主は言われる」「主は命じられる」と語るとき、アモスは断固としており、確信にあふれ、ぶしつけではあるが気高く、怒れる神の言葉を伝える。自分が主の言葉の内容を理解しているかどうか、とためらうことなどないのだ。

拡散する「神々の声」

太古の昔には神々が語りかけていた痕跡はおびただしいほどある。前三千年紀後半からのメソポタミアの円筒碑文の神々、エジプトの霊性としての「カー」など、いずれにあっても言葉や声を介しての霊妙な力が人間に働きかけている。そのように理解すれば、神々と人間の関わり方について、全体としての道筋が通っているように思われる。

これらの事例をめぐっては、オリエント世界を離れて、前二千年紀後半のギリシア世界にあっても見出すことができる。なによりもギリシア人の太古の世界を歌った『イリアス』でも神々は人間にささやきかける。

ギリシア人の連合軍が小アジア沿岸のトロイア王国を襲撃したという。このトロイア戦争の最中、英雄アキレウスは連合軍の総大将アガメムノンに怒り狂っている。その物語のなかで、アキレウスをなぐさめるのも神、美貌の王妃ヘレネの誘拐を機にトロイア戦争を起こしたのも神、そのヘレネに望郷の念をかきたてるのも神である。

戦利品の愛人を奪ったミュケナイ王アガメムノンはアキレウスに蒸し返されて自分の咎を責められたとき、こんなふうに言い返す。

　だがその張本人はわたしではなく、
あのゼウス神と、運の女神モイラと、闇をさまよう復讐の女神エリニュスだ、
その神々が、会議の席で、私の胸にひどい迷いをぶち込んだもの、
アキレウスにやった褒美を、私自身取り返したその日のことだが。
だが何を私ができたであろう、神意は万事をおし貫き、はたしたもうのだ。（第十九書・八六－九〇）

神々が「迷いをぶち込んだ」などという弁解を聞いたアキレウスは、アガメムノンの言い逃れにすぎないと反論するわけでもない。それどころか疑いもなく信じているのである。おそらくアキレウスもまた自分の神々には素直であったからにちがいない。

このような場面は神話でしかなく作り話にすぎない、と一笑に付すのはかんたんである。あるいは幻視や幻聴にふりまわされているだけだと軽んじるのもたやすいことだ。しかし、そこに生きていた人々には、幻視や幻聴とは感じられなかったこともたしかである。かりに幻視や幻聴であったにしても、古代の人々には現実のごとく真に迫ったことであり、肌身に感じる出来事であった。

心性の考古学——命令を下す神とそれに従う人間に二分された心

そこにはどのような世界があったのだろうか。われわれはここで「心性の考古学」とでもよべる壁につきあたる。狭義の文献史学ではどうしようもない障壁(しょうへき)が横たわっている。しかし、あえて謎解きに一歩ふみだしてみよう。いささか現代科学の領域にふみこむ複雑な議論になるだろうが、人類史の大きな変わり目に遭遇(そうぐう)できるかもしれないのだ。

この問題を考えるうえで、大脳生理学に詳しいジュリアン・ジェインズ『神々の沈黙』(柴田裕之訳 紀伊國屋書店 二〇〇五年)は何かしらの手がかりをくれそうである。邦訳では「意識の誕生と文明の興亡」という副題があるが、原著のタイトルを直訳すれば「二分心の衰退における意識の起源」となる。動物行動学者であり認知心理学者でもある著者はここで、毅然(きぜん)とある仮説を持ち出している。

> 古代人やその文明の背景には現代人とまったく異なる精神構造があり、じつは古代人は私たちのような意識を持たず、自らの行動に責任があったわけではなく、それゆえ、何千年という長大な期間になされたいかなる行動も称賛(しょうさん)や非難に値しないこと、そのかわり、個々の人間の神経系には神のような部分があり、彼らは奴隷のようにその命令の言いなりだったこと、その命令は一つあるいは複数の声の形をとり、その声はまさに今日で言う意志にあたり、命令の内容に力を与え、また念入りに設定された序列によって他者の幻の声と関係づけられていたことだ。(同書)

著者のいう〈二分心〉とは「遠い昔、人間の心は、命令を下す「神」と呼ばれる部分と、それに従う「人間」と呼ばれる部分に二分されていた」というものである。つまり神々の声が聞こえるアキレウスの立場になれば、やはりなにかを感じているのである。それはさらに意識そのものがないという状態でもあるという。

アキレウスのような〈二分心〉をもつ人間は、自分の内から聞こえる声が、それまで人生で積み重ねてきた訓戒の知識をもとに、なにをなすべきかを告げるのを待つらしい。

この〈二分心〉という仮説を生理学的に裏づけるのが、大脳の左右両半球の機能をめぐる議論である。この議論は近年になって活発になされるようになったが、それまで右半球はほとんどなんの働きもせず補充用にあるとさえ言われていた。しかし、一九七〇年頃から、右半球の機能が少しずつ明らかになってきている。多くの人間の場合、左半球に言語野があり、このために左脳は思考および分析の機能をもっている。だから、脳出血などで左脳が害されると、失語症になり日常生活に支障をきたす。これに対して、図形を見たり音楽を聴いたりするときには右脳が活動する。右脳は知覚と総合の能力にすぐれているのである。大雑把に言えば、左脳は解析的・技術的であり、右脳は大局的・芸術的であるのだ。両者はお互いに補い合う関係にあるという。

ところで、左右の大脳半球はあくまで現代人の精神構造のモデルであり、〈二分心〉そのものではない。しかし、〈二分心〉を想定すれば、古代の人々を理解するときに、有力な手がかりになる。かりに古代人の精神構造のモデルを考える場合、右脳が神々の側にあり、左脳が人間の側にあるとすることができる。そこでは、意思決定のストレスが神々の声（幻聴）を誘発することになる。この幻聴は命令であり、それを聴くことは従順に行動することにほかならなかった。

　古代の史料や古典文面をひもとく読者には、古代の人々が当然のごとく記す、命令する神々とそれに従う人間という神話や伝承は、必ずしも妄想や絵空事とは思えない。少なくとも、実証史学の研究者である筆者には、迷妄の人間たちとして切り捨てる気にはならなかった。むしろ太古の古代人には自然の振る舞いであったとする方が、理解しやすくなる。

　人間の意識というものは、なにかに「働きかける」ことではないだろうか。意識は目に見える現実を模倣した「心の空間」で事物を物語化し、まとめて辻褄をあわせる。たとえば、現実の地形が地図として描かれると、「心の空間」にとりいれられた地図を手がかりとしてその土地を理解し、自分の歩む方向を決定する。

　太古の人々にはこうした地図をモデルとするような「心の空間」がまだ充分になかったのではないだろうか。そこに神々がささやきかけて人間の行動に働きかける別の力がひそんでいたことになる。

　神々の声がささやきかける時代には、現代の人間のような「意識」は希薄であったとも主張できる。太古の人々のなかで、いわゆる〈二分心〉が失われていく過程で明確な「意識」がめばえてくることになるのだろう。

　これらの出来事は、おそらく前一〇〇〇年前後の数世紀間におこっていたように思われる。そうであるなら、これは人類史上の大転換であり、それ以前の時代を「神々のささやく世界」と名づけることも認めてもらえるのではないだろうか。

おわりに

思えば、本文でも述べたように、人類の文明史五〇〇〇年のうち四〇〇〇年は古代であった。なかでも、地中海世界は、東アジア世界と並んで、今日にまでいたる独創的な基盤をもつ文明であり、圧倒的な磁場として存続した。このシュメールから古代末期にいたる地中海世界の文明史の全体像を描くのは望ましいことではあるが、実現しそうで実現しない幻影であった。学問分野が細分化され、この四〇〇〇年の歴史にも各種の専門家がおり、その共同作業として全体像を試みたとしても、それぞれ個々別々の見方が出てくるだけで文明史の全体像とは成り難いのではないだろうか。しからば単独の歴史家が書けばいいだろうが、そのようなことは夢のまた夢でしかないだろう。

大学の教養学部で長年にわたって教壇にあったせいで、文理を問わずすべての学部の学生のための講義を行う立場にあった。筆者は狭義ではローマ史を専門とする研究者であるが、大教室の講義ではオリエント史、ギリシア史もふくむ地中海世界文明史をくりかえし語ってきた。その積み重ねがあったためだろうか、二十数年前頃から、地中海世界の文明史の全体像を「夢のまた夢」で終わらせていいものだろうか、という思いがしばしば念頭を去来するようになった。やがて大学を停年退職することになり、筆者は最終講義でこの夢を試みることを公に宣言した。

爾来、一〇年余りが過ぎ、もともと大教室の講義で準備していたこともあって、執筆はこつこつと進み、このたび全八巻シリーズとして刊行されることになった。しかしながら、筆者はオリエント史の専門家ではない。そのため、第一巻については、メソポタミア史専門の小林登志子さん、エジプト史専門の畑守泰子さん、シリア・パレスティナ史専門の佐藤育子さんに基本的な事実の誤りがないかを点検してもらった。史料や事象の解釈については筆者の判断にこだわったが、基本的な史実の誤謬をまぬがれているとすれば、彼女たちのご協力のたまものであり、感謝にたえない。それでもなお誤謬があるとすれば、もとより筆者の責任であることは言うまでもない。

参考文献

本書執筆にあたって参考にしたおもな文献を、一般書を中心にあげた。また、本書中に取り上げた史料・碑文等の日本語訳は、これらの書籍から引用したが、その際に、著者が内外の文献を参考に、読みやすさを考慮して適宜改変したものもある。

青柳正規『人類文明の黎明と暮れ方（興亡の世界史00）』講談社　二〇〇九年
アンソニー・グリーン監修／MIHO MUSEUM編『メソポタミアの神々と空想動物』山川出版社　二〇一二年
池上正太／添田一平画『エジプトの神々』新紀元社　二〇〇四年
池田裕『古代オリエントからの手紙――わが名はベン・オニ』LITHON　一九九六年
ウィリアム・W・ハロー／岡田明子訳『起源――古代オリエント文明：西欧近代生活の背景』青灯社　二〇一五年
N・クレマー／佐藤輝夫・植田重雄訳『歴史はスメールに始まる』新潮社　一九五九年
大城道則『ピラミッド以前の古代エジプト文明――王権と文化の揺籃期』創元社　二〇〇九年
大城道則『古代エジプト　死者からの声――ナイルに培われたその死生観』河出書房新社　二〇一五年
大貫良夫・前川和也・渡辺和子・屋形禎亮『世界の歴史1　人類の起源と古代オリエント』中央公論社　一九九八年
岡田明子・小林登志子『古代メソポタミアの神々――世界最古の「王と神の饗宴」』集英社　二〇〇〇年
岡田明子・小林登志子『シュメル神話の世界――粘土板に刻まれた最古のロマン』中公新書　二〇〇八年
屋形禎亮編『古代オリエント　西洋史1』有斐閣新書　一九八〇年
小川英雄『古代オリエントの歴史』慶應義塾大学出版会　二〇一一年
後藤健『メソポタミアとインダスのあいだ――知られざる海洋の古代文明』筑摩書房　二〇一五年

小林登志子『シュメル――人類最古の文明』中公新書　二〇〇五年
小林登志子『五〇〇〇年前の日常――シュメル人たちの物語』新潮社　二〇〇七年
小林登志子『楔形文字がむすぶ古代オリエント都市の旅（NHKカルチャーラジオ・歴史再発見）』日本放送出版協会　二〇〇九年
小林登志子『文明の誕生――メソポタミア、ローマ、そして日本へ』中公新書　二〇一五年
小林登志子『古代メソポタミア全史――シュメル、バビロニアからサーサーン朝ペルシアまで』中公新書　二〇二〇年
小林登志子『古代オリエント全史――エジプト、メソポタミアからペルシアまで4000年の興亡』中公新書　二〇二二年
古代オリエント学会 編『古代オリエント事典』岩波書店　二〇〇四年
C・レンフルー／大貫良夫訳『文明の誕生』岩波書店　一九七九年
ジャン・ボッテロ／松本健監修『バビロニア――われらの文明の始まり』創元社　一九九六年
ジャン・ボテロ／松島英子訳『メソポタミア――文字・理性・神々』法政大学出版局　一九九八年
ジャン・ボテロ／松島英子訳『最古の宗教――古代メソポタミア』法政大学出版局　二〇〇一年
ジュリアン・ジェインズ／柴田裕之訳『神々の沈黙――意識の誕生と文明の興亡』紀伊国屋書店　二〇〇五年
ジョン・ボードマン／西山伸一訳『ノスタルジアの考古学』国書刊行会　二〇一〇年
杉勇・尾崎亨訳『シュメール神話集成』ちくま学芸文庫　二〇一五年
筑摩書房編集部編／杉勇他著『世界の歴史2　古代オリエント文明』筑摩書房　一九六〇年
月本昭男訳『ギルガメシュ叙事詩』岩波書店　一九九六年
ティルディスレイ／細川晶訳『イシスの娘――古代エジプトの女たち』新書館　二〇〇二年
Th・H・ガスター／矢島文夫訳『世界最古の物語――バビロニア・ハッティ・カナアン』平凡社東洋文庫　二〇一七年
トビー・ウィルキンソン／内田杉彦訳『図説・古代エジプト人物列伝』悠書館　二〇一五年
中田一郎『メソポタミア文明入門』岩波ジュニア新書　二〇〇七年

日本オリエント学会監修『古代オリエント史　ナイルからインダスへ　上巻』日本放送協会学園　二〇一四年
日本オリエント学会監修『古代オリエント史　ナイルからインダスへ　下巻』日本放送協会学園　二〇一四年
日本オリエント学会監修『古代オリエント史　メソポタミアの世界　上巻』日本放送協会学園　二〇一四年
日本オリエント学会監修『古代オリエント史　メソポタミアの世界　下巻』日本放送協会学園　二〇一四年
日本オリエント学会監修『古代オリエント史　ナイルからインダスへ　必携』日本放送協会学園　二〇一四年
日本オリエント学会監修『古代オリエント史　メソポタミアの世界　必携』日本放送協会学園　二〇一四年
ピョートル・ビエンコウスキ、アラン・ミラード 編著／池田裕・山田重郎翻訳監修『図説古代オリエント事典　大英博物館版』東洋書林　二〇〇四年
ヘルムート・ウーリッヒ／戸叶勝也訳『シュメール文明——古代メソポタミア文明の源流』佑学社　一九七九年
前川和也ほか『岩波講座　世界歴史2　オリエント世界』岩波書店　一九九八年
前田徹・川崎康司・山田雅道ほか『歴史学の現在　古代オリエント』山川出版社　二〇〇〇年
前田徹『メソポタミアの王・神・世界観——シュメール人の王権観』山川出版社　二〇〇三年
前田徹『初期メソポタミア史の研究』早稲田大学出版部　二〇一七年
増田精一『オリエント古代文明の源流』弥呂久　一九九三年
三笠宮崇仁『文明のあけぼの——古代オリエントの世界』集英社　二〇〇二年
吉村作治・後藤健他編著『ＮＨＫスペシャル四大文明　エジプト』日本放送出版協会　二〇〇〇年
和田浩一郎『古代エジプトの埋葬習慣』ポプラ社　二〇一四年
Jeremy Black and Anthony Green, *Gods, Demons and Symbols of Ancient Mesopotamia*, British Museum Press, 1992
Jean Bottéro, Clarisse Herrenschmidt, and Jean-Pierre Vernant, *Ancestor of The West, : Writing, Reasoning, and Religion in Mesopotamia, Elam, and Greece*, University Of Chicago Press, 2000
Jean Bottéro, *Au commencement étaient les dieux*, Hachette Littératures, 2004

Trevor Bryce, *The Kingdom of the Hittites*, Oxford University Press, 1998

Annie Caubet and Marthe Bernus-Taylor, *The Louvre : Near Eastern Antiquities*, Scala Books, 1991

George Hart, *Ancient Egyptian Gods & Goddesses*, British Museum Press, 1986

Francis Joannès, *Rendre la Justice en Mésopotamie : Archives Judiciaires du Proche-Orient Ancien*, Presses Universitaires de Vincennes, 2000

Paul Kriwaczek, *Babylon : Mesopotamia and the Birth of Civilization*, Atlantic Books 2010

Mario Liverani, *The Ancient Near East History, Society and Economy*, Routledge 2014

Jean-Claude Margueron and Luc Pfirsch, *Le Proche-Orient et l'Ègypte Antioues*, Hachette Supérieur 2012

Marc Van De Mieroop, *A History of the Ancient Near East ca. 3000-323 BC* Blackwell Publishing, 2007

Bernadette Menu, *Maât : L'ordre Juste Du Monde*, Michalon Editeur, 2005

James B.Pritchard, *The Ancient Near East : An Anthology of Texts and Pictures*, Princeton University Press, 2011

Marc Shell, *The Economy of Literature*, Johns Hopkins University Prerss, 1978

Christiane Ziegler et al., *The Louvre : Egyptian Antiquities*, Scala Books, 1990

Visitor's Guide To Ancient Egypt, Usborne, 2014

Ian Shaw (ed.), *The Oxford History of Ancient Egypt*. Oxford UP 2000

Jonathan N.Tubb, *Canaanites*. The British Museum Press 1998

Pierre Bordreuil, Françoise Briquel-Chatonnet, Cécile Michel, *Les Debuts de l'Histoire*. Editions de La Martiniere 2008

[マ]

[ヤ]

[ラ]

［ナ］

［ハ］

[サ]

[タ]

［カ］

索引

[ア]

本村凌二（もとむら・りょうじ）

一九四七年生まれ。一橋大学社会学部卒業、東京大学大学院人文科学研究科博士課程単位取得退学。文学博士（西洋史学）。東京大学大学院総合文化研究科・教養学部教授、早稲田大学国際教養学部特任教授を経て、現在、東京大学名誉教授。おもな著書に『薄闇のローマ世界――嬰児遺棄と奴隷制』（東京大学出版会、サントリー学芸賞）、『古代ポンペイの日常生活――「落書き」でよみがえるローマ人』（祥伝社新書）、『愛欲のローマ史――変貌する社会の底流』『興亡の世界史　地中海世界とローマ帝国』（講談社学術文庫）、『馬の世界史』（中公文庫、ＪＲＡ賞馬事文化賞）、『多神教と一神教――古代地中海世界の宗教ドラマ』（岩波新書）、『教養としての「世界史」の読み方』『名作映画で読み解く世界史』（ＰＨＰ研究所）ほかがある。

企画協力＝株式会社シュア

地中海世界の歴史①

神々のささやく世界

オリエントの文明

二〇二四年　四月　九日　第一刷発行
二〇二四年　五月　二日　第三刷発行

著者　本村凌二

発行者　森田浩章
発行所　株式会社　講談社
東京都文京区音羽二丁目一二―二一　〒一一二―八〇〇一
電話（編集）〇三―五三九五―三五一二
（販売）〇三―五三九五―五八一七
（業務）〇三―五三九五―三六一五

装幀者　奥定泰之
本文データ制作　講談社デジタル製作
本文印刷　信毎書籍印刷　株式会社
カバー・表紙印刷　半七写真印刷工業　株式会社
製本所　大口製本印刷　株式会社

ISBN978-4-06-535425-4　Printed in Japan　N.D.C.209　331p　19cm

講談社選書メチエの再出発に際して

講談社選書メチエの創刊は冷戦終結後まもない一九九四年のことである。長く続いた東西対立の終わりはついに世界に平和をもたらすかに思われたが、その期待はすぐに裏切られた。超大国による新たな戦争、吹き荒れる民族主義の嵐……世界は向かうべき道を見失った。そのような時代の中で、書物のもたらす知識が一人一人の指針となることを願って、本選書は刊行された。

それから二五年、世界はさらに大きく変わった。特に知識をめぐる環境は世界史的な変化をこうむったとすら言える。インターネットによる情報化革命は、知識の徹底的な民主化を推し進めた。誰もがどこでも自由に知識を入手でき、自由に知識を発信できる。それは、冷戦終結後に抱いた期待を裏切られた私たちのもとに差した一条の光明でもあった。

その光明は今も消え去ってはいない。しかし、私たちは同時に、知識の民主化が知識の失墜をも生み出すという逆説を生きている。堅く揺るぎない知識も消費されるだけの不確かな情報に埋もれることを余儀なくされ、不確かな情報が人々の憎悪をかき立てる時代が今、訪れている。

この不確かな時代、不確かさが憎悪を生み出す時代にあって必要なのは、一人一人が堅く揺るぎない知識を得、生きていくための道標を得ることである。

フランス語の「メチエ」という言葉は、人が生きていくために必要とする職、経験によって身につけられる技術を意味する。選書メチエは、読者が磨き上げられた経験のもとに紡ぎ出される思索に触れ、生きるための技術と知識を手に入れる機会を提供することを目指している。万人にそのような機会が提供されたとき初めて、知識は真に民主化され、憎悪を乗り越える平和への道が拓けると私たちは固く信ずる。

この宣言をもって、講談社選書メチエ再出発の辞とするものである。

二〇一九年二月　　野間省伸

MÉTIER